72ᵉ année - N° 784-785 / Août-Septembre 1994

SOMMAIRE

PAUL NIZAN

CAHIER DE CRÉATION

Écrivains du Venezuela

Nous remercions l'Union Latine pour son aide à la publication du Cahier de création consacré aux écrivains du Venezuela.

Notre couverture : *Paul Nizan* (Archives IMEC). Maquette de François Féret.

UN ÉCRIVAIN NOMMÉ NIZAN

Mort à l'âge de trente-cinq ans, Paul Nizan avait déjà pris une place singulière sur l'échiquier littéraire. Et c'est cela qu'il nous semble important de mesurer, d'apprécier, une entreprise romanesque bien située en son temps, et significative. N'est-il pas de ceux qui ont poussé aussi loin que possible une conception moderne du roman comme investigation des virtualités du réel ? De ceux qui ont tenté de rapprocher la création littéraire de la plus vive actualité, celle de leur temps personnel et collectif ? Se comprenant eux-mêmes comme personnages romanesques, au-delà de leur propre réalité, combinant l'autobiographie la plus intime et la biographie historiquement vécue, soucieux qu'ils étaient de mieux situer l'individu dans une complexe épaisseur de vie. On pourrait, par exemple, penser également à Jean Prévost.

Il est toujours fascinant de tenter d'imaginer ce qu'aurait été la présence, après la guerre, des représentants de cette génération d'écrivains de l'entre-deux-guerres, comme on ne peut presque rien dire de la jeunesse disparue qui aurait été la chair de la génération suivante, toute une part d'avenir qui n'a pas eu lieu, un énorme déficit. Sur les cinquante millions de morts du grand conflit, combien de Mozart assassinés, comme disait Saint-Exupéry...

Europe se propose, en présentant ce dossier, de mettre l'accent sur l'œuvre de l'écrivain Paul Nizan, sans oublier la personnalité complexe de l'homme qui en est inséparable, l'intellectuel brillant, le normalien, l'ami de Jean-Paul Sartre, le communiste, le journaliste, responsable du journal Ce Soir, à Paris, entre les deux guerres. Sans oublier les circonstances tragiques de son temps, ses prises de position et les polémiques qui en ont résulté jusqu'après sa mort.

On entendra, ici et là, dans les contributions des collaborateurs de ce dossier, des échos de querelles qui, toutes, ont pour base les rapports entre Nizan et le parti communiste, ses attitudes comme critique dans le domaine culturel et dans le domaine politique, comme sa décision de rompre avec son parti, en septembre 1939, après l'annonce de la signature du pacte de non-agression entre l'Allemagne hitlérienne et l'URSS. On verra qu'il critiqua alors davantage l'attitude du parti communiste en France que le fait du pacte en lui-même. Position originale, tout entière dépendante de sa connaissance des problèmes de politique internationale et d'une certaine idée de la stratégie à mettre en œuvre. Quelques-uns de ses anciens camarades de combat, jusqu'au plus haut niveau, assimilèrent son départ du parti à une trahison et réagirent par le rejet puis la diffamation. On entrait dans la « drôle de guerre », dans un climat de tension extrême, et le 26 septembre 1939, le parti communiste était interdit.

L'histoire va vite à ce moment. À peine seront démobilisés les soldats rappelés en 1938 que la mobilisation de 1939 s'effectuait. Paul Nizan disparut près de Dunkerque en mai 1940, dans les combats du nord de la France, prélude à l'invasion et à une occupation comme jamais le pays n'en avait connu dans son histoire. Les promesses d'une œuvre littéraire s'anéantissent brutalement en même temps que l'homme. Il n'y a plus rien que le silence, au lieu d'une maturité que l'on pouvait espérer féconde.

Ainsi Nizan faisait-il partie de ces hommes et femmes de culture, écrivains, artistes, savants et philosophes qui ont été fauchés à l'heure de leur épanouissement, toute une richesse intellectuelle, réflexion, expérience, pleine possession d'un métier, qui aura manqué aux années d'après la guerre, ce qu'on a forcément tendance à oublier.

Paul Nizan n'a publié dans sa brève existence que trois textes romanesques, Antoine Bloyé, Le Cheval de Troie et La Conspiration, ce dernier livre ayant reçu le Prix Interallié en 1938, l'année même où Sartre publia La Nausée.

Il est à remarquer que beaucoup de romanciers de l'entre-deux-guerres ont été tentés par la double carrière de journaliste et d'écrivain, par le récit ou l'essai de reportage et l'œuvre romanesque. Paul Nizan est à l'évidence engagé dans cette double voie, poussé par une vaste inquiétude à vouloir déchiffrer l'obscur champ de forces, violence des aspirations et violence des terreurs répressives, où se joue le destin de chaque être humain. On pourrait aussi bien, par exemple, penser au Malraux de L'Espoir.

Après la mort de l'écrivain, il fallut attendre la réédition d'Aden Arabie en 1960, avec la flamboyante préface de Sartre, pour que Nizan revienne sur le devant de la scène. Quelque vingt ans plus tôt, le stalinisme se servant couramment de la calomnie comme d'une arme contre ses contradicteurs, Nizan avait été dénigré et d'aucuns prétendirent confondre Pluvinage, figure du traître dans La Conspiration, avec l'écrivain lui-même. Une telle assimilation est aberrante. Il en va différemment du personnage de Patrice Orfilat qui apparaît aux chapitres XIV et XV de la première version des Communistes d'Aragon :

sous le masque de ce protagoniste, comment ne pas reconnaître une sombre caricature de Paul Nizan ? Aragon s'était montré si injuste que vingt ans plus tard, en 1966, récrivant son roman, il jugea nécessaire d'y gommer cet épisode[1].

La trahison, ou la trahison supposée, est très diversement traitée dans les deux romans précités. Et l'attention portée au « traître » relève dans l'un et l'autre cas d'une conception bien différente. De manière plus générale, il semble que le traître soit un personnage de société en crise et les années 20 à 40 ne sont qu'une longue crise où s'affrontent, avec éclat ou sourdement, réactionnaires et révolutionnaires, forces de droite et forces de gauche dans le contexte de la montée des fascismes en Europe. La fonction proprement policière devient une sorte de spécialité sociale, tandis que le personnage du traître, diffus dans la société, se charge de toutes les sensibilités et pose en vérité le difficile problème des fidélités multiples de chaque personnalité. Judas trahissait pour trente deniers, c'est tout simple, mais pour quoi et pourquoi trahissent les clercs, les intellectuels, les hommes politiques aux vestes retournées ? À quelles données fondamentales, à quelles valeurs civiques et morales sont-ils infidèles, au nom sans doute d'une certaine conception d'eux-mêmes, qui les juge ?

Dans une société qui se raidit dans le même temps qu'elle est bouleversée, les transgressions se font douloureuses dans la mesure où elles nient les amitiés, les fraternités, les solidarités. Avec le Pluvinage de La Conspiration, la trahison est portée au paroxysme par la consciente dénonciation au Commissaire. Nizan pousse dans ses retranchements la conscience individuelle qui se disloque, comme la société tout entière du reste, en proie aux tiraillements de fidélités contradictoires. Romancier et témoin d'une période pleine de grincements, il hausse à la dimension tragique, précisément datée et pourtant universelle, les déchirements de l'individu dans un temps où l'avenir s'embrouillait dans des incohérences, des lassitudes, des lâchetés. La Conspiration est un roman de l'inquiétude qui pressent l'histoire comme tragédie, c'est-à-dire comme situation sans issue et conflits sans résolution, sinon comme pour Antigone, par la mort.

Il faudrait relier aussi le travail de Nizan romancier à sa réflexion d'intellectuel, devenu homme d'une culture sur laquelle s'est exercée sa pensée critique. La philosophie officielle, qui lui a décerné le titre d'« agrégé », se heurte violemment à la prise de conscience que suscite en lui la philosophie marxiste. Celle-ci, à l'époque, est une sorte de nouveauté dans le ciel des idées, au reste peu connue, sinon par quelques textes. Il y aurait beaucoup à dire sur la nature et la place que prend dans la réflexion de Nizan le phénomène culturel, tel qu'il s'exprime dans Aden Arabie, Les Chiens de garde ou dans diverses contributions à des journaux et revues. Philosophie et culture sont-elles totalement soumises *à la violence de la lutte de classes ? Existe-t-il deux cultures qui se côtoient et s'opposent ? Peut-on imaginer une nouvelle conception de la culture, autre que celle des idées alors dominantes ? Faire naître un type nouveau d'intellectuel ? Questions difficiles dans un débat où, à l'évidence, Paul Nizan prend place pour alerter l'intelligence.*

Europe n'oublie pas que Nizan fut à plusieurs reprises un de ses collaborateurs. C'est dans la revue que furent publiés pour la première fois, en feuilleton, Aden Arabie, Antoine Bloyé *et* La Conspiration. *Europe accueillit également d'autres textes de Nizan, en particulier « Sindobod Toçikiston », inspiré par un voyage au Tadjikistan, et « Sur l'humanisme », son discours prononcé en juin 1935 au Congrès international des écrivains pour la défense de la culture. Cette intervention s'achevait par ces mots : « Il viendra un temps où les hommes pourront accepter leur destin. Leur vie ne sera qu'une profonde adhésion. Ils parleront peut-être d'un humanisme de la joie. Mais nous, aujourd'hui, nous ne parlons encore que d'un humanisme limité parce qu'il refuse le monde et comporte la haine, où la seule valeur qui annonce notre avenir est la fraternité volontaire des hommes engagés à changer la vie. » Comme l'écrivait Sartre après la publication de* La Conspiration, *le style de Nizan est bien « un style de combat ».*

Europe

N.B. Nous tenons à exprimer ici notre gratitude à M. John Flower, professeur à l'Université d'Exeter (Grande-Bretagne), qui a réuni une large part des études publiées dans ce numéro. Nous remercions également MM. Olivier Corpet et Albert Dichy, de l'IMEC, qui nous ont aimablement confié des poèmes inédits de Paul Nizan, extraits des archives de l'écrivain récemment déposées auprès de cet Institut.

---

1. Voir à ce propos l'article de Jean-Claude Weil : « Patrice Orfilat, Paul Nizan... », in *Faites entrer l'Infini*, n° 11, juin 1991.

PAUL NIZAN

Poèmes inédits

On sent que l'heure est venue
de renier tout espoir
tout passé, toute mémoire
comme des bêtes qui muent

Sur les rives de l'été
que de cendres à brûler
dans le grand vent des chemins
qui tournent autour du monde

La joie sautera sur nous
à tous les tournants des haies
et nous saisirons un jour
tant de signes éclatants

Je me souviens de cinq lys
qui poussaient à Hagondange
dans un voyage si doux
qu'il était comme un désir

et dans une prairie d'Auray
d'un bouquet de pins jailli
avec l'ampleur d'une fontaine
d'un éclatement de palmes

C'étaient des arbres si purs
qu'ils vous comblaient de bonheur
un bonheur au grain serré
et mûri par les soleils

Signes en fleurs sur les talus
signes abondants en promesses
comme une femme au bord d'un champ
tendant à un train ses bras nus.

1922

Sur des confins peuplés d'étoiles en voyage
pays noir vieux séjour d'un enfant et d'oiseaux
les cris des martinets sur le toit de l'année
arrachent les beaux jours et tournent leurs couteaux

une fille est posée à ce niveau des herbes
comme un mort trop humain étalé dans le soir
un bateau noir caché des phares et des ports
dérivant feux éteints vers une froide rive

le plus grand dénuement l'absence des humains
dorment au plus profond de deux corps ennuyés
étalés contre les rocs de la solitude
sans mirages sans eau sans espoirs de la mer

ils sont couchés en vain parmi les prés impurs
les animaux dormant sur le foin de midi
de quel regard déçu les suit la basse feuille
de quel terne regard qui ne les aime pas

le terme du désir n'a pas été posé
où l'invention d'un dieu serait volée aux morts
le contact charnel qui n'aurait pas menti
la voix qui n'aurait pas parlé par paraboles

la masse du ciel blanc se tend sur des fléaux
aucun souffle aucun chant capables de ternir
le miroir trop parfait des âmes condamnées
à ce silence creux sous les soleils tournants

monde je ne suis pas Atlas porte-monde
mais ce faible branchage et celui qui attend
que la mer du sommeil inonde des volcans
que les murs de la nuit s'ouvrent comme des toiles

Mai 1927

Seul séparé des hommes incommunicables
comme une idée rayonnant dans Platon
il marche dans le vêtement de sa peau
rudement râpé par les contacts, jaillissant,
dans l'attente de la conquête et celle d'être conquis
comblé sous la présence bien-aimée des êtres
les saisons et ce qu'il y a de beau par le monde
ne naissent-ils pas du mélange de l'infini et du fini

Djedda, 1927

LA FOIRE

I

Le long du boulevard Pasteur
des hommes vêtus comme des cétoines
attirent les putains blanches et rouges
des orchestres d'enfants avec des tambours
des clairons un enfant dansant
sous la casquette rouge de la révolution de quarante-huit

les humains rient de chiens défrisés par la gale
debout dans des crinolines à franges
ils guettent au pied des manèges d'Arabie
des balançoires lancées comme une escadre
des cuisses nues de filles
lâchées tard par le travail
celles qui tremblent
dans la flexion des glaces du matin,
des sexes gonflés comme des blessures

Les médiums lisent dans des mains
plus grises que tous les déserts
les avertissements des astres
des voyages, des pestes
et l'avenir funèbre de l'amour
un bouffon noir coupé
des cicatrices de tout le monde
fait sauter un chien blanc
sur la prairie rouge et ronde

Je vous montre qu'il y a encore
des hommes mâchant du pain amer
contre les machines à ciment
ces chaudrons qui tournent sous les gares
d'autres filant sous les ponts
comme le renard qui est chassé par des chevaux rouges

et vous tissez vos toiles d'araignées
vous nagez comme des poissons aveugles
nation de carnassiers
vous baisez les reflets de la création
sans empêcher tous ces couples mes frères
de tourner de toutes parts
tous les vents accourus
leurs yeux prompts leurs lèvres humides
de rouler vers les fosses mouillées de la mort
sur une terre unie comme un couteau

II

Écoutez
ceux qui veulent parler arrivent
ils jettent les mots sans précaution
comme des pierres
la nuit silencieuse résonne de leurs pas
et c'est cette voix
que des condamnés attendent
pourrez-vous enlever Léviathan avec l'hameçon
lui lier la langue avec vos cordes
lui passer un anneau au nez
pensez-vous le recevoir comme un esclave ?
Tout ne sera pas couvert par vos moteurs
vos adresses vos évangiles vos charités
et vos mitrailleuses

les sages les penseurs les hommes du destin
crient vers leurs nourrices à faces de généraux
ils comprennent
que des comptes leur sont demandés
comme à des employés infidèles
ils voient les premiers levés de ces années
qui mangent et rient entre eux
la bile de la peur monte dans leur poitrine

cachez vos mains déformées par de vieux meurtres
vos mains d'usuriers
vos mains de prêtres
comme vos verges de vieillards gelés
la colère et la joie propulsent ceux qui signent
des traités avec la vie des alliances
avec les enfants et les rues
ils sont comme des balles et des voiliers
vous chancelez comme des femmes ivres
des murs dans le vertige du feu
et vos files d'insectes s'égaillent dans les déblais

III

Je vous dis que j'étouffe
sous la cendre de vos paroles
et la terre de vos joues
et ce n'est pas assez du vent des portes
qui écorche les platanes
pour me défaire de vos débris
vous faites semblant de m'aimer
c'est un jeu sur ma faiblesse
qui ne peut pas durer plus longtemps
que le tremblement des animaux
vous vous arrachez le commandement
comme des gendarmes
dans vos chambres qui débordent de toute votre nuit
je vous le dis vous ne savez pas
qu'il y a des hommes dans les maisons
ô machines qui aspirez tout l'air que j'avais
je trouverai ces hommes
et nous serons parmi vous
comme votre sentence et comme votre passage
comme l'ange qui n'essuie pas ses yeux
aux enterrements des prêtres

Vous dites que vous êtes des pères et des mères
des maîtres et des cœurs
et vous mentez comme des soldats
et des garde-chiourmes
têtes de cire rouge yeux jaunes
avec des larmes figées comme de la graisse
têtes coupées roulant sur les trottoirs
j'ai fait tout ce que j'ai pu pour vous aimer
pour avoir de la joie quand vos mains
étaient sur mes épaules
et quand vos yeux bouillis
me regardaient.

Paris 1929

Arrivante des pays où se répare l'été
fidèle enfant des loisirs
sein des vagues tu respires sans penser
à bien ni mal
d'un bout du jour à l'abîme
où les monstres se défont dans la vapeur des remords

les productions de la terre
se consument et périssent
les plus hautes tours chancellent
et courent les avenues désertées
les attroupements nocturnes
les soldats les policiers abandonnent
leurs armes
machines calculs tombeaux
cédez vos rangs à l'amour

les navires du corps humain
avancent comme les enfants
qui dorment les yeux ouverts
au fond des tentes de la nuit
vient tomber le dernier homme

silence et repos des arbres
cheveux plus noirs qu'une église
mains plus sages que les têtes

jambes plus vives que l'or
les complices de la mort
tous les vieux anges comptables
n'y retrouvent plus leurs dix doigts

l'amour attendu par les murailles blanches de la nuit
patient coureur des semaines
est couronné par la nuit la sagesse des amants
les bouches survivant aux machinations orales
les caves de sang des corps attendus
par la guerre installée dans les villes
les orages de l'amour ne meurent que de la mort

les toits s'écroulent sur le sable
et les banquiers courent dans la catastrophe de l'argent
le ciel n'ouvre pas la bouche
la terre entrouvre les dents
les lions reviennent au pas
dans le creux des vieux repaires
avec des oiseaux dans les dents

1930

Note de la rédaction : Peu de poèmes de Paul Nizan ont été publiés à ce jour. Dans *Le Destin littéraire de Paul Nizan*, Jacqueline Leiner mentionne « Méthode » (paru dans *Fruits verts* n° 2-3, juin-juillet 1924), ainsi que « La cathédrale » et « Grèves » (publication posthume dans *Valeurs* n° 2, juillet 1945). Jacqueline Leiner signale également six poèmes inédits répertoriés dans les archives de Mme J.-R. Bloch. Les propres archives de l'écrivain, déposées à l'IMEC en 1993 par Henriette Nizan, contiennent elles aussi, parmi de nombreux documents, une liasse de poèmes. Certains sont dactylographiés, la plupart sont manuscrits. C'est de ce fonds que nous avons extrait, grâce à l'obligeant concours d'Olivier Corpet et Albert Dichy, les poèmes publiés dans le présent numéro d'*Europe*. Ils lèvent le voile sur un pan méconnu de l'œuvre de Nizan qui appelle d'ultérieures explorations et publications. Signalons enfin qu'il existe deux versions dactylographiées de « La foire » : nous avons retenu celle qui nous a paru constituer sinon « l'état définitif » du poème, du moins une version seconde, plus resserrée dans son élaboration.

UN CADAVRE
QUI REMUE TOUJOURS

Patrice Orfilat dans *Les Communistes* d'Aragon et Brunet dans *Les Chemins de la liberté* de Sartre : ces deux incarnations romanesques de Paul Nizan survivent pour nous rappeler comment il fut perçu par deux écrivains qui l'avaient bien connu et qui allaient jouer un rôle important dans « l'affaire Nizan ». Comme on le sait, la campagne dirigée contre Paul Nizan après sa mort en 1940 fut des plus ignobles. Sept ans plus tard, face à vingt-six écrivains – y compris Camus, Mauriac et Sartre – qui exigeaient une justification de cette campagne, le Parti communiste et Aragon en particulier restent muets. Puis, pendant treize ans, la période de la guerre froide et de la Guerre d'Indochine, le silence règne des deux côtés. Mais en 1960 Sartre prend la parole. Comme Pascal Ory l'a déjà indiqué[1], il se sentait peut-être coupable de n'avoir rien fait pour son ancien ami de la rue d'Ulm et il saisit l'occasion d'une introduction à la réédition d'*Aden Arabie* pour amorcer une réhabilitation[2]. À partir de cette date la vie et l'œuvre de Nizan ne cessent d'attirer l'attention des écrivains et des universitaires du monde entier.

Le premier, Ariel Ginsbourg offre en 1966 une biographie succincte où perce une sympathie prononcée pour Nizan, « l'un des hommes les plus représentatifs de son temps »[3]. Un an plus tard, Jean-Jacques Brochier publie *Paul Nizan, intellectuel communiste*[4], où il développe plus systématiquement la dimension biographique et propose quelques aperçus de l'œuvre de Nizan en même temps qu'il entame une discussion sur deux de ses grands thèmes, l'amour et la mort. Mais il faut attendre trois ans pour que paraisse la première étude d'un universitaire, celle de Jacqueline Leiner : *Le destin littéraire de Paul Nizan*[5]. Bien qu'il adopte essentiellement une approche historique et situe Nizan dans son contexte intellectuel et littéraire (littérature prolétarienne, populisme, réalisme socialiste), cet ouvrage est d'une érudition très solide et crée une base importante pour toute étude ultérieure. Au cours des années suivantes et comme le livre de Leiner dans la foulée des événements de 1968, deux nouveaux titres paraissent. Dans le premier, Susan Suleiman présente en 1971 une sélection de textes – *Pour une nouvelle culture*[6] – et anticipe les analyses structuralistes et thématiques de l'œuvre de Nizan élaborées par la suite dans une série d'articles qui constitueront l'élément central des pages consacrées à Nizan dans *Le roman à thèse*[7]. 1972 voit la publication du premier livre sur Nizan en langue étrangère, *Committed Literature in a Conspiratorial World* par W.D. Redfern[8]. Suivant un schéma historique, Redfern situe Nizan dans les débats intellectuels et politiques contemporains. Mais dans une série d'analyses pénétrantes des trois romans de Nizan, il relève des aspects apparemment secondaires tels que l'inceste ou le culte des prostituées.

Toujours dans les années soixante-dix, Nizan se voit accueilli en Italie par l'étude de Franco Fe, *Un intelletuale communista* (1973)[9] dont le titre indique clairement le contenu. Cet ouvrage sera largement dépassé quinze ans plus tard par le livre de Michael Scriven : *Paul Nizan, Communist Novelist*[10]. Toujours à l'étranger, Adèle King aux États-Unis examine de façon enthousiaste et souvent pénétrante un problème essentiel : la conciliation de ce qu'elle appelle « la colère romantique » de Nizan avec la discipline exigée par son adhésion au parti. Ses analyses de ce roman complexe qu'est *La Conspiration* et de l'influence sur Nizan de Flaubert, de Barrès et de Gide ont une valeur tout à fait particulière[11].

Au début des années quatre-vingt l'approche biographique s'impose de nouveau avec *Nizan, destin d'un révolté* (1980) par Pascal Ory et *Paul Nizan, communiste impossible* (1980) par Annie Cohen-Solal avec la collaboration d'Henriette Nizan[12]. Cette dernière étude met notamment en lumière le rôle de Nizan dans le différend entre Henri Barbusse et la direction du PCF en 1931. Toujours en 1980, un disciple de Lucien Goldmann, Youssef Ishaghpour[13] essaie systématiquement de situer l'œuvre de Nizan par rapport à son temps. Il définit sa philosophie comme une sorte de « marxisme existentialiste » d'où naît une attitude révolutionnaire mais qui ne se réalisera jamais.

L'année 1980 marquait le quarantième anniversaire de la mort de Nizan. C'est sept ans plus tard que devait paraître la thèse importante de James Steel, *Paul Nizan, un révolutionnaire conformiste ?* (1987)[14]. Steel adopte lui aussi la méthode biographique et historique. Comme il considère que les romans de Nizan ont déjà fait l'objet d'un certain nombre d'études critiques, il préfère se concentrer sur son évolution politique et intellectuelle. Selon Steel, Nizan était « un nœud de contradictions, un paradoxe vivant », désireux de jouer pleinement son rôle dans le parti et en même temps de minimiser les privilèges de ses premières années et sa formation intellectuelle. Mais, en dépit de l'édification d'une discipline qui le rendait par moments « plus stalinien que Staline », Nizan conservait toujours cette indépendance d'esprit qui serait interprétée après sa mort par certains de ses anciens camarades comme une faiblesse. Tandis que James Steel ne puise dans les romans que des détails ou des allusions biographiques, Michael Scriven souligne une tension entre la nécessité de faire valoir un but ou un programme idéologique et la spécificité esthétique de l'œuvre littéraire. Une lecture marxisante permet à Scriven de contextualiser les trois romans d'une façon très rigoureuse. Il convient aussi de signaler une étude socio-critique d'*Antoine Bloyé* par Marisa Ferrarini et Luciano Verona[15]. L'approche de ces deux critiques italiens est structuraliste et génétique et doit beaucoup aux théories de Goldmann. Une analyse systématique de la réalité et du réalisme, des personnages, du langage et des thèmes dans et autour de ce roman permet de situer *Antoine Bloyé* dans un univers « concret ». Comme Michael Scriven, Marisa Ferrarini et Luciano Verona restent convaincus d'une « extrême cohérence de vision » chez Nizan. Mais si elle est valable pour *Antoine Bloyé* et peut-être pour *Le Cheval de Troie*, on ne peut s'empêcher de se demander si une telle analyse parviendrait à saisir *La Conspiration* dans toute sa complexité et son ironie souvent amère.

Il est impossible et il serait même inutile de mentionner ici tous les livres de critique dans lesquels il est question de Paul Nizan, qu'ils soient consacrés à l'étude du roman français au XXᵉ siècle, aux problèmes du roman politique ou aux rapports des écrivains avec la gauche. Il est tout de même intéressant de noter – bien que peu surprenant peut-être – que dans deux livres qui s'imposent pendant un certain temps, ceux de D. Caute[16] et J.-P. Bernard[17], la place accordée à Nizan est assez marginale. Mais depuis une vingtaine d'années le nom de Nizan prend une place de plus en plus importante dans ces vues d'ensemble. Il est certain pourtant que tout n'est pas encore dit – qu'il soit question d'études littéraires (structuralistes, psychobiographiques, génétiques ou autres) ou de son évolution politique et intellectuelle, de ses rapports avec le parti communiste ou avec certains individus[18]. Ses archives, récemment déposées à l'IMEC, restent à classer, à explorer. Le manuscrit de son dernier roman demeure enterré dans le sol des Flandres. Et il est probable qu'ici et là traînent des papiers de toute sorte – correspondance, articles, journaux, brouillons... Mais ce qui est certain, c'est que le rôle que Nizan a joué et l'influence qu'il a exercée sur la vie intellec-tuelle dans cette période complexe de l'entre-deux-guerres et même au-delà, se révèlent d'une importance fondamentale. Sans s'imposer un foyer unique, ce numéro d'*Europe* a pour ambition d'indiquer et de faire valoir quelques aspects nouveaux du talent d'un homme emporté à trente-cinq ans par ce que Jean José Marchand, dans *Confluences*, en mai 1942, appela « la plus inutile des morts ».

John FLOWER

1. *Nizan. Destin d'un révolté, 1905-1940*, Éditions Ramsay, Paris, 1980, pp. 255-256.
2. François Maspero, Paris, 1960.
3. *Paul Nizan*, Éditions universitaires, Paris, 1966.
4. François Maspero, Paris, 1967.
5. *Le Destin littéraire de Paul Nizan*, Klincksieck, Paris, 1970.
6. Grasset, Paris, 1971.
7. Susan Suleiman, *Le Roman à thèse*, P.U.F., Paris, 1983.
8. Princeton University Press, Princeton, 1972.
9. La Nuova Sinistra, Rome, 1973.
10. Macmillan, Londres, 1988.
11. *Paul Nizan, écrivain*, Didier, Paris, 1976.
12. Grasset, Paris, 1980.
13. *Paul Nizan : une figure mythique et son temps*, Le Sycomore, Paris, 1980.
14. Presses de la Fondation nationale des Sciences politiques, Paris, 1987.
15. Cooperativa Libraria I.V.L.M., Milan, 1984.
16. *Communism and the French Intellectuals*, André Deutsch, Londres, 1964. Traduction française de Madeleine Paz : *Le communisme et les intellectuels français, 1914-1966*, Gallimard, Paris, 1967.
17. Jean-Pierre Arthur Bernard, *Le Parti communiste français et la question littéraire (1921-1939)*, Presses Universitaires de Grenoble, Grenoble, 1972.
18. Voir par exemple *Paul Nizan, écrivain*, Presses Universitaires de Lille, Lille, 1988 (Actes du colloque Paul Nizan des 11 et 12 décembre 1987).

TOUT LIVRE
EST UN ACTE

J'ai découvert Nizan sur le tard, à trente ans passés, dans les années soixante dix. Stupeur, colère. Ainsi, j'avais pu faire toutes mes études de lettres sans avoir rien lu de Nizan ? Plus tard, commencer d'écrire sans soupçonner l'existence des *Chiens de garde*, d'*Antoine Bloyé* ? Belle occultation. Sartre, on le sait, l'a attribuée au PCF. Sans doute. Mais celui-ci n'est pas le seul en cause, et ce n'est pas lui qui m'a caché Nizan, c'est l'université. On peut feuilleter le *Lagarde et Michard* du xxe siècle, édition des années soixante, Nizan y est introuvable. Pas davantage trace de lui dans cette bible des études littéraires d'alors, les *Textes littéraires généraux* de Chassang et Senninger[1]. À la rubrique « culture », la liste des ouvrages consacrés à ce sujet comporte les noms d'Alain, de Valéry et naturellement de Benda, avec son inusable *Trahison des clercs* (elle reprend du service ces temps-ci). Nizan, inconnu. Ses articles sur la culture, *Les Chiens de garde*, que la simple honnêteté intellectuelle aurait dû placer en face de *La Trahison des clercs*, aux oubliettes. Ce sont l'école et l'université qui ont, *en définitive*, le dernier mot dans la consécration ou l'exclusion d'un écrivain, ce sont elles qui ont le plus contribué à effacer Nizan. Opération conservatoire, justifiant *a posteriori* le titre terrible de son pamphlet contre certains intellectuels, comparés à des chiens défendant les privilèges de la bourgeoisie. Opération perverse, puisque ceux qui n'accèdent au savoir que par l'école, ceux-là même qui sont le plus concernés par les textes de Nizan, n'avaient aucune chance d'en entendre parler.

Stupeur, colère donc, parce que j'avais l'impression de m'être fait avoir. Même si le hasard – une conversation sur la littérature de l'entre-deux-guerres – m'avait finalement conduite vers Nizan, rien ne rachèterait cela : ne pas avoir lu *Aden Arabie* quand j'errais, sans avenir, dans les rues de Londres, à vingt ans, ne pas avoir connu *Les Chiens de garde* lorsque j'enseignais – mon premier poste – dans des classes de « relégation » et que j'en voulais aux élèves de ne pas aimer Corneille. Rien n'effacerait l'absence de Nizan dans mes années de formation. Il y a des fraternités si fortes qu'on regrette toujours qu'elles n'aient pas commencé plus tôt. Fraternité, non pas complicité ou connivence, lesquelles fonctionnent sur des signaux de reconnaissance d'une appartenance à un même monde, ont quelque chose d'étroit, « d'entre nous ». La fraternité est d'un autre ordre. C'est la rencontre dans quelqu'un d'autre de ses propres interrogations, de ses refus ou encore de son itinéraire, et quand cet autre est un écrivain, on a l'impression qu'il vous apporte, en même temps que la ressemblance, des moyens de désaliénation.

Je voudrais, non pas essayer de définir cette fraternité mais d'en baliser, en quelque sorte, le tracé, par des mots qui cristallisent en moi des images, des émotions et des réflexions, mots qui par ailleurs me paraissent essentiels dans l'œuvre de Nizan.

Le premier repère que je choisirai sera l'expression *les mots de passe*. Dans *Aden Arabie*, elle surgit au cœur d'un tableau ethnologique éblouissant sur la situation du jeune voyageur Nizan, plongé dans un mélange d'Orient et d'empire britannique :

> *Par hasard j'étais sans chaînes et sans tribu dans une foule où chaque passant reconnaissait les siens, et pouvait échanger des rites contre des rites, des mots de passe et des mots de ralliement.*

Par hasard, par chance, car loin de se sentir exclu, Nizan éprouve sa liberté devant ces êtres cimentés entre eux par des croyances en Dieu, Mahomet ou le commerce, par des rites, mais par là séparés en clans, en mondes hiérarchisés se haïssant les uns les autres :

> *Il y avait un jeu inextricable de distances sociales où tout ce monde se glissait et se reconnaissait avec une dextérité merveilleuse, des degrés hiérarchiques au bas desquels se trouvaient sans doute les Juifs humbles et crasseux qui habitent autour de la synagogue où ils vont se consoler de bien des affronts en priant le dieu des vengeances, les épaules entourées d'un thaless poétique comme la nuit. Au sommet de la pyramide, il y avait l'agent de la Peninsular, deux ou trois commerçants puissants dans la mer Rouge, les officiers, le gouverneur, et dans le Crescent, à Steamer Point, la statue assise de la grosse reine Victoria avec ses joues pendantes et ses petits yeux coincés d'ivrognesse.*

Horreur des mots de passe, qui conservent, séparent, excluent.

Dans les textes suivants, Nizan applique cette expression à la culture du clan dominant économiquement la France, la bourgeoisie. Celle-ci utilise les œuvres d'art, la musique classique, comme des signes de ralliement, de « distinction » dira plus tard Bourdieu[2]. Au lieu d'être ce qui aide à vivre, à comprendre le monde, la culture fonctionne comme une barrière : « Antoine, dans sa première année de collège, éprouve confusément qu'il ne disposera jamais des mêmes mots de passe et de ralliement que les fils de M. le commandant Dalignac, officier et propriétaire. » (*Antoine Bloyé*).

Pluvinage, à ses anciens condisciples d'origine bourgeoise : « La musique, la peinture dont vous parliez, il me semblait qu'elles ne fussent que des moyens subtils de m'exclure [...], chaque fois que vous citiez les Offices, le Prado, les Thermes, j'étais sûr que ce n'était qu'une occasion de me faire sentir que j'ignorais les voyages, Florence, Madrid, Rome... » (*La Conspiration*).

Plus violemment, dans un article, Nizan écrit : « Il faut avoir le courage de le dire, la culture bourgeoise est une barrière. Un luxe. [...] La justification même du pouvoir économique d'une classe sur une autre classe [...]. Il faut avoir le cœur de dire qu'il n'y a pas de transposition possible en langage populaire et humain des sentiments distingués de Bérénice et de Titus, de la jalousie distinguée que Swann éprouve en espionnant Odette de Crécy. »

Je ne pense pas comme Nizan sur ce dernier point, je crois que la douleur de la séparation, la jalousie, peuvent se dire autrement que d'une manière « distinguée », qu'elles ne sont pas le privilège d'un milieu bourgeois non plus. Je suis aussi persuadée que la culture dominante peut permettre, certes à un nombre trop restreint de gens, issus de la classe dominée, de choisir leur destin. Mais je sais gré à Nizan d'avoir vu dans la culture cet aspect de « luxe » : c'est bien ainsi qu'elle est vécue par quantité de femmes et d'hommes qui ne l'ont pas reçue en héritage, qui ne la sentent pas plus pour eux que les restaurants chics et les boutiques Cartier ou Lancel.

Le procès qu'intente Nizan à la culture bourgeoise est sous-tendu par la certitude, profonde chez lui, qu'il existe deux mondes, celui des mots et celui des choses. Il ne s'agit pas de la séparation entre le signe et son référent mais de celle incarnée dans des individus et des milieux sociaux : il y a un monde intellectuel et bourgeois où l'on utilise les mots détachés de toute réalité ou la masquant, un autre monde où les mots comptent moins que les réalités auxquelles on se trouve journellement confronté, la matière à transformer, la vie quotidienne à assurer. Obsession, dans les textes, que le monde des mots n'est pas réel : « L'idéalisme bourgeois est le triomphe du vocabulaire. Rien n'existe mais tout est nommé. [...] Abri des mots. Ventre des mots. » (*Pour une nouvelle culture*).

Ce n'est pas un hasard si dans *Aden Arabie*, d'entrée de jeu, Nizan s'en prend à la citadelle de mots, l'École normale supérieure, aux philosophes qui « composent des vocabulaires, parce qu'ils ont découvert tous ensemble une proposition importante : les problèmes n'existeront plus quand les termes en seront convenablement définis ». Philosophes décrits dans *Les Chiens de garde* comme à l'écart du monde réel :

> *Les philosophes paraissent ignorer comment sont bâtis les hommes, ne point connaître ce qu'ils mangent, les maisons où ils habitent, les vêtements qu'ils portent, la façon dont ils meurent, les femmes qu'ils aiment, le travail qu'ils accomplissent. La manière dont ils passent leurs dimanches.*

Pour Nizan, le « vrai » monde, c'est celui du geste précis, de l'action sur les choses sans possibilité d'erreur. Le monde des choses, c'est celui du père, héros du roman *Antoine Bloyé*, qui transmet à son fils son savoir pratique de paysan et d'ouvrier :

> *Il lui expliquait ce que Pierre appelait des « choses », pour l'aider à se reconnaître dans le monde ; il lui disait ce qu'il savait : le moment favorable pour semer les petits pois téléphone et repiquer les choux Milan frisés, il lui disait comment on tient une bêche, un marteau, comment il faut lancer des pierres et comment on fait des ricochets sur l'eau. Il lui disait aussi qu'il est difficile de changer une entretoise ou une plaque avant d'enveloppe...*

En choisissant les humanités grecques, la philosophie, l'étudiant Nizan a creusé l'écart, au maximum, entre la langue muette des choses, des gestes, qui était celle de son père, et celle, abstraite, agile, infinie, des clercs. (Paradoxe que ceci : on veut « apprendre », acquérir les clefs qui permettent de comprendre le monde – à quinze ans, c'est le sens qu'on donne à « devenir intellectuel » – puis l'on s'aperçoit que le savoir, au lieu de vous rapprocher des hommes vous éloigne de la majorité d'entre eux.) L'un des sens de la fugue de Nizan en Orient, peut-être : rupture avec le monde des mots, de l'esprit pur, refus d'appartenir seulement à l'élite, refus d'être un « traître » au monde des choses dont le père était, par son origine, l'incarnation.

« Traître », « trahison », ces mots structurent l'œuvre de Nizan. Mots lourds, depuis que Judas, il y a deux mille ans a fixé les traits de la figure et le sens de l'acte : crime sans rémission ni salut. Concept dérangeant. La trahison est, chez Nizan, à la fois positive et négative. La mauvaise trahison consiste à passer du camp du peuple dans celui des bourgeois, tel Antoine Bloyé, figure du père transfuge qui, devenu ingénieur du Chemin de fer, marié à une petite-bourgeoise catholique, dirige ses anciens camarades mécaniciens. Nizan montre et analyse comme on ne l'avait jamais fait avant lui le processus d'une trahison qui n'est pas choisie, s'opérant à l'insu de celui qui

« s'élève », et dont la découverte, dans *Antoine Bloyé* comme dans la vie, se produit lors d'une confrontation avec le monde d'origine. Quand Antoine ramène un mécanicien mort auprès de sa femme – un accident du travail – il se « voit » : du côté des maîtres et du profit. Il se dit : « Je suis donc un traître. » Tombe le jugement du narrateur-fils Paul Nizan : « Et il l'était. »

La trahison, c'est la condamnation à n'avoir de place nulle part, la solitude, la division à l'intérieur de soi-même. Au cours d'une grève, Antoine donne aux policiers des conseils pour briser le mouvement sans violences : « Je suis mon propre ennemi, se disait-il. Cette division de lui-même, ce déchirement de sa vie, cet abîme qui séparait sa jeunesse de son âge mûr, ce malheur éclataient dans ces conciliabules avec les policiers. » Quelles que soient les références à la biographie réelle du père de Nizan, ce dernier confère à la trahison d'Antoine Bloyé une dimension tragique. Accusé faussement de complicité avec l'ennemi, démissionné, le vieil homme termine sa vie hors de lui-même, dans l'absolue déréliction morale.

Cette dimension tragique sera refusée à Pluvinage, l'un des personnages de *La Conspiration*. Sa trahison est un acte volontaire, il indique à la police le lieu où se cache un militant communiste recherché pour complot. Il trahit à la fois le Parti où il était entré et ses amis bourgeois de Normale Sup qui voulaient la Révolution. Nizan présente cette double trahison comme l'aboutissement d'une autre, de classe cette fois. Pluvinage n'a sa place ni dans son milieu familial dont il a désiré s'évader, ni dans le cercle de ses condisciples bourgeois vaguement anarchistes. La trahison finale apparaît comme une fatalité, la conséquence d'un « péché social originel », le sentiment d'une « communion impossible » avec les autres. Par sa dénonciation, Pluvinage révèle la cachette d'un militant et se révèle : il va jusqu'au bout de ce qu'il voit comme un destin. En même temps, d'une manière troublante, il attend de ce crime une nouvelle naissance : « Une dénonciation, ce n'est rien [...] mais c'est beaucoup plus irréparable que les meurtres, beaucoup plus profond, c'est une métamorphose dans les profondeurs, un bond, un réincarnation : on est *hors l'être* comme dit Montaigne des morts. »

Pluvinage évoque même l'idée d'un rachat par la dénonciation : « Il faut qu'on puisse croire à la sainteté de sa trahison. » Mais lui ne se sent pas justifié, sauvé, finalement il n'a jamais trahi que pour l'ordre capitaliste, que pour se conformer aux valeurs et aux jugements de la bourgeoisie : « mon nom, mon visage, mon enfance me condamnaient à vivre le personnage que vous n'avez jamais pu me soupçonner d'être » et, dernière allégeance, il a adressé cette confession à l'un de ses anciens amis de la rue d'Ulm, où il n'a pu entrer.

Il n'y a pas de transcendance ou de transfiguration possibles pour la trahison. .

Peu importe que Nizan, à travers Antoine Bloyé et Serge Pluvinage se soit chargé de la faute du père, qu'il en ait fait un mythe personnel à connotations religieuses ; ce qui compte, c'est qu'il ait décrit, en se situant à l'intérieur de personnages, les mécanismes du « déclassement par le haut », les sentiments et comportements que produit la domination économique et culturelle chez les dominés. Plus que Rosenthal, Pluvinage est un personnage problématique dans *La Conspiration*, sans doute aussi le véritable « héros », le seul en tout cas à employer ce « je », qui oblige toujours le lecteur à se situer par rapport à lui.

Dans la « mauvaise » trahison, il y a celle des clercs, qui croient servir l'esprit et l'éternel quand ils sont les gardiens de l'ordre capitaliste. À cette époque, on n'a pas peur de citer des noms, tel celui de Brunschvicg, à propos de qui Nizan ironise avec violence : « On ne saurait faire grief à l'homme qui la mena [une vie confortable de clerc], éloigné des problèmes sociaux, qui fut mené par elle là où il est, de n'avoir point pensé à défendre les hommes qui ne jouent pas aux Champs-Élysées » (*Les Chiens de garde*).

La « bonne » trahison consiste à emprunter le chemin inverse, à passer du côté du monde qui joue dans les courettes ou les terrains vagues : « Si nous trahissons la bourgeoisie pour les hommes, ne rougissons pas d'avouer que nous sommes des traîtres » (*Ibid*).

Cette trahison-là, pour les hommes, dirige la vie de Nizan, ses engagements politiques, sa pratique d'écriture. Et c'est sur le mot « homme » que je voudrais terminer. L'homme et la « vraie vie » qui pourrait être la sienne, tel est l'objet réel de la quête de Paul Nizan.

« Que de fois j'aurai répété le mot homme » s'écrie-t-il dans *Aden Arabie*. « Mais qu'on ne m'en donne pas un autre. C'est de ceci qu'il s'agit : énoncer ce qui est et ce qui n'est pas dans le mot homme. »

Et encore : « Voilà ce que nous savons : les hommes ne vivent pas comme un homme devrait vivre. »

La vraie vie serait l'amour, la liberté, non celle que donne le voyage (« Vous pouvez uriner librement dans la mer : nommerez-vous ces actes la liberté ? ») ou la solitude dans la nature (« Il ne faut pas se croire sauvé parce qu'on est heureux de voir des blés verts »), mais « une volonté réelle de vouloir être soi. Une puissance pour bâtir, pour inventer, pour agir, pour satisfaire à toutes les ressources humaines dont la dépense donne la joie ». Or l'homme, à Aden comme à Paris, est enchaîné par ses habitudes, « ces dieux imaginaires dont l'ombre s'étend sur tous les cœurs », par la quête du profit (mais « couchez-vous avec le capital pour ami ? »), devenu *homo œconomicus*, esclave de l'emploi du temps, tels ces bureaucrates courant « sous les coups d'un fouet qu'ils n'avaient jamais vu ». Nous sommes plus que jamais dans ce monde.

Ce grand texte bouleversant, inclassable – il est dommage que les romans suivants soient d'une facture plus conventionnelle – qu'est *Aden Arabie* aspire à l'avènement de l'homme complet, qui ne serait plus séparé de ses semblables, des choses, de sa vie. L'homme de chair, réel, non l'être livré au pouvoir abstrait de l'argent, des mots sans substance. *Aden*, c'est en quelque sorte la fusion magnifique du matérialisme et d'un mythe personnel de retour au monde des « vrais » hommes, le monde du père avant la chute, avant la trahison. Ce premier livre de colère, situé au-delà de la littérature, c'est-à-dire dans un lieu où les mots saisissent comme des évidences, ne sont plus des mots mais des couteaux qui ouvrent quelque chose dans le lecteur, est aussi le manifeste et le projet d'écriture de Paul Nizan. Écrire ne saurait être qu'un moyen d'agir sur le monde. « N'importe quelle philosophie est un acte », dit-il dans *Les Chiens de garde*. Tout livre aussi.

Dans une époque où l'on nie que la littérature puisse avoir un rôle social, où l'on défend la culture pour la culture (mais que renferme cette abstraction ?[3]), où l'on affirme qu'il n'existe plus de classes dans la société par cette tendance à penser qu'une réalité disparaît en même temps que la théorie qui l'a analysée, Nizan nous est de plus en plus nécessaire.

Annie ERNAUX

---

1. Aujourd'hui, Nizan figure dans les anthologies, par exemple dans *Littérature du XXe siècle*, chez Nathan, mais avec d'étranges pincettes. Aucune qualité artistique ne lui est reconnue et l'on prend avec lui des précautions qu'on cherche en vain dans la notice consacrée à d'autres auteurs : « Il *pense* trouver cet idéal [pour lequel il pourrait vivre] dans l'extrémisme qui met radicalement en accusation l'ordre bourgeois [...]. Le marxisme lui *paraît* la meilleure discipline pour toucher à ce dépassement intérieur. » S'agissant de Jean Schlumberger, juste avant, on lit en revanche : « *Bien qu'*il défende un temps l'idée que l'intellectuel doit se mettre au service de la nation, son œuvre romanesque apparaît *protégée de tout véritable engagement*. Loin d'être un moraliste, cet ami de Gide et de Copeau trouve dans le récit court la mesure de *son art*. » (C'est moi qui souligne).
2. C'est bien ainsi que Brasillach considère alors la littérature : « La plus grande récompense des artistes, c'est de devenir inséparables d'une certaine magie de groupe, d'un certain langage... Nous n'étions pas loin de penser que la littérature n'a de valeur que pour fournir les mots de passe » (*Notre jeunesse*).
3. Brecht : « Ne nous laissons pas entraîner à dire que les hommes sont faits pour la culture et non la culture pour les hommes ! » (*Art et politique*).

LE DEVOIR DE HAINE

Vaine est la parole d'un philosophe qui ne guérit aucune souffrance de l'homme.

Lucrèce, cité par Paul Nizan.

Je voudrais profiter de la liberté d'intervention que me laissent si aimablement les responsables d'*Europe*, moins pour ajouter quelque nouvel essai à la littérature déjà existante sur Nizan, que pour tenter de dégager les impressions résultant d'une lecture actuelle. Que faire, autrement dit, de Nizan aujourd'hui ? À qui le destiner ou l'adresser, dans un temps qui si visiblement n'est plus le sien, pour des générations qui ne sentent, ne vivent, ni ne pensent plus comme lui ? N'aurait-on affaire qu'à un simple moment, peut-être de valeur emblématique, de notre histoire intellectuelle, notamment des années trente, dont les fureurs désormais caduques autoriseraient le regard distancié ?

Une telle démarche, de fait, conduit à reposer, à nouveaux frais, la question qui était celle-là même de Sartre, quand il écrivait sa fameuse préface de mars 1960 à *Aden Arabie*, trente années donc après la parution de ce premier livre de Nizan (1931) et, pour nous maintenant, avec plus de trente autres années d'écart.

Le propos de Sartre poursuivait un triple objet. En premier lieu, lui importait de rétablir la figure vivante d'un ami, injustement oublié et calomnié, dont il affirmait : « de 1920 à 1930... nous fûmes indiscernables [1] » et « l'on nous prenait l'un pour l'autre [2] ». Il se donnait par là l'occasion d'un retour critique autobiographique et même, sans complaisance, autocritique, puisqu'il avouait n'avoir pas vu Nizan « tel qu'il était [3] ». À travers l'analyse, en fin de compte sommaire parce que trop négative, du dévouement et de la soumission de Nizan au Parti et d'une explication passablement psychologisante de son ami par sa famille, sur la base de ses confidences et de l'histoire d'Antoine Bloyé, son père, Sartre mettait en relief l'intellectuel engagé, voulant « déplaire[4] », disant « non jusqu'au bout[5] », attaché à « ruiner l'ordre établi[6] » et à « supprimer les murs[7] », d'un mot l'homme « du refus[8] ». Délibérée, la leçon était claire. Sartre offrait, comme le dit J. Leiner, « un héros tout neuf à ceux qui ont 20 ans[9] » ; lequel héros devint « l'un des maîtres à penser des contestataires des barricades[10] » de Mai 68. Nationalement, Nizan endossait le rôle qui allait être dévolu à Marcuse, à son insu davantage encore que dans le cas de ce dernier. Tel était l'esprit du temps qui prenait ses marques complémentaires, grâce au même Sartre, chez un Fanon, lui-même influencé par Nizan. *Les Damnés de la terre* répercutaient *Aden Arabie* et, ici comme là, la situation du Tiers-monde livrait au fort grossissement la nature véritable de l'exploitation capitaliste, voilée en Occident, ainsi que l'avait démontré le chapitre sur l'Accumulation primitive du *Capital*, où Marx voyait le capital « suant le sang et la boue par tous ses pores[11] ».

Fût-il romantique ou anarchisant, nous sommes loin de cet appel à la révolte et le retour sur Nizan a changé de forme. En témoigne symptomatiquement le premier roman de Lothar Baier, déjà traducteur de Nizan (*La Conspiration*) et de Sartre. *Le Délai*[12] ne fonctionne plus qu'à la nostalgie. Il est proprement le travail du deuil. C'est au Nizan littéraire que Baier emprunte les cairns de son récit, ces nombreuses citations qui le jalonnent[13], dans le souci obsessionnel de se défaire d'un regard qui ne l'avait jamais laissé en paix[14] et d'une présence qui s'obstine[15]. Ce mal qu'il y a au refus d'admettre sa mort, « car il a fait de sa vie son plus grand livre », celui qui faisait dire à ses camarades « ne pas mourir avant d'avoir vu la révolution[16] ». Las, la révolution n'est plus à l'ordre du jour. L'impatience de Nizan, sa « radicale pureté[17] », « l'éternelle jeunesse[18] » du passé qu'il représente encore dans le jaillissement de 68, quand l'auteur avait vingt-cinq ans, ne sont plus qu'illusions, balayées par l'histoire. « Nous avons découvert le pot aux roses : votre attitude radicale n'était que l'envers de la médaille de votre confiance aveugle. Quand nous voyons dans quel piège vous êtes tombé, nous avons parfois l'impression de vous être terriblement supérieurs [...] Comme il n'y a plus d'Espagne pour laquelle il vaille la peine de se battre, alors partons à la campagne [...] Les armes que vous nous avez laissées sont devenues inutilisables[19] ». Nizan a cessé d'être le contemporain de ceux qui avaient (Sartre) vingt ans avec lui, et de ceux (Baier) qui les eurent quarante ans plus tard. « Paul, tes mots ont vieilli avec toi, ils ont pris la moisissure et provoquent des maux de tête, lorsqu'on en avale trop[20] ». Il faut retrouver la vie simple, les gestes quotidiens, se satisfaire de la saveur des choses. « Alors, adieu, Paul qui n'est plus. Je n'ai plus besoin de toi, ton regard a fait son temps [21] ». Le deuil a-t-il achevé de faire son œuvre ? Baier ne parvient pas à s'y résoudre, car demeure l'espérance dont le communisme est l'un des noms [22], et, avec elle, Nizan, qui en est sauvé [23]. Le mur qui s'effondra, il y a cinq ans, n'était assurément pas celui que Nizan voulait abattre. L'espérance s'est muée en utopie. Mais quelle utopie ? Celle que Nizan fustigeait comme « réactionnaire », en particulier dans le paysannisme d'un Giono [24], ou celle d'un Ernst Bloch qui entend miner la forteresse apparemment intacte ?

Alors ? Il n'est peut-être pas inutile, si tout n'est pas joué, de refaire le parcours, de revenir, une nouvelle fois, d'ici, en 1994, sur nos pas, sur les siens, ceux de Nizan, pour vérifier la prégnance des empreintes et voir si elles conduisent quelque part. D'abord, le doute (en tout cas le mien) paraît de mise, qui n'a plus à s'encombrer de clichés, ni d'images d'Épinal, quelles que soient les intentions qui les portent (celles de Sartre, de Baier, ou... du P.C.).

La relecture de Nizan, je l'avoue, m'a souvent irrité. Le personnage, en dépit de ses prises de position, révèle des aspects peu sympathiques. Ils tiennent, me semble-t-il, autant à son tempérament propre qu'à son statut social, celui d'un intellectuel petit-bourgeois – n'ayons pas peur des formules soi-disant éculées. La « Correspondance d'Aden [25] », à elle seule, permettrait de brosser le portrait type du jeune normalien, imbu de lui-même et de ses connaissances livresques. La lettre datée d'octobre 1926 est un modèle du genre. Condescendance, non dénuée de machisme, de l'apprenti philosophe vis-à-vis de sa destinataire, sa future épouse, pédantisme et même cuistrerie sur la vanité des voyages (assortie de l'inévitable référence à l'*Ecclésiaste*) et l'histoire de l'ancienne Égypte, jugements à l'emporte-pièce sur l'Angleterre, l'Amérique ou les nègres, satisfaction des signes de reconnaissance (bridge et « passeport admirablement timbré ») : rien ne manque. De ce narcissisme complaisant, on trouverait bien d'autres exemples, depuis les considérations romantiques sur la solitude, « les femmes [au Caire] folles de leur corps, plus nombreuses que les autos », ou sur sa voisine « la plus belle des jeunes femmes anglaises », aux conseils sur la fréquentation de la Sorbonne [26] et la lecture de Spinoza [27], au milieu d'une débauche de références et de citations (Nietzsche, Platon, Duhamel, Bruno, Guitry, René Clair, Rimsky-Korsakov, Debussy...). À peine entrevus villes et paysages sont catalogués définitivement : Djibouti, « gros village nègre », Aden, « un paradis ». Les formules convenues (« je méprise l'argent depuis que j'en ai à mon gré [28] ») abondent, soutenues par le snobisme angliciste. L'oisiveté mondaine n'est pas non plus dépourvue de charme. On est content de disposer d'un boy [29], d'être introduit auprès du sultan [30], ou de prévoir des « vacances en Bretagne et, s'il me chante, à Sienne ou en Ombrie [31] ». Bien entendu, la forte conscience d'appartenir à une élite unifie tous ces traits jusqu'à la caricature : « la seule chose qui me cause parfois un intolérable sentiment d'exil, ce n'est pas la pensée de mes parents, ce n'est pas vous (pardonnez-moi), c'est la bande de la rue d'Ulm [32] ». Il est vrai que la férocité contre l'École, dont Nizan fut le héraut, n'annule, pas plus chez lui que chez les autres, à gauche comme à droite, la force de l'esprit de corps... La « Correspondance de guerre de 1939-1940 [33] », quinze ans après, n'amène guère à modifier ce portrait. L'ego, l'élite, la littérature structurent encore la personnalité [34]. Vétilles au regard de la jeunesse, de l'enthousiasme, de l'esprit de révolte surtout, et de l'amour si authentique pour Henriette [35] ? Assurément, aucun d'entre nous ne parvenant, quoi qu'il en ait, à dépouiller sa vieille peau. Le docteur Marx n'était-il pas lui-même, *privatim*, un bourgeois ordinaire ? On ne peut toutefois s'empêcher de relever qu'un tel type d'intellectuel était aisément récupérable par le Parti de l'époque. Chaque partie trouvait son compte dans le contrat militant. Pour l'individu, c'était l'occasion de jouer un rôle social plus gratifiant que celui d'un professeur de lycée, et non dénué de privilèges, jusque dans la fonction assignée de bureaucrate haute fidélité et d'idéologue rectificateur que Nizan accepta toute sa vie, avant l'extrême rupture. Aussi bien, pour cette première génération d'intellectuels communistes, le Parti ne représentait-il pas une sorte de chevalerie ? L'organisation, quant à elle, était déjà passée experte à les instrumentaliser dans les tâches nobles de porte-voix. Elle ne demandait même pas à ces « ralliés » de renier leurs origines, la vigilance ouvriériste ne les cantonnant qu'au deuxième rang, derrière les chefs, et se réservant de leur rappeler ces origines le moment de la « trahison » venu, sans aucun état d'âme. Dès le début 1940, Nizan l'avait lucidement compris : « tout le monde dira qu'on ne s'était pas trompé, que je fais voir ma vraie nature : tel qu'en lui-même enfin... [36] » De Politzer à Althusser lui-même, la situation ne fera que se répéter.

Les romans ? Invitera-t-on les vingt ans d'aujourd'hui à les (re)lire ? Sartre voyait des « chefs-d'œuvre » dans *Antoine Bloyé* et *La Conspiration* [37]. Je serai beaucoup plus réservé. Le naturalisme du premier n'a été sauvé que par une assez remarquable production télévisée. Quant au second, je ne parviens guère, malgré les éloges envers la veine réaliste, qui tranchait, il est vrai, positivement avec la littérature soviétique, qu'à y trouver un exercice d'école (normale), lui aussi bien narcissique, exception faite de la psychologie, désormais datée, de *l'engagement* de jeunes bourgeois [38], en rupture avec leur milieu. « Philosopher à coups de marteaux. Inventer des choses irréparables[39] », « le communisme est une politique, c'est aussi un style de vie[40] » : quelques fortes et justes formules peuvent-elles sauver un roman ? *Le Cheval de Troie*, le meilleur peut-être... Mais je laisse à de plus compétents que moi le soin d'en décider.

La philosophie ? Absente. Non point en tant qu'objet de critique, j'y reviendrai, mais dans les actes créateurs que l'on pouvait attendre d'un spécialiste.

Le marxisme ? Idem. Pour la même raison. Cela s'est senti à l'époque elle-même. Relisons les deux brefs comptes-rendus parus dans *La Critique sociale*. Le premier, signé R.A., concerne *Aden Arabie* : « un nouveau spécimen de ce genre de charabia destiné à masquer les plus atterrantes confusions idéologiques [...] L'auteur de cette histoire insignifiante disserte sur l'Homo œconomicus (un des passages les plus ridicules du livre) ou sur la vanité des voyages sans se douter un seul instant du néant de ses idées, de la fausseté des sentiments qu'il tente d'exprimer et du démodé des thèmes littéraires dans lesquels il se complaît[41] ». Le second, de Raymond Queneau, dépèce *Les Chiens de garde* : « La besogne fixée par Nizan à la philosophie révolutionnaire comparée à la tâche que lui assignait Marx, constitue le plus terrifiant témoignage de l'indigence théorique des "marxistes-léninistes"[42] ». C'est très vache ? Certes, trop, car il s'agit de textes ouvertement polémiques, de pamphlets, à la première personne de surcroît. Mais ce n'est point faux. Nos Anglais, qui se sont penchés, avant bien d'autres, sur l'histoire des intellectuels communistes français, l'avaient vu aussitôt. David Caute, qui fut le premier, relève que ce marxisme français naissant « n'était pas intellectuellement impressionnant », qu'il « y manquait la dimension philosophique[43] » et que Nizan et Politzer ne purent « parvenir à une réelle distinction intellectuelle[44] ». Michael Kelly porte un jugement analogue[45] ; Perry Anderson, plus tard, également[46]. Dans la brillante analyse qui ouvrait son *Pour Marx*, Louis Althusser assénait l'auto-critique collective d'une génération : « Dans notre mémoire philosophique, ce temps reste celui des intellectuels armés, traquant l'erreur en tous repaires, celui de *philosophes sans œuvres* que nous étions[47] ». Il y eut néanmoins des exceptions, celles de Maublanc, qui s'intéressa à Hegel, avant la publication, en 1936, du choix de Guterman et Lefebvre, ou de Cornu qui avait soutenu sa thèse sur Hess, en 1934. Le Cercle de la Russie neuve, devenu, en 1936, l'Association pour l'étude de la culture soviétique, développait autour de Maublanc, M. Cohen, A. Sauvageot, C. Parrain, J. Baby et G. Friedman, une large activité de réflexion. Henri Lefebvre faisait, en 1939, paraître son *Matérialisme dialectique*, qui devait former des générations. Nizan lui-même avait, dans *Bifur*, publié Henri Michaux, le premier texte de Sartre et une traduction d'extraits de Heidegger[48]. La place tenue par *La Critique sociale*, après le départ de Souvarine, à la suite des Congrès de bolchévisation de Lyon (1924) et de Clichy (1925), était incomparable.

Il est d'autres raisons de tempérer la méchanceté rétrospective, de toute façon anachronique. Elles sont bien connues. Je me contenterai de les rappeler autour des deux déterminations qui me paraissent majeures. D'abord, celle de la jeunesse, qui s'entend des individus et aussi du Parti. Pour les premiers, philosophes ou non, à quelques exceptions près, on ne peut passer sous silence la nature de leur engagement qui fut, Sartre a raison, individualiste et idéaliste. Le sursaut contre l'injustice de l'ordre établi ne prenait appui ni sur la théorie, car on faisait avec ce qu'on avait, Spinoza, par exemple, dans le cas de Nizan, ni sur l'expérience, le prolétariat ne représentant que « l'incarnation » et le « véhicule d'une idée » et la révolution un volontarisme rédempteur. Les luttes anti-coloniales, puis anti-fascistes se substituaient à la lecture du *Capital*, ce qui n'est faussement surprenant que dans le cas des intellectuels et dans la mesure où leur rôle est idéalisé. En ce qui concerne le Parti, négligera-t-on le fait qu'il n'avait que huit années d'existence, au moment de l'adhésion de Nizan (1928) ? Et d'une existence particulièrement difficile, écartelé qu'il était, depuis la scission de Tours, entre la double exigence de son implantation dans la société française (problèmes de structures, de programme, de dirigeants, de ligne et de projet révolutionnaire) et de son acquiescement aux vingt-et-une conditions de l'Internationale communiste, dont on sait mieux aujourd'hui combien il entrait en conflit avec la culture du mouvement ouvrier national et peut-être la violentait[49]. Le contexte doit, en second lieu, être ici pris en considération, des périodes successives du combat « classe contre classe » au Front populaire et à la Deuxième Guerre mondiale, périodes elles-mêmes surdéterminées par les procédures de la bolchévisation, puis de la stalinisation, cette dernière coïncidant avec l'entrée du premier groupe d'intellectuels au Parti. Le pacte germano-soviétique cristallisera, on le sait, ce redoutable ensemble de contradictions, qui faisait et fera notamment des camarades d'hier d'irréductibles ennemis. Pour les intellectuels, tout était à faire, mais les philosophes d'origine se trouvaient les plus mal lotis, totalement absorbés qu'ils étaient par les responsabilités d'une lutte idéologique sans concessions. L'activisme de la propagande, du journalisme, de la pédagogie, en particulier la mise en manuel d'une doctrine qui avait plus à voir avec la fameuse brochure de Staline, *Matérialisme dialectique et matérialisme historique*, qu'avec la philosophie de Marx, ne laissait guère de place à la réflexion. Des livres fondateurs, bien peu étaient traduits ou accessibles, encore fallait-il avoir le temps de les travailler. La leçon est patente, qui vaut pour tout le communisme français, en ce qu'il a de spécifique, avant aussi bien que longtemps après la guerre : la philosophie (la théorie) était condamnée à n'être que la servante de la politique et à suivre, pour les illustrer, les changements, souvent brutaux, de ses lignes [50]. Le cas échéant, il fallait se taire. Ce que fit, et il ne fut pas le seul, Nizan pour les procès.

Comment ces jeunes intellectuels vécurent-ils ces contraintes ? Comme la mort qui leur venait par le Parti, selon l'opinion de Sartre ? [51] Certainement pas. Tous les témoignages le confirment, dont celui de Nizan qui n'est pas rien. Ils étaient portés, soulevés littéralement, par la conscience qu'ils servaient la révolution, celle qui avait été faite là-bas, dans la jeune U.R.S.S., et celle qu'il convenait de conduire ici, dans le riche Occident. Et le Parti, en dépit de ses faiblesses, de ses aveuglements ou de ses soumissions, c'était la révolution, son arme et sa garantie. Les personnages de *La Conspiration* savaient ce qui les attendait. Ils avaient tenu un langage quasiment prophétique. Bernard Rosenthal déclarait : « Nous avons choisi une raison de vivre dans la révolution [...] Rien ne nous sollicite autant que l'idée d'engagement irréversible [...] comme un système prémédité de contraintes rigoureuses [...] redoutons nos infidélités futures [52] » ; et Philippe Laforgue : « Peut-être que si nous ne redoutions pas une servitude politique et que si rien ne nous semblait plus important que de ne pas choisir, la véritable solution consisterait pour nous aussi dans l'adhésion pure et simple au Parti, bien que la vie ne doive pas y être facile tous les jours pour les intellectuels [53] ».

Et après, demandera-t-on, non sans pertinence ? Ou mieux, avec plus de clairvoyance encore : et maintenant, une fois le mur tombé ? L'histoire n'a-t-elle pas clos une époque et prononcé sa caducité, pour nous qui portons encore sa mémoire et les douloureuses expériences que nous en avons faites, et davantage pour les vingt ans d'aujourd'hui ? Je n'en crois personnellement rien, compte-tenu de ce que le capital « triomphant » et ses classes dominantes n'ont rien perdu de leurs nuisances systémiques. Bien au contraire. Et qu'elles appellent avec plus de force que jamais – quoi qu'il paraisse et quoi qu'il en soit des nostalgies, des démissions, des culpabilités et des errements – des répliques radicales. En ce sens, Nizan, intellectuel communiste, peut encore servir. Sous trois chefs qui sont des leçons, et, mieux que des leçons, des tâches d'actualité.

La première précisément est celle de l'engagement. Dès son affectation à Bourg, le jeune professeur de philosophie se lance dans l'activité syndicale. Sa vie durant, le militantisme formera le centre et le commun dénominateur de ces hommes qu'il était ou qu'il pouvait être, pour reprendre une expression de *Aden Arabie* [54]. C'est à temps plein qu'il faut s'élever contre l'ordre existant, en dresser le diagnostic impitoyable. En commençant par son propre pays, cette France

« qui m'a nourri du lait de sa mamelle[55] » et qu'a éclairé du jour le plus
cru le voyage d'Aden[56]. Mais la France, à son tour, parle du monde
entier, comme Aden parlait d'elle. La charge contre l'Homo œconomicus qui « marche sur les derniers hommes[57] » n'a rien de débile,
n'en déplaise à Queneau. Nous le savons mieux encore que Nizan,
après la Guerre du Golfe, le « nouvel ordre international » et le traité
de Maastricht, tant il est vrai que « les pays industrialisés ont séparé
l'économique du social[58] ». Ajoutons que, pour nous, l'ordre en
question est désormais mondialisé. La possibilité de lui opposer
l'aurore que Nizan, à l'instar de bien d'autres, voyait naître à l'Est,
s'est fermée. Sa belle fable politico-sociale de la « Présentation d'une
ville[59] » se concluait par une espérance qui avait pris terre à « Sindobod Toçikiston[60] ». La tragique vision de la mer d'Aral assassinée par
le productivisme soviétique nous a guéri d'une semblable illusion.

Contre toutes les aliénations, il faut défendre le droit au rêve, à la
liberté, à l'amour. Rien à ajouter à l'excellente introduction de
Jean-Jacques Brochier à *Nizan, Intellectuel communiste* sur ces points,
parmi d'autres. À qui refuse de trahir sa classe et le destin d'Antoine
Bloyé, s'impose justement la trahison. « Les philosophes d'aujour-
d'hui rougissent encore d'avouer qu'ils ont trahi les hommes pour la
bourgeoisie. Si nous trahissons la bourgeoisie pour les hommes, ne
rougissons pas d'avouer que nous sommes des traîtres. » À cette
trahison, Nizan est demeuré fidèle jusque dans la trahison que lui
imputa, *post mortem*, *L'Humanité* du 4 avril 1947, en réponse à
l'adresse des écrivains qui voulaient réhabiliter sa mémoire[61]. Sans
doute la nécessité d'un tel engagement ne peut-elle plus être portée
au crédit de *l'esprit de parti* qui animait Nizan y compris dans les
perversions qu'il faisait siennes et qui n'étaient que la rançon de
l'adhésion à son époque. Nous bénéficions, au contraire, de la chance
historique d'un renouvellement et d'un élargissement considérable
de la *prise de parti*, qui ignore les cartes et les emblèmes, pour
maintenir le choix d'être du côté des dominés, partout où ils se
trouvent, des banlieues pourries de nos villes aux territoires occupés
de la Palestine. Le service de la révolution, pour l'appeler par son
nom, qui « n'est jamais passée[62] », a, par bonheur, quitté ses chapelles
et ceux qui s'en proclamaient les propriétaires. Il s'est, lui aussi,
mondialisé.

En conséquence, la critique de l'ordre idéologique découvre une
seconde tâche, propre à l'intellectuel et singulièrement au philosophe. Avec Nizan, nous sommes gâtés. Il se livre avec une jubilante
agressivité à un véritable casse-pipes. « Nous aimons mieux les
hommes que la philosophie si elle nous écarte de leur parti[63] ». Cette
règle générale posée, la trahison de la classe s'épanouit dans l'auto-
dafé des maîtres consacrés. Comment résister au plaisir d'en rétablir

la liste ? Elle a trois entrées. D'abord – à tout seigneur, tout honneur –, les plus proches, ceux qui gardent le temple institutionnel, où l'on a soi-même été formé, avec deux têtes de Turc contre lesquelles la verve des *Chiens de garde* est intarissable : Bergson et Brunschvicg, ces « évêques[64] ». On se heurte à eux comme à des tables dans la nuit[65]. Ils dispensent leurs élèves de penser que « les hommes existent[66] ». La « permanence des conditions de la pensée[67] » est le gagne-pain de ces serviteurs de la bourgeoisie. « Exhortant à la Justice, à la Générosité, à l'Amour, ils fournissent moyennant le salaire que la bourgeoisie leur sert, les armes spirituelles, les justifications que requiert son maintien[68] ». Derrière eux, se tiennent les grandes ombres des pères dont ils sont les exégètes patentés : Descartes, Kant, Leibniz, Platon et même... la Déclaration des Droits de l'Homme[69]. L'inhumanité, en tant qu'oubli des hommes et de leurs conditions réelles d'existence, est leur point commun ; leur refuge[70]. C'est pourquoi « cette philosophie n'est pas morte, mais doit être tuée[71] ». Comment ? En premier lieu, dans le ressourcement de la tradition qui n'a jamais cessé de lui faire face et de la dénoncer, des « Fils de la Terre » et d'Épicure à Spinoza, puis à Marx et à Lénine. « À tous les niveaux de l'histoire, nous trouverions les traces d'une protestation pour l'homme total, toujours étouffée, toujours avortée, parce que toute protestation au nom de l'homme total entraîne une mise en accusation du monde comme il va. Nous la trouverions chez Rabelais, chez Spinoza, chez Diderot. Elle s'épanouira dans Marx. Elle cessera d'être étouffée[72] ». La prise de parti a toujours fonctionné, dans la philosophie, contre les hommes, avec un Leibniz, ou en leur faveur, avec un Épicure ou un Marx[73]. Il n'est pas de milieu, on est avec les exploiteurs ou contre eux. « On retrouve les exploiteurs à tous les carrefours de l'histoire. Aristote est un exploiteur, Épicure n'est pas du parti des exploiteurs[74] ». « Kant est un exploiteur. Spinoza n'est pas du parti des exploiteurs[75] ». « Il faudra dire : en philosophie, indifférent veut dire satisfait. "Sans parti" veut dire exploiteur. L'abstention, ce parti qui consiste à n'en avoir point, trouve ici tout son sens[76] ».

Il s'agit, en second lieu, d'opposer au spiritualisme dominant le matérialisme dont il ne veut rien savoir. « La Sorbonne aura toujours du mal à regarder Marx comme un philosophe, mais non Lachelier et Boutroux, prêtres manqués[77] ». « Épicure n'était pas distingué, il ne respectait pas les professeurs, il se moquait des règles du jeu[78] ». La réhabilitation, la défense et apologie du matérialisme représente à cet égard – ne le sous-estimons pas –, le travail proprement philosophique de Nizan. Sans doute, le regard ne porte-t-il pas sur Marx, dont il y aurait en la matière (sans jeu de mots !) tant à dire. Il vise, adéquat en cela au souci politique préférentiel, les origines, ces matérialistes de l'Antiquité, qui ont trouvé, dans les malheurs de leur temps, les principes d'une philosophie « salutaire » et surtout encore actuelle, à l'inverse de cette *philosophia perennis*, proclamée par des philosophes ignorants de leur propre actualité[79]. « La condamnation épicurienne atteint à la fois la société du IIIe siècle et toutes les sociétés possibles[80] ». Avec Lucrèce, tout est dit[81]. Le haut éloge d'Épicure[82] n'est-il pas celui-là même de Spinoza « disant que Dieu aussi est étendu[83] », et de Marx, qui lui avait consacré sa thèse de doctorat, et dont Michel Vadée a récemment montré ce qu'il lui devait[84]. La prise de parti[85], chez Épicure ou Lucrèce, ne consiste pas seulement à privilégier la matière par rapport à la conscience, la science par rapport au mythe, la raison par rapport à la religion, ni à affirmer que la matière est mouvement ; elle n'est pas seulement engagement politique en faveur des petits, des pauvres et des opprimés, elle parie sur le plaisir, l'amour, l'amitié, la chair et la joie[86].

On voit, certes, l'objection et comme elle est considérable. On dira, avec le jeune Engels : « ci sono tempi passati », devant ce manichéisme outrancier qui dresse l'une contre l'autre, sans laisser aucun espoir de conciliation, une philosophie des oppresseurs ou des « écraseurs[87] » et une « pensée de la foule[88] » ou de la liberté[89], une philosophie bourgeoise[90] et une philosophie du Peuple ou du Prolétariat[91]. La « trique de la révolution » contre la philosophie[92], la révolution comme « le terme de la philosophie[93] » ? Une « philosophie révolutionnaire[94] » ? Et, de surcroît, baptisée « marxiste-léniniste[95] » ? Afin de « consacrer plus de temps à la pensée sur les fusils qu'à la pensée sur les pensées[96] » ? Voilà bien de quoi faire des gorges chaudes, surtout quand on sait que ce dualisme intellectuel en redouble exactement un autre, géographique, ou plutôt géopolitique, entre les sociétés occidentales et l'individualisme bourgeois et l'U.R.S.S., « nouvelle Grèce » des « brigadiers de choc » de la révolution[97]. Le fantôme de la dichotomie science bourgeoise/science prolétarienne continue à faire froid dans le dos.

Pourtant, s'il est vrai que les choses ont changé depuis les années 30, et que les intellectuels en particulier n'entretiennent plus le même rapport avec le marxisme, de l'avoir mieux connu, pratiqué, et souvent digéré, fût-ce à leur insu, on aurait bien tort de négliger quelques fortes leçons qui, à elles seules, mériteraient un nouveau florilège des textes de Nizan. Rappelons d'abord que demeure bonne la règle générale de « régler ses comptes avec sa conscience d'autrefois », ce qui se dit aussi « tuer le(s) père(s) ». La trique qui élit et qui jette est la condition minimale de toute formation intellectuelle. Que Marx, et quelques autres, n'y soient plus soustraits n'en est qu'une saine confirmation, invitant à n'épargner aucun *magister dixit*. Nizan avait, sinon raison, du moins le droit, de préférer Lénine à Brunschvicg. Écoutons ceci : « J'avais déjà en horreur Kierkegaard et la phénoménologie allemande. À présent que je vis dans un monde heideggerien, mes sentiments se sont encore renforcés [98] ». Les têtes archi-pleines qu'on fabrique à la chaîne ne se passeront de tout tamis qu'au détriment de l'acte même de penser. Lequel, en philosophie comme ailleurs, est toujours un *kampfplatz*, n'en déplaise aux efforts de Kant pour faire cesser cette situation. Le règne des consensus de démission ou de fatigue, qui jette le voile sur tout ce qui dérange sert-il d'autres fins que celles de l'idéologie dominante ? Que dirait Nizan, qui trouvait déjà Politzer trop tendre envers Bergson [99], des néo- et des post- dont on se régale à l'envi, – comme nouvelle histoire, nouvelle économie, ou nouvelle cuisine, etc. ; comme post-libéralisme, post-marxisme ou post-modernité, etc. ? Comment jugerait-il tel « dialogue » de la gauche avec la droite ou l'extrême-droite fascisante, tel compromis avec le racisme ambiant ? Les chiens de garde auraient-ils disparu ? Où n'ont-ils plus besoin de mordre, tapis qu'ils sont à fabriquer l'opinion sans concurrence dans les médias, superdoctes en tout sujet : philosophie, politique, morale, écologie, mode ou bio-éthique... ? À moins que ne leur ait succédé « la pensée aveugle », ainsi que viennent de le rappeler avec une belle férocité Garnier et Janover, dans un pamphlet enfin... nizanesque [100] ? Prenons-y garde : sous la glu, les arêtes coupent encore.

L'institution elle-même aurait-elle si profondément changé ? « Les idées philosophiques sont dans une situation privilégiée. Elles possèdent pour s'exprimer et se répandre un véritable appareil d'État. Comme la justice. Comme la police. Comme l'armée... [101] ». Il n'est pas vrai qu'il n'existe plus d'idéologie. Ni que toutes les idéologies se valent. Ni que le communisme se confonde désormais avec la social-démocratie. Le travail de Nizan est à poursuivre, à reprendre dans des conditions nouvelles. Il était à l'emporte-pièce et, parfois, injuste à l'encontre des classiques ? Il se peut. Mais, après tout, ses attaques contre l'idéalisme universitaire français ont porté leurs fruits. Elles ont, au moins, contraint les successeurs à s'avancer masqués. Et il convient encore de lutter pour la pensée rationnelle, la science, le marxisme, enfin libéré par la chute précisément du mur. « Nous réclamons une véritable démocratie philosophique, et non une de ces démocraties où les ministres ne sont responsables que devant un parlement de politiques. Comme si Kant ne devait des comptes qu'à Boutroux, professeur. Et non à Lénine, théoricien et praticien de la révolution prolétarienne [102] ». Une « démocratie philosophique » : rien que ça !

Partant, il est une dernière leçon, une dernière tâche, que j'ai évidemment gardée pour la bonne bouche : la vertu de haine, le devoir de haïr. Provocation ? Nullement. Tous les commentateurs ont convenu que la haine était le thème le plus présent et formait le fil rouge de l'œuvre de Nizan, même quand ils l'ont accepté comme à contre-cœur, comme dans un regret référé à un extrémisme daté. Sartre lui-même emploie des formules ambiguës : « il avait voulu déplaire, c'est son plus grand mérite[103] » ; « l'homme qui a dit non jusqu'au bout[104] ». Alors qu'il s'agit, en fait, de bien autre chose. D'une réponse globale, philosophique, politique, existentielle, n'ayant rien de conjoncturel. Arrêtons-nous ainsi à l'apostrophe, si souvent citée et si peu analysée, qui ouvre *Aden Arabie* : « J'avais vingt ans. Je ne laisserai personne dire que c'est le plus bel âge de la vie[105] ». Pourquoi ces deux phrases ? Une complaisance romantico-narcissique de bon aloi ? Dans la bouche d'un jeune homme apparemment déjà gâté par la vie et dont les perspectives sont des plus favorables ? La réponse est pourtant claire : « Pensons à mon départ. J'avais peur, mon départ était un enfant de la peur. Quand je regarde de cette latitude abritée par le Cancer les années où j'ai eu vingt ans comme on a la grippe et la typhoïde, avec le même plaisir, je vois une sale peur engendrant tout qu'un cœur peut sécréter de fausseté et d'erreurs. Je ne suis pas plus fin qu'un autre : j'ai fui[106] ». La peur, donc. Quelle peur, sinon celle de « vivre avec ma tribu dans un univers moral[107] » ? C'est la peur du vide et de « la vie ratée[108] », celle d'être « sage », « alors que rien n'engage, ni ne lie[109] », celle du « divertissement où sont ravis tant de jeunes gens... [110] », celle qui sensibilise « aux scandales logiques » plutôt qu'à « l'oppression[111] », celle du « songe » et de l'indifférence[112], celle des « échappatoires » – « que de portes pour aller nulle part[113] » – et surtout, avant tout, celle de la trahison, au sens, cette fois d'Antoine Bloyé[114]. « Comment sort-on de la jeunesse ? » se demande Laforgue, après le suicide de Rosenthal[115] ? C'est que Nizan est conscient de vivre « l'époque d'Épicure... celle de l'oppression ». Son choix est semblable : « il ne faut pas faire semblant de philosopher : on ne fait pas semblant de chercher la santé, on la cherche[116] ». La peur va se conjurer dans la révolte et sagesse, indifférence, divertissement et trahison dans le haïr.

Écoutons encore Nizan : « J'amasse à Aden, par l'effet de la solitude, une violence qui m'était étrangère[117] » ; « ce qui m'a le plus dégoûté de mes frères, c'est de les voir vivre comme des vers[118] ». Or, Aden, c'est le « comprimé de l'Europe[119] ». Cette haine exorcisante qui doit être assumée, c'est la leçon que Nizan tire de son voyage à Aden, aux dernières lignes de son livre : « Il est question d'une destruction et non d'une simple victoire qui laisse debout l'ennemi [...] Que pas une de nos actions ne soit pure de la colère [...] Il ne faut plus craindre de haïr. Il ne faut plus rougir d'être fanatique[120] ». C'est également celle de *La Conspiration*. Il n'est pas vrai que la plus grande violence soit théorique, ni que la fonction de la philosophie se réduise à « la profanation des idées », comme le croit Rosenthal[121], à l'inverse de Carré, le militant communiste. D'où le rude reproche adressé par Pluvinage à ses camarades : « ils manquaient complètement de ressentiment, de haine, ils étaient des constructeurs bien portants[122] ». Dans les objets de haine, on peut suivre une gradation qui va de la moindre à la plus grande extention. Les philosophes – il faut bien balayer devant sa porte – sont les premiers visés. À leur égard, « les colères que nous avons, les haines qui nous tiennent n'ont pas besoin de justifications éternelles[123] », et leur philosophie doit en effet être détruite. Les « défenseurs de l'ordre », d'autre part, sont leurs cousins : « on est plein de la haine et du mépris que provoquent leurs seuls visages suffisants[124] ». Ensemble, ils incarnent l'appareil institutionnel, l'État. Il est normal, de la sorte, que la France soit un objet privilégié : « parmi tous les ennemis de l'homme, il n'y en avait pas qui me fût plus familier que la France : c'était à la France que, dans la mesure de ma force, je pouvais faire le plus de mal[125] ». La haine du système englobe et fonde toutes les autres : « ce sont les maîtres des hommes qu'il faut combattre et mettre à bas[126] », autrement dit le capitalisme et l'impérialisme, qui ne peuvent « plus enfanter que des monstres ». Ce sont « Les conséquences du refus[127] » : « un vaste refus qui comporte le mépris et la haine ne laisse plus passer les Puissances et les justifications qui les défendent encore [...]. La plaisanterie a assez duré, et la patience et le respect. Tout est balayé dans le scandale permanent de la civilisation où nous sommes, dans la ruine générale où les hommes sont en train de s'abîmer ». Car la haine n'est nullement un sentiment négatif, même dans la destruction qui ne correspond qu'à sa phase initiatrice. Elle n'est pas seulement une réponse à la haine que la bourgeoisie manifeste, par exemple, contre la culture[128]. Elle est révélatrice et libératrice de valeurs. « Il ne faut pas enseigner le désespoir, mais au-delà du tableau intolérable de notre monde, dégager les valeurs impliquées par l'action de la colère des hommes qui veulent bouleverser leur sort[129] ». D'où la dénonciation d'une École qui, en attendrissant les enfants, « espère leur cacher les colères, les misères, les haines qui les attendent, les combats où ils oublieront Sully Prudhomme et les fables des boulangers[130] ». La haine est positive qui permet d'échapper à la solitude[131] et ouvre à la solidarité : « nous ne parlons encore que d'un humanisme limité parce qu'il refuse le monde et comporte la haine, où la seule valeur qui annonce notre avenir est la fraternité volontaire des hommes engagés à changer la vie[132] ».

Comment le spinoziste Nizan peut-il adopter une attitude aussi contradictoire avec la condamnation réitérée de l'*odium* par l'*Éthique* ? La haine est un sentiment négatif, comme la tristesse d'où elle provient[133]. Elle « ne peut jamais être bonne[134] ». Elle est l'imperfection même[135]. Et « qui vit sous la conduite de la raison s'efforce, autant qu'il peut, de compenser par l'amour [...] la haine, la colère, le mépris, etc., d'un autre envers lui[136] ». Nizan le sait parfaitement, qui, à quelques pages de distance, dans *Aden Arabie*, tantôt, essaie de se justifier : « On ne sait donner de la joie qu'aux êtres que l'on connaît, et l'amour est la perfection d'une connaissance. Il en va de même de la haine[137] » ; tantôt, se résigne à la transgression : « La haine va s'accroître de la colère de savoir que la haine est une diminution de l'Être, un état qui a la pauvreté pour mère. Spinoza dit que la haine et le repentir sont deux ennemis du genre humain : j'ignorerai au moins le repentir, je ferai bon ménage avec la haine[138] ». On pourrait cependant, à l'avantage de Nizan, invoquer la caution de Spinoza en personne qui déclare également : « Que l'on remarque qu'ici et dans la suite j'entends par haine la seule haine envers les hommes[139] » ; et « Tout ce qui est dans la Nature et que nous jugeons être mauvais, autrement dit que nous jugeons capable de nous empêcher d'exister et de jouir d'une vie raisonnable, il nous est permis de l'écarter de nous par la voie qui paraît la plus sûre[140]. » Or, le système n'est pas les hommes. Et le capitalisme ne substitue-t-il pas aux rapports entre les hommes des rapports entre les choses ? Mais laissons là cette querelle. La vertu de haine, pour Nizan, est propédeutique à la révolution, phase initiale de l'engagement et de la prise de parti, non pas la révolution imaginaire des intellectuels qui reconduit l'ordre établi, mais « le mouvement révolutionnaire actuel [qui est] déjà constructif[141] ». La haine, en ce sens, est devoir, passage obligé. Le savent, depuis longtemps, ceux qui ont choisi de lutter contre « le scandale de la condition faite à l'homme[142] ». Un Ernst Bloch leur en donne acte, évoquant « la haine que Saint-Simon vouait à la féodalité[143] », ou « la haine de l'autorité » chez Bakounine[144], et déclarant : « Il est toujours surprenant de constater qu'une haine, aussi grande soit-elle, peut encore être confiante[145] ». Et Bloch de faire allusion à Herwegh, dont on rappellera le « Chant de Haine », que Nizan n'aurait assurément pas désavoué : « Combattez-la sans trêve,/La tyrannie sur terre,/Et plus sacrée que notre amour,/Deviendra alors notre haine./Jusqu'à ce que notre main tombe en cendres,/Qu'elle n'abandonne pas le glaive ;/Assez longtemps nous avons aimé,/Et nous voulons enfin haïr ![146] ».

Alors, la haine ? Je dirai qu'elle est le plus fort, le plus profond et – pourquoi pas ? – le meilleur de Nizan. En tout cas, le plus *actuel*. À chacun de choisir ses objets. Ils ne manquent pas, mais, s'ils ne sauraient se réduire aux Boutroux et Lachelier de notre temps, falots éponymes, ils renvoient tous au *système*, quant à lui, plus « pur », plus efficace et plus triomphant que dans les années 20 ou 30, où l'espoir luisait encore. La haine, en conséquence, conserve sa fonction de moteur contre l'ordre dominant mondialisé et apparemment si sûr de sa survie, contre ses serviteurs aussi, politiciens et idéologues de leur classe (à chacun de désigner les siens). La volonté de détruire est le premier pas de l'espérance, puisqu'il faut toujours « dissiper la terreur et les ténèbres [147] ». À vingt ans aujourd'hui, même si cela est plus difficile, comme au temps de Nizan.

Georges LABICA

1. *Aden Arabie*, Paris, Maspero, 1960, p. 14.
2. *Ibid.*, p. 45.   3. *Ibid.*   4. *Ibid.*, p. 7.   5. *Ibid.*, p. 19.
6. *Ibid.*, p. 18.   7. *Ibid.*, p. 22.   8. *Ibid.*, p. 49.
9. *Encyclopedia Universalis*, s.v.
10. *Ibid.* On se reportera, de façon plus globale, au pertinent essai de Y. Ishaghpour, *Paul Nizan. L'intellectuel et le politique entre les deux guerres*, Paris, La Différence, réédition de 1990.
11. Éditions sociales, t. III, p. 202.
12. Traduction française de Christine Delory-Momberger, Actes-Sud, 1992 ; mes remarques sur ce beau livre sont évidemment tout à fait partielles.
13. Cf. p. 28, 47, 57, 63, 64, 116 et suiv., 143, 144.
14. *Ibid.*, p. 68, 69, 71.   15. *Ibid.*, p. 92, 137.   16. *Ibid.*, p. 119.
17. *Ibid.*, p. 179.   18. *Ibid.*, p. 180.   19. *Ibid.*, p. 183-184.
20. *Ibid.*, p. 185.   21. *Ibid.*, p. 210.   22. *Ibid.*, p. 186.
23. « Et aussi longtemps que l'envie d'espérer nous tiendra, nous n'arriverons pas à nous débarrasser de vous, Paul. » (*Ibid.*, p. 184).
24. Cf. *Paul Nizan intellectuel communiste*, J.-J. Brochier éd., Maspero, Paris, 1970, t. 1, p. 115 (Abrégé plus loin en *I.C. 1* et *I.C. 2*).
25. Cf. *I.C. 1*, p. 85 et suiv.
26. *Ibid.*, p. 99.   27. *Ibid.*, p. 104, 107.   28. *Ibid.*, p. 106.
29. *Ibid.*, p. 102.   30. *Ibid.*, p. 112.   31. *Ibid.*, p. 109.
32. *Ibid.*, p. 93 ; également p. 99, sans oublier la pique contre ceux de Saint-Cloud (cf. *Aden Arabie*, p. 115).
33. *I.C. 2*, p. 105 et suiv.   34. *Ibid.*, par exemple, p. 111, 117, 127.
35. *Ibid.*, p. 128, 133.
36. *Ibid.*, p. 127. Question sans réponse : si Nizan avait survécu, le normalien (ex) révolutionnaire serait-il devenu conseiller du prince et membre du Conseil d'État ?
37. Cf. *Aden Arabie*, p. 49.
38. *La Conspiration*, Gallimard, Folio, Paris, p. 80 et suiv.
39. *Ibid.*, p. 82.   40. *Ibid.*, p. 211.
41. *La Critique sociale*, Réimp. 1983, La Différence, Paris, p. 86, n° 2, juillet 1931.
42. *Ibid.*, p. 272, n° 6, septembre 1932 ; la critique du même livre, de la part de Norbert Guterman, dans *Avant-poste*, est tout aussi virulente (Cf. Michel Trebitsch, « Henri Lefebvre et la revue *Avant-poste* : une analyse marxiste marginale du fascisme », in *Lendemains*, n° 57, 1990).
43. *Le Communisme et les intellectuels français, 1914-1966*, Gallimard, Paris, 1967, p. 327.
44. *Ibid.*, p. 329.
45. *Modern French Marxism*, Oxford, Basil Blackwell, 1982.

46. Cf. *Sur le marxisme occidental*, Maspero, Paris, p. 54.

47. Paris, Maspero, 1965, p. 12 (c'est moi qui souligne).

48. Cf. sur toute cette période, l'étude particulièrement documentée et éclairante de M. Trebitsch, parue dans les *Cahiers de l'Institut d'Histoire du Temps présent*, n° 20, mars 1992 : « Correspondances d'intellectuels. Les lettres d'Henri Lefebvre à Norbert Guterman, 1935-1947 » ; Henri Lefebvre, qui « haïssait Nizan », allait jusqu'à le qualifier de « Führer de la Pensée » (p. 78).

49. Cf. *Les Héritages du Congrès de Tours, 1920-1990*, J. Girault éd., Le Mans, Les Carrefours de la pensée, 1992.

50. Cf. mon article « Les études marxistes », in *Cinquante ans de philosophie de langue française*, Paris, Vrin, p. 165 et suiv. (avec bibliographie).

51. *Aden Arabie*, p. 47.

52. *La Conspiration*, p. 80-81.   53. *Ibid.*, p. 86.

54. « Chaque être est divisé entre les hommes qu'il peut être », p. 99 ; cité par Sartre, *ibid.*, p. 28.

55. *Ibid.*, Ch. XV, p. 140 et suiv. : « J'entends par France la bande des possesseurs du territoire, des mines, des carrières, des usines, des moulins, des immeubles, la bande des maîtres des hommes, qui me donnent le droit d'identifier la France à leur somme puisqu'ils prétendent en tous lieux avoir seuls le droit de parler en son nom. »

56. *Ibid.*, p. 147 : « Tout ce qui est debout autour de moi appartient à mes ennemis... »

57. *Ibid.*, p. 148.

58. Claude Julien, in *le Monde diplomatique*, août 1993.

59. *I.C. 1*, p. 141 et suiv.   60. *Ibid.*, p. 202 et suiv.

61. Cf. J.-J. Brochier, *op. cit.*, p. 14-16.

62. *Aden Arabie*, p. 54.

63. *Les Chiens de garde*, Paris, Maspero, 1960, p. 45.

64. *Ibid.*, p. 93.   65. *Ibid.*, p. 67.   66. *Ibid.*, p. 95.   67. *Ibid.*, p. 27.

68. *Ibid.*, p. 65.   69. *Ibid.*, p. 75.   70. *Ibid.*, p. 19.   71. *Ibid.*, p. 46 et 88.

72. *I.C. 2*, p. 35.   73. *Les Chiens de garde*, p. 89.

74. *Ibid.*, p. 87.

75. *I.C. 2*, p. 15.

76. *Les Chiens de garde*, p. 45, et *I.C. 2*, p. 12 (référence à Lénine).

77. *Les Chiens de garde*, p. 45.

78. *Les Matérialistes de l'Antiquité*, rééd., Éditions d'Aujourd'hui, Paris, 1975, p. 22.

79. *Les Chiens de garde*, p. 22 ; également p. 27-28.

80. *Les Matérialistes de l'Antiquité*, p. 26.

81. *Ibid.*, p. 56.   82. *Ibid.*, p. 30.   83. *Ibid.*, p. 46.

84. *Marx penseur du possible*, Paris, Méridiens-Klincksieck, 1992.

85. *Les Matérialistes de l'Antiquité*, p. 38.

86. *Ibid.*, p. 46, 48.

87. *Les Chiens de garde*, p. 41 et 44 ; *I.C. 2*, p. 10.

88. *Les Chiens de garde*, p. 17.

89. *Ibid.*, p. 59.   90. *Ibid.*, p. 35, 48.   91. *Ibid.*, p. 114.

92. *I.C. 2*, p. 16.   93. *Ibid.*, p. 18.

94. *Les Chiens de garde*, p. 122.

95. *Ibid.*, p. 151.   96. *Ibid.*, p. 94.

97. *I.C. 1*, p. 136 (avec des félicitations à Gide pour son discernement) ; et *I.C. 2*, p. 92.

98. *I.C. 2*, p. 124.   99. *Ibid.*, p. 19.

100. *La pensée aveugle. Quand les intellectuels ont des visions*, Paris, Spengler éd., 1993.

101. *Les Chiens de garde*, p. 90 ; c'est déjà l'idée althussérienne des Appareils idéologiques d'État.

102. *Ibid.*, p. 26.
103. *Aden Arabie*, p. 7.   104. *Ibid.*, p. 13.
105. *Ibid.*, p. 53 ; cette phrase conclut l'introduction de Sartre.   106. *Ibid.*, p. 78.
107. *I.C. 2*, « Correspondance d'Aden », p. 89.
108. *La Conspiration*, p. 26.
109. *Ibid.*, p. 31.   110. *Ibid.*, p. 57.   111. *Ibid.*, p. 59.   112. *Ibid.*, p. 127.
113. *Aden Arabie*, p. 64.
114. *Ibid.*, p. 129 : « On s'apprêtait à jeter sur moi tant de couvertures : j'aurais pu être un traître, j'aurais pu étouffer ».
115. *La Conspiration*, p. 301.
116. *Les Matérialistes de l'Antiquité*, p. 21.
117. *I.C. 2*, p. 100.
118. *Aden Arabie*, p. 100.   119. *Ibid.*, p. 106.   120. *Ibid.*, p. 155.
121. *La Conspiration*, p. 64.   122. *Ibid.*, p. 284.
123. *Les Chiens de garde*, p. 66.   124. *Ibid.*, p. 93 et suiv.
125. *Aden Arabie*, p. 134.   126. *Ibid.*, p. 104.
127. *I.C. 2*, texte de décembre 1932, p. 87-92.   128. *Ibid.*, p. 99.
129. *I.C. 1*, p. 140.
130. *I.C. 2*, p. 151.
131. *Aden Arabie*, p. 134.
132. « Europe », 1935, *in I.C. 2*, p. 37.
133. *Éthique*, III, Prop. XIII, Scolie (Pléiade, p. 426) ; aussi Appendice, Définition des sentiments (p. 472).
134. *Ibid.*, IV, Prop. XLV (p. 528).
135. *Court Traité*, Ch. VI (p. 54-55).
136. *Éthique*, IV, Prop. XLVI (p. 530).
137. *Aden Arabie*, p. 134.   138. *Ibid.*, p. 155.
139. *Éthique*, IV, Prop. XLV, Scolie (p. 528).
140. *Ibid.*, Appendice, Ch. VIII (p. 555).
141. *I.C. 2*, p. 91.
142. *I.C. 1*, p. 140.
143. *Le Principe Espérance*, Paris, Gallimard, 1982, t. II, p. 147.
144. *Ibid.*, p. 156.   145. *Ibid.*, p. 162.
146. Édition française de M. Herwegh, *Le Centenaire de Georges Herwegh (1817-1917)*, Paris, Librairie du Recueil/Sirey, 1917 (il s'agit de la dernière strophe du poème).
147. Pierre Raymond a choisi cette belle formule de Lucrèce (citée par Nizan) comme titre pour son dernier ouvrage (Paris, Méridiens-Klincksieck, 1992).

ADEN ARABIE
OU LE SENS
D'UNE RÉBELLION

« Les Français vivent tous les jours de leurs interminables vies comme des escargots dans leurs coquilles, trop lourdes pour qu'ils franchissent avec elles les grands déserts qui les séparent des actions et des pensées. »

Paul Nizan, *Aden Arabie.*

Quand Paul Nizan publie en 1931 *Aden Arabie,* c'est moins une relation de voyage qu'il livre au public que le journal de bord d'une prise de conscience, celle d'un petit-bourgeois français de l'entre-deux-guerres.

Renonçant à tout exotisme, il y évoque les raisons qui l'ont conduit, quelques années auparavant, en 1926-1927, à déserter les bancs de l'École normale supérieure pour ce comptoir britannique accroché sur les pentes escarpées d'« un grand volcan lunaire »[1].

ÉCHAPPER À LA MORT BOURGEOISE

En s'embarquant à Paisley sur un cargo en partance pour Aden, Paul Nizan croyait se soustraire à la peur qui le taraudait. Cette fuite était déjà en soi un acte d'insoumission. Car la sourde inquiétude qui l'habitait procédait de son refus d'accepter le sort commun des hommes, de se résigner à l'aliénation.

Nizan pressentait qu'on s'appliquait à faire de lui un parfait fonctionnaire de la pensée, un *chien de garde* savant et docile d'une République trempant en réalité ses humanités dans la sueur des travailleurs du Congo-Océan et des coolies indochinois. Il devinait que les sages préceptes qu'on lui enseignait lui cachaient la vraie vie, « l'existence charnelle de [ses] frères »[2].

Souffrant cruellement de cette méconnaissance, rechignant à admettre « le chenil quotidien »[3], Nizan en est venu très tôt à condamner la torpeur de ses proches. Sans doute s'apparentaient-ils d'un peu trop près à son goût à ces « Parisiens sédentaires comme des moules »[4] et à ces « bourgeois mécanisés »[5] auxquels il ne voulait, pour rien au monde, ressembler.

La violence rhétorique de Paul Nizan est d'ailleurs symptomatique de son incapacité à s'accommoder d'une société si peu respectueuse de la personne humaine. Car ses clameurs ne résultent pas uniquement d'une certaine tradition oratoire et pamphlétaire friande d'effets de tribune, de professions de foi grandiloquentes et d'admonestations solennelles. Comme elles n'ont rien d'affecté, elles expriment jusque dans l'outrance la volonté d'un jeune intellectuel de ne pas avaliser le système, de ne pas rejoindre la cohorte des hommes liges, des « bouffons » et des « complices »[6].

Entrevoyant la mort bourgeoise à laquelle tout le préparait, Nizan n'avait aucune envie de contribuer au fonctionnement de l'énorme machine à décerveler. Toutefois, c'est en aveugle qu'il redoutait l'engluement parce que, s'il en percevait dans sa chair les effets, il en ignorait encore les causes.

Abandonnant momentanément ses études, Paul Nizan a préféré, à la stupeur de ses condisciples, prendre le large. Mais ce n'était pas la fascination d'un Orient mirifique qui l'incitait ainsi à rompre les amarres : il n'était pas dupe de ces pauvres mirages.

Le milieu auquel il se savait promis le hérissait ; la classe qu'il devait servir l'écœurait. Il se voyait en permanence menacé par un ordre social niant les individus. Son départ a par conséquent répondu à une exigence intérieure. Ce n'était ni une fugue ni une dérobade. Nizan songeait en effet à se préserver. Aussi a-t-il imaginé un court instant, que voyager lui permettrait d'échapper au dessaisissement de soi.

Une traversée de trente-quatre jours puis l'observation attentive de la communauté d'Aden allaient le déniaiser en lui révélant sa condition d'homme et en lui rendant enfin perceptible le secret de cette « pompe aspirante »[7] vidant les êtres de leur substance pour ne les regarder que comme des acteurs économiques.

Ce coup de tête l'a vraisemblablement sauvé du naufrage en lui fournissant le recul indispensable pour débrouiller l'écheveau de signes qu'à Paris il ne parvenait pas à interpréter. Encore fallait-il avoir le courage de ne pas privilégier la conduite responsable de sa carrière et de son avenir. Heureusement, Nizan ne s'était pas lié les mains : il avait un trop bel appétit de vie pour se contenter de ces simulacres. Il était en passe d'assumer sa liberté.

LA VACUITÉ DES VOYAGES

D'emblée ou presque, Paul Nizan s'est aperçu que changer de cieux ne suffit pas. Même sous d'autres latitudes, l'ennui demeure. L'illusion de pouvoir se libérer de son angoisse s'est ainsi évanouie à quelques encablures du vieux continent.

Nizan a dû d'abord se rendre à l'évidence que l'Europe était depuis longtemps sortie de ses limites géographiques. Elle tenait désormais sous sa domination le reste du monde. Sa puissance ne connaissait plus de borne. À chaque escale et jusqu'en haute mer où il lui est arrivé de croiser des bâtiments de guerre britanniques, Nizan a observé les manifestations tangibles de cette hégémonie :

> *Seulement la terre connue, arpentée, cadastrée, les gens d'Europe l'ont mise en coupe : on est partout volé comme dans un bois ; les paradis sont des entreprises commerciales de cobalt, d'arachides, de caoutchouc, de coprah ; les sauvages vertueux sont des clients et des esclaves*[8].

L'Arabie chère à l'imaginaire occidental n'était pas épargnée par ce mouvement général. Pourtant elle n'avait pas prostitué tous ses charmes. Mais cet ailleurs aventureux se dérobait devant les impératifs du négoce international. Sur la route d'Aden, en Méditerranée comme le long des rivages de la Mer Rouge, l'exploration, l'échange inégal, l'intégration au marché mondial avaient tué la légende et dissipé le merveilleux. Aux confins du désert, il n'y avait plus un souffle, plus une âme pour raviver l'attrait de cet Orient de pacotille. Seul l'insolent babil des commerçants et des coloniaux troublait le silence des grands espaces.

Qui plus est, *le désœuvrement* a fini contre toute attente par submerger Nizan. Évidemment, en s'éloignant des côtes européennes, l'écrivain a eu l'impression de renaître : dans un premier temps, la solitude l'a dépouillé de son vernis social. Nizan a pu ainsi s'ausculter, reprendre possession d'un corps d'ordinaire assujetti aux exigences de la civilité :

> *J'ai fait le faraud au commencement. Je me disais : je suis réconcilié avec mon corps, je suis refondu au milieu de cette plénitude des gestes qui me sont permis dans la solitude*[9].

Ces retrouvailles le renvoyaient cependant à sa nudité d'homme. Avant même d'atteindre Aden, Nizan était sans doute persuadé que, si le voyage affranchit l'individu des contraintes auxquelles il est astreint, la liberté ne se réduit pas pour autant à l'absence de devoirs et d'obligations envers les autres, et que cette licence débouche toujours sur une autre difficulté d'être, sur un autre désarroi. Le dépaysement l'a renforcé dans cette conviction :

> *À Aden mon corps a encore moins à faire qu'à Paris. Il ne trouve rien : posé sur des sables gris, des ponces volcaniques, en face de criques ouvertes comme au commencement du monde, fréquentées par les raies, les requins, les poissons arc-en-ciel*[10].

Coupé de ses racines, sans divertissement ni objet substitutif pour apaiser son anxiété et calmer ses craintes, l'individu doit rapidement faire face aux affres d'un séjour passé à mille lieues du terrain social de ses contradictions. Le voyage s'avère alors source de tourments et de désagréments physiques. Il est sur le point de tourner au mauvais rêve, au cauchemar.

La rigueur du climat accentuait la détresse et la misère de Paul Nizan. Un milieu naturel hostile lui rappelait sans ménagement la mesure exacte de son indigence, l'extrême pauvreté de ses moyens : « Cet Orient sèche au soleil comme les poissons échoués, comme les morts dans l'air sans germes du désert[11]. » Fuyant l'enfer grimaçant des villes, Nizan ne venait pas dans les parages déchiquetés d'Aden, là où « la vie prend les déguisements de la mort »[12], pour se confronter à la finitude des êtres et des choses. Cette intelligence du devenir ne lui a d'ailleurs jamais fait défaut. À Paris, il s'était heurté à une mort urbaine et policée remplissant son office sous les atours du progrès et de la culture. Dans cette contrée déshéritée, la mort lui apparaissait dans son plus simple appareil, sans fard, souveraine et minérale. Ici et là, la même corruption était à l'œuvre. Or Nizan n'avait pas en tête d'en évaluer l'empire. On saisit pourquoi le voyage, en lui dispensant une aussi rude leçon, ne pouvait que le navrer. Ce qu'il recherchait, c'était en fait davantage de partage et d'intensité.

À Aden, Paul Nizan a appris qu'une existence pleine et entière n'est jamais donnée et que partout elle est en butte à l'intransigeance de son destin. Dans ces conditions le voyage n'offre qu'une piètre diversion à qui veut non plus subir mais construire. D'autant que la compréhension des situations rencontrées nécessite une disponibilité de la part du voyageur que l'économie même de ses pérégrinations lui interdit :

> *Tout vous est arraché ; les escales arrivent, on descend sur des quais, on espère posséder une ville, des habitants. Pensez-vous ! Le bateau repart, vous avez une fois encore perdu une place humaine et une belle occasion de rester tranquille*[13].

Peser sur les événements implique de s'attarder. Faute de pouvoir pénétrer en profondeur les communautés que l'on visite et de s'y enraciner, on ne va généralement que vers ce que l'on connaît.

L'insolite, le différent, l'étranger excitent certes la curiosité du voyageur. Mais celui-ci n'en retient que le pittoresque. Le silence de Nizan concernant l'Aden arabe découle de ce constat :

> *Il y avait les Hindous, les Arabes, les Noirs impénétrables. Je n'avais pas dix ans à perdre pour fixer ma vie parmi eux et d'abord les connaître. Tout compté, tout pesé, je vis parmi les Européens. Ce sont les maîtres des hommes qu'il faut combattre et mettre à bas. Les belles connaissances viendront après cette guerre* [14].

Plutôt que d'évoquer ces populations sur le mode du truisme, Nizan a donc choisi de parler de ce qui lui était familier. En décrivant l'univers étriqué de l'Aden coloniale, Nizan a dégagé les ressorts du monde qui était le sien.

UN CONCENTRÉ D'EUROPE

Paul Nizan a détesté Aden. Ce promontoire de quelques milles carrés brûlés par le soleil avait des allures de marmite du diable. Nizan l'a peint comme une infernale fournaise, un vaste chaudron où mijotait et prospérait une foule d'Européens confinant parfois à la caricature. Ils étaient là durs à la tâche, besogneux, les yeux rivés sur la fin de l'exercice en cours, pleins de morgue et de fatuité. Ces froids géomètres insensibles aux privations qu'ils s'imposaient, se comportaient comme s'ils étaient investis d'une mission de la plus haute importance alors qu'ils consacraient l'essentiel de leur énergie à accroître les avoirs des firmes qui les employaient.

Nizan a affiché dans des pages écrites au vitriol l'aversion que lui inspiraient ces expatriés imbus d'eux-mêmes, gonflés d'orgueil, convaincus de leur supériorité. C'est en les côtoyant et en vivant parmi eux que Paul Nizan a réussi à percer la vérité de l'Occident :

> *Voici ce qu'il y avait à comprendre : Aden était une image fortement concentrée de notre mère l'Europe, c'était un comprimé d'Europe. Quelques centaines d'Européens ramassés dans un espace raccourci comme un bagne, cinq milles de long, trois milles de large, reproduisaient avec une extraordinaire précision les dessins que composent à une plus large échelle les lignes et les rapports de la vie dans les terres occidentales. Le levant reproduit et commente le ponant* [15].

La suprématie d'un régime, son mode d'organisation et la finalité de son économie se laissaient brusquement déchiffrer dans la comptabilité d'une maison de commerce, dans l'agitation des docks et des entrepôts, dans l'activité d'un port conçu comme « une des mailles de la longue chaîne qui maintient autour du monde les profits des marchands de la City[16] ».

Des rapports sociaux exacerbés, la faiblesse d'une société civile destructurée par l'intrusion du marché, la brutalité et le cynisme de la plupart des ressortissants européens claquemurés dans leurs certitudes faisaient d'Aden une sorte de laboratoire particulièrement propice à l'examen des mécanismes de domination :

> *Le petit nombre d'hommes engagés dans les courroies de transmission de cette machine encore complexe, permet de saisir la signification de l'existence européenne si souvent dissimulée par la multitude des acteurs et par l'entrecroisement de leurs trames*[17].

Soudain le mystère s'éclaircissait. La vente de la force de travail, la circulation des stocks, la réalisation de la valeur perdaient de leur opacité pour acquérir la force de l'évidence.

Cette clarté, Paul Nizan la devait à l'*effet de grossissement* provoqué par l'éloignement et un milieu culturel au premier abord singulier. La sécheresse clinique des relations humaines l'a édifié. À Aden, le capitalisme ne prenait pas la peine de draper ses victimes dans les plis de la morale et de la bienséance : « On voyait les fondations de la vie d'Occident, les hommes étaient mis à nu comme des modèles anatomiques[18]. » En France, en revanche, l'exploitation se camouflait. On n'y chantait pas volontiers les louanges d'*Homo œconomicus*. La spéculation philosophique, les bonnes mœurs, l'amour des lettres et la passion des arts faussaient la perspective. L'individu était prisonnier de son appartenance de classe :

> *Comme nous ignorons nos compagnons de révolte dans le fond des campagnes et des hôtels meublés de Billancourt, nous ne pensons qu'à fuir. Eux restent là, plus durement esclaves, parce que leur servitude est aussi celle du corps, la fatigue des reins, le manque de viande et d'air. Mais nous, du fond de notre bourgeoisie, comment deviner que les fondements de notre peur et de notre esclavage sont dans les usines, les banques, les casernes, les commissariats de police, tout ce qui est pays étranger*[19].

L'atomisation et le cloisonnement social expliquaient par conséquent la cécité de Nizan et de ses compagnons normaliens. Se conformer aux schémas traditionnels les vouait à ressasser les pieux mensonges de l'université et de leurs familles. Il leur fallait avoir le cran de tout risquer pour mieux se diriger. Paul Nizan a eu cette audace, sa trajectoire politique et littéraire en témoigne.

Voilà pourquoi Nizan n'a jamais regretté son équipée à Aden. Même si, à son retour, il ne s'est pas fait faute d'exalter les vertus du sédentaire et de stigmatiser la naïve candeur du voyageur. À bien des égards, cette incursion du côté du réel lui a restitué l'épaisseur du monde. Il lui doit incontestablement une part de sa lucidité.

L'ACTUALITÉ D'UN CRI

Aden Arabie occupe une place particulière dans les souvenirs de ceux qui, à l'époque de la pacification des djebels et de la torture ou dans les turbulences de mai-juin 68, ont vécu un peu de leur jeunesse dans la fièvre et l'espérance d'un autre monde. Beaucoup en ont fait leur livre de chevet : ils y ont trouvé de quoi justifier et entretenir leur rébellion contre l'inacceptable. Ce qui les séduisait dans cet ouvrage, c'était la possibilité d'identifier leur itinéraire personnel au parcours exemplaire et tragique de Paul Nizan. La formule inaugurale d'*Aden Arabie* était bien sûr de nature à les bouleverser, à les toucher au plus profond de leur être et de leur colère : « J'avais vingt ans. Je ne laisserai personne dire que c'est le plus bel âge de la vie [20]. » Ces pages flamboyantes synthétisaient à merveille leurs aspirations : rejetant la quiétude de leurs pères et la faconde de leurs maîtres, ils pensaient pouvoir *transformer le monde, changer la vie*. C'est ainsi qu'ils ont nourri leur radicalité et leur fureur de la détermination de Paul Nizan :

> *La fuite ne sert à rien. Je reste ici : si je me bats, la peur s'évanouit* [21].

Ils ont du coup considéré leur aîné comme un modèle pour l'action. Il incarnait à la fois la geste révolutionnaire et la probité communiste puisqu'il n'avait pas cédé aux injonctions de la bureaucratie stalinienne.

Bref, en mettant leurs pas dans ceux de Nizan, ces réfractaires à l'ordre établi cherchaient, plus ou moins confusément, à parer leur dissidence du sombre éclat de l'hordago qu'ils n'ont, dans leur majorité, jamais eu à endosser.

Dans la préface donnée à l'édition d'*Aden Arabie* parue en 1960 chez François Maspéro, Jean-Paul Sartre ne s'est donc pas trompé : la « révolte nue » [22] de son ami a été entendue. Durant vingt ans, les enfants de Marx et de Coca-Cola ont reconnu leur propre voix dans les accents vengeurs de Paul Nizan.

On peut néanmoins se demander si ce réquisitoire contre la société bourgeoise n'a pas aujourd'hui vieilli. Car en ces temps incertains où il est désormais de bon ton d'interpréter la débâcle d'un système d'oppression comme la fin miraculeuse de l'histoire, la parole de Nizan a de quoi déranger. D'aucuns l'estimeront en contradiction avec la marche du siècle, voire grosse de toutes les impostures sanglantes qui ont caractérisé les expériences socialistes.

À vrai dire, l'actualité de Paul Nizan, – du moins au sens des célébrations littéraires habituelles –, paraît assez problématique. Il serait vain en effet d'essayer d'exhumer de son œuvre un quelconque remède au malaise contemporain. Tenter d'y dénicher l'ébauche d'une solution pratique aux problèmes qui, à l'approche du XXIᵉ siècle, assaillent la société française n'aurait guère de pertinence. Si Nizan peut encore prétendre à des lecteurs, c'est plus en raison de son attitude et de son rapport au monde que par la façon dont il a mené sa rupture avec le capital. Son communisme, pour gauchir un mot qui eut son heure de gloire, est un communisme sans rivage. Il doit être appréhendé comme la marque de son incommensurable révolte et peut-être indépendamment des circonstances qui l'ont confondu avec celui des organisations de la IIIᵉ Internationale.

Le présent de Paul Nizan est simplement celui d'un cri. Le rappeler n'équivaut pas à se réfugier dans la glorification romantique du désespoir : depuis toujours, des hommes se sont battus. Contre la mort humaine qui ronge chacun au-dedans de soi. Contre la mort sociale qui réduit la plupart au silence. Nizan était de la trempe de ces lutteurs. On peut gager que d'autres, aujourd'hui ou demain, sauront forger les armes dont ils ont besoin dans leur combat.

Jean-Michel DEVÉSA

Toutes les citations de cet article renvoient à l'édition d'*Aden Arabie* parue au Seuil, collection « Points-Roman », nᵒ R 392.
1. Nizan (Paul), *Aden Arabie*, p. 89.
2. Nizan (Paul), *Op. cit.*, p. 57.
3. *Ibidem*, p. 72.   4. *Ibidem*, p. 69.   5. *Ibidem*, p. 70.
6. *Ibidem*, p. 58.   7. *Ibidem*, pp. 100-101.   8. *Ibidem*, pp. 70-71.
9. *Ibidem*, pp. 121-122.   10. *Ibidem*, p. 122.   11. *Ibidem*, p. 138.
12. *Ibidem*, p. 139.   13. *Ibidem*, p. 131.   14. *Ibidem*, p. 104.
15. *Ibidem*, p. 106.   16. *Ibidem*, p. 105.   17. *Ibidem*, p. 107.
18. *Ibidem*, p. 109.   19. *Ibidem*, p. 63.   20. *Ibidem*, p. 53.
21. *Ibidem*, p. 153.   22. *Ibidem*, p. 49.

LE ROMAN DU PÈRE

Sa mort précoce, son radicalisme, sa révolte font de Nizan un jeune homme éternel. Il l'est aussi d'avoir un double : Pierre Bloyé, fils d'Antoine auquel il va consacrer un gros livre. Quand il s'y attelle, Nizan a vingt-huit ans. Le pamphlet politique l'a fait connaître mais, ici, une mission l'accapare, urgente : écrire le roman du père – tâche à laquelle se livrent en général les enfants – c'est-à-dire s'aventurer, pour la conter, en une vie qui ne fut pas la sienne et dont pourtant il est né. Là, comme ailleurs, la littérature ne doit pas abuser, les généalogies sont au cœur de toute histoire. À suivre certaines on entre dans une errance sans fin au travers des multiples ramifications de l'arbre de vie. D'autres ne sont figurées que par de maigres arbustes, bouts de piste dans le désert. Généalogies des pauvres qui ne remontent guère au-delà des grands-pères. Ce qui les précède n'est qu'une nuit ascendante.

Chacun hésite dans son passé, parmi toutes les routes poudreuses qui l'habitent. Chacun met en œuvre un patient travail d'archiviste afin de savoir qui il est. Les simples noms et prénoms, les banales photos sont précieuses. De toutes ces vies mortes nous sommes l'actualité. Même connus, les faits et gestes des ancêtres suffisent-ils cependant à rendre compte de ce qu'ils furent et donner idée du legs qui nous fonde ? Visiter la filiation suppose une objectivité relative car l'entreprise qui se veut rigoureuse se trame d'imaginaire. Le chercheur ne parle que de lui. Il sait que toute vie est secrète et son secret un abîme. Son message, si elle en délivre un, demeure inaudible. La vie d'Antoine Bloyé sous le regard lucide du fils n'échappe pas à cette mutité.

Pourtant le fils part en reconnaissance. Le voici qui contemple le père mort. Veillé selon un rituel conforme, un étranger semble dormir dont il faudra dire le destin. Échoué vivant dans une anonyme ville de l'Ouest, désormais hors d'atteinte, seule la mémoire des siens le gardera humain et c'est au fils qu'échoit le devoir de préserver la trace, de narrer le parcours du gisant. En écrivant le récit du père il ne peut que se trouver. Qu'importe s'il n'y apparaît qu'en filigrane, en symétrie, en opposition. Le mort par tous les mots qui l'assemblent lui donne moyen d'être. C'est le sort des fils que de permettre la fiction des pères dans la réalité des liens charnels et de naître ainsi au monde.

Antoine Bloyé est une fiction exemplaire, à tel point qu'on la dirait vraie, réductible à l'histoire réelle d'une génération. Il vient à l'existence au sein de la paysannerie pauvre qui s'apprête à l'exil ouvrier en une époque où un empire médiocre vit ses dernières années. Les vieilles terres où peu d'hommes s'épargnaient, où le repos ne se connaissait qu'au jour de la mort, où la fatalité de la misère donnait corps à la philosophie naturelle de la précarité absolue – celle, essentielle, de la survie –, où la tradition se mariait avec l'obscurantisme, les vieilles terres, donc, se voient gagnées par l'expansion de l'industrie et la culture des villes. Le Grand Nord s'étend. La rumeur des mondes nouveaux, omniprésente, inquiète mais elle est irrésistible. Les hommes de ce temps découvrent la communauté ancienne – celle des évolutions lentes, presque suspendues, au point qu'on les croirait immobiles – soumise à l'apparition de forces considérables. Le continent familier qui semblait oublié par l'Histoire s'en trouve bouleversé. Il n'y a plus, dès lors, pour eux, que de l'arrachement. Les hommes quittent le pays natal.

La République s'installe. De peu. Elle s'inaugure par des massacres dans les villes. L'avant-garde de ceux qui ont compris les premiers ce qu'annonce le siècle à venir, réduite au silence, le bas bruit des oppressions, des émeutes et des combats perdus seront imparfaitement connus des campagnes où se constituent les armées de réserve, innombrables. L'esprit de résistance en sera d'autant différé. Jean-Pierre Bloyé, le grand-père, celui par qui tout commence, sera parmi les premiers déplacés, dans le flux de la discontinuité entre un ordre qui meurt et l'autre qui se fait jour, sans que le terme dernier de sa vie de labeur puisse être un instant objet de questions. Il est à jamais dans les hiérarchies, les permanences intemporelles des rôles. S'il est sujet, il l'est sans le savoir. Comme ses pères depuis l'aube des temps, il est l'accomplissement de finalités écrasantes dont les lois lui échappent. Il n'est au monde que par décret. Se demande-t-il même s'il y a d'autres choix ? Certes les décors changent et le fils, Antoine, va être emporté, lui, sur l'autre rive du fleuve d'où il témoignera de la société nouvelle. Il a figure d'élu. Il fait partie des distingués. On le destine à l'élite ouvrière. La République guide les pas de ces nouveaux-nés. De ces francs-tireurs venus des campagnes et des savoirs caducs elle va faire des entrepreneurs bien distincts de la main-d'œuvre mercenaire déjà inépuisable, mue par la seule économie de la subsistance, des cadres capables de parler et de diriger cette main-d'œuvre là, issus d'elle mais déjà promus : les aristocrates ouvriers. Cette espèce récente a de fortes identifications avec le passé dont elle garde au cœur le goût de l'ouvrage bien fait, de la perfection, de l'impeccabilité du geste artisan. La qualification est son idéal. Elle a le sens de la maîtrise et de la responsabilité. De par sa distinction elle est prête à répondre à toutes les injonctions des dominants, des possédants. Sa philosophie est celle du travail – en ceci elle ne rompt pas avec le passé – qu'elle dédie, la nuance est d'importance, à la production illimitée des richesses, au grand leurre collectif du progrès. De sa tâche, de sa fidélité à l'idéal du nouveau monde, elle attend le bien-être. De ce rêve elle connaît le prix – les ancêtres le lui ont appris : la soumission.

Antoine Bloyé est l'un de ces hommes tôt remarqués auxquels, eu égard à leur condition première, un futur est promis. Dans l'au-delà de l'élémentaire survie – si la nécessité ne les asservit plus comme elle le fit de leurs pères, la liberté n'est pas pour autant gagnée –, ils vont aider à bâtir une société machinique conçue par la République bourgeoise dans laquelle les classes privilégiées leur accorderont une place modeste, mais reconnue, à leur périphérie. Ils seront des semblants, des apparences, des copies conformes de moindre qualité, se retournant inquiets sur les proches espaces d'exclusions qu'ils viennent à peine de laisser. La roture les marque pour toujours mais leur mérite bien vanté les pare des vertus nécessaires à la dépasser. D'évoquer leur origine les angoisse. Ils n'aspirent qu'à l'oublier dans des noces des plus ostentatoires avec ce que la République leur a concédé. Ces épousailles en ont fait les renonçants. Les passions ne les commandent plus, ni les pulsions sauvages, ni les folies du manque. Elles se sont apaisées dans l'acceptation des modèles normatifs qui définissent les petits chefs.

Mais l'instrumentalisation de l'homme n'est jamais définitive. Le mal-être (le manque) qui fait le désir et l'humanité n'est pas rationnel, non plus que les agissements du passé qui connaît l'art des évocations subtiles et des obsessions. Voici donc Antoine Bloyé, parvenu remarquable de conscience, son sommeil troublé, visité par les vieilles choses de la jeunesse et les culpabilités. Douleurs vivantes, harcelantes. Elles parlent avec la voix des pauvres et des insoumissions fugaces. Elles dérangent comme l'appel du noyé. L'âge les fait plus tenaces. Leur danse de démons demande un exorcisme afin qu'elles se taisent. Antoine Bloyé pressent qu'en lui gisent ses véritables ennemis et ses plus proches compagnons, tous ces lui-mêmes morts-nés, lâchement abandonnés au gré du chemin et qui sont le dû de la réussite. Cet homme avait un père qu'il ne voyait presque plus, qu'il ne montrait pas à sa belle famille non plus que sa mère dévote et analphabète. Fils prodigue sans retour, hanté. Dans son rêve éveillé encore : une femme l'aimait toujours, qui eût changé sa vie dont elle avait la compréhension profonde. Emblématique, riche des puissances de la chair, inchangée, restée sur le seuil de sa porte et qui le contemplait comme une éternité depuis l'adieu au peu de jeunesse qu'il s'était octroyé.

Les rendez-vous d'Antoine avec les présences étaient fortuits et insistants. Ils étaient son domaine tourmenté et inaccessible, la face cachée du dormeur qui disait son secret. L'inévitable clivage de l'humain avait pris chez lui cette forme. Rien ne serait jamais accompli de ce qui l'eût fait unique. Il n'était un, déchiré par de banals souvenirs, que dans le cadre d'un programme colossal où la logique de l'économie aliénait l'Histoire et où un siècle se déployait dans un autre. Cet être qui n'est qu'une ombre, un étranger au pays de lui-même, Nizan l'appelle un traître. Antoine Bloyé sera donc un traître. Être sans classe – l'une est quittée, l'autre pas atteinte – sera sa malédiction. Sa vie se trouvant mesurée à cette aune, plus elle deviendra confortable plus elle sera misérable. Aussi, sous les yeux du fils, se définit, par trop de réussite et de servilité un ratage, une vie pour rien. Conscience malheureuse et solitude.

Qui va en hériter ? Le fils. La transmission que les pères se doivent de faire pour que la descendance soit possible et afin que les fils soient inscrits dans l'Histoire est ici celle d'un triste reliquat : un homme se sépare des siens – sa classe –, s'exile à la cour des maîtres, devient valet respectable, cultive le malaise de la trahison – c'est son non-dit et sa souffrance –, se retrouve seul, malade, incompris et l'heure des bilans est, pour lui, celle de la vanité de toute l'équipée. De cet accablement, de cet échec doré, le fils va devoir tirer la substance de sa propre vie. Comment y parviendra-t-il sinon par le refus de concéder aux normes de ce passé si proche, à la finalité du système qui a permis la compromission et légué le malheur d'être ? Un radicalisme va s'initier de ce procès d'une vie gâchée, procès qui n'a rien du constat clinique ou de la note d'huissier. La neutralité du ton ne masque en rien l'objectivité du propos, elle ne révèle que la proximité du père et du fils et le récit n'est possible que parce qu'il est avant tout œuvre de compassion. Quel serait le sens de cette recherche, de la restitution méticuleuse de l'ascension du père, de cette précision chronologique s'il n'y avait pas la trace de l'amour ? Le reniement est bien trop près du meurtre pour en user.

Pour ce fils qui sait tout, le conformisme du père est-il à ce point insupportable ? Peut-on aller au bout du déterminisme sociologique qui agit les destins et dont les savants des diverses sciences humaines nous assurent qu'il est indépassable ? De quel conformisme doit-on se réclamer ? De celui du manœuvre opprimé conscient ou de celui de l'aristocrate ouvrier bercé de chimères ? Le périple d'Antoine Bloyé qui refusa des opportunités peut-être libératrices en Angleterre et en Chine est guidé par le mythe du progrès, par une conjoncture historique qui lui survivra de près d'un siècle, celle de la convergence du progrès technique et du progrès social. Il est celui du gain matériel et de la moindre médiocrité. Mythe dominant, transcendant la politique, il a porté le monde. « Enrichissez-vous » et « Hourra l'Oural » ne sont qu'avers et revers de la même médaille. Le fils ne reproche pas au père l'amélioration de sa condition, de passer du travail de l'esclave au métier qualifié, il s'interroge sur un mérite. Doit-on tout concéder pour si peu de reconnaissance ? Celui qui a pouvoir de reconnaître a tout pouvoir. Qu'il donne accès au privilège ne doit pas dissimuler qu'il peut aussi l'interdire. Rechercher sa faveur est une désertion, un manquement à la cause des pères dont on ne peut s'émanciper que par la libération de tous les autres.

D'être né d'un traître, de bénéficier du prix de la trahison en étant soi-même nourri au sein de la culture bourgeoise et d'en vouloir la mort n'augure pas d'une vie facile. Le divorce qui a miné le père et l'a mené par un long prélude à la disparition solitaire, le fils à son tour va le connaître. En renverser les termes par un recours à l'eschatologie révolutionnaire et à la violence verbale ne suffit pas à en annuler les effets. Le père du père venait du *lumpen*, Antoine avait traversé le prolétariat, donné ses gages, atteint les marges de la classe moyenne puis la consécration petite-bourgeoise. Le fils, lui, accomplit l'acte suicidaire d'une classe qui a armé ses propres fossoyeurs. Tout au moins ce sera le fantasme de l'intelligentsia. En mettant sa science, sa claire pensée au service des damnés de la terre, de ceux de l'espèce humaine, le fils rétablit la continuité des générations. De là, le trajet du père n'est pas vain détour. Menacé d'être simple dévoiement et illustration navrante de la docilité à l'idéal bourgeois, le fils lui redonne sens par la mise en question sacrificielle de l'ordre établi des possédants. Ce retournement appelle un terrorisme, la formule incantatoire, la diatribe sans pitié. Les chiens sont lâchés. Ils sont les impitoyables conjurateurs du doute : le combat ne saurait être que celui des justes. Ainsi est le fils : un juste.

La vie d'Antoine Bloyé était une petite mort. Demeurait-il pour autant sourd aux voix des origines ? Déclassé par le haut, adoptant des valeurs que le laïcisme républicain avait empruntées à la religion, il communie avant la lettre avec la fameuse trilogie : travail, famille, patrie, sa patrie étant, nul n'en doute, la Compagnie d'Orléans. Toutefois, il garde le poil sensible et n'admettra jamais la manière dont on parle dans le milieu des cadres et des ingénieurs de ceux d'en bas : les ouvriers. Une mémoire diffuse, viscérale de sa lignée lui interdit le mépris. Briseur de grève, il convient des raisons de la lutte. Il se souvient même de lui, si loin dans sa jeunesse, monté sur des poutrelles et haranguant, de la dignité de la résistance, que l'hésitation fut courte mais néanmoins réelle de devenir un leader ouvrier plutôt qu'un cadre et que d'une hiérarchie conforme – celle de la Compagnie – il aurait pu rejoindre la hiérarchie parallèle du syndicat qui eût bénéficié de ce qu'il était. Comme tous les collaborateurs, il garde une nostalgie, celle de la réconciliation. Sa sobriété désavoue toute concupiscence. Il a choisi le monde des nantis, certes, mais il n'en jouit pas. Il est seul dans les salons sans âme et parmi les intrigues féroces, les tristes propos, les fortunés incompétents.

Cette impossibilité à s'accomplir à la suite d'un mauvais pari, le fils la sait. L'horizon inatteignable de la perfection dans le travail et dans la respectabilité qui en découle supposerait que la société fût neutre et le champ de la production voué uniquement au bonheur des hommes. Quelle mystification, alors que l'argent (le profit) est roi ! Antoine Bloyé, hormis la rumeur des désirs inassouvis qui tourmentait son sommeil, n'a vécu qu'en aveugle et lu qu'un seul livre : *La vie de George Stephenson*. Il s'est cru missionnaire de l'ordre industriel. Il a donné son talent à d'obscurs décideurs qui l'ont récompensé d'une médaille, métaphore honorable de ses bons services. Artisan sans gloire déjà effacé des registres de l'avenir, il n'a été que virtuel comme l'est l'image dans le miroir des identifications imposées, ces faussetés imaginaires, tandis que résonnait l'appel tragique à quitter sa tribu, sa terre. D'autres, mais peut-être aussi l'invincible mouvement de progression de l'univers des machines, ont décidé pour lui et il s'est laissé piéger. Son identité il ne l'a tenue que d'une promotion orchestrée. Une première planification rationnelle de l'état des lieux, des besoins et de la prospective d'une société mutante qui recrute ses soldats le touche en son jeune âge et lui fait entendre le *la* de sa vie. Après, il n'y a plus rien à décider. Rien qu'à obéir, fasciné par les seigneurs du château. Là-bas, à Paris.

Homme floué à la destinée ordinaire, d'une chair pitoyable, Antoine mourra d'usure et de finitude. Mais cette vie vouée à l'entreprise est de fait sans duplicité. Antoine Bloyé ne fait que respecter la morale sociale du travail qui, en cette époque d'intense industrialisation, ne souffre pas trop d'être questionnée. Tenir son poste, s'avérer capable de bon ouvrage suffit. Le bien abstrait de tous promis par les révolutions, il se bâtit ici jour après jour par l'homme et la machine et, qu'on en discute ou non, le produit des richesses, bien que fort inégalement, se trouve néanmoins redistribué à terme. De l'ailleurs, Antoine Bloyé ne se soucie guère. Il est comme son père dans l'intemporalité de l'exécution. Sa perspective est bornée par la Compagnie, ses objectifs, ses projets, sa seule famille. Et, quand une faute le verra sanctionné et mis au rancard, il deviendra, attendant la retraite, en quelque sorte hors-le-monde, et le néant des choses lui apparaîtra. Mais ne lui serait-il pas apparu en d'autres circonstances et en un tout autre destin ? Nizan anticipe par là sur ce que dira plus tard l'existentialisme athée de l'être-pour-la-mort, de la contingence, de l'homme comme « passion inutile »... Tout à la fois pessimisme et réalisme à propos de la condition humaine enfermée dans d'insurmontables dualités, les désirs et les interdits. Peu importe les oripeaux et les fonctions illusoires dont on s'affuble pour paraître, la butée est la même : l'injustifiable existence. Le seul espoir – mais la postérité suffira à le démystifier – est dans le rêve collectif de la fin de l'oppression. Le règne de la liberté sera-t-il celui du sujet véritable non assujetti à la nécessité ? Pour l'heure, Nizan s'en tient au récit d'une vie perdue. De par sa métaphysique implicite de la déréliction et de la vanité, le roman de Nizan, superbement filial, échappe au naturalisme complaisant et au roman d'édification ouvrier. Que conclut-il ? Que l'impossible de la vie c'est de la vivre. Son approche d'Antoine Bloyé dans son intimité est trop complice pour qu'on puisse être dupe d'une quelconque distance entre le fils et le père. La pensée de la mort dont on sait qu'elle obsédait Nizan, qui l'a introduite si tôt et si définitivement en lui sinon ce vieil homme à l'écart de l'Histoire, résigné à la banalité répétitive des jours, à son futile anonymat et qui savait que, quoi qu'on fasse, on ne sort pas de la mortelle condition ?

Yves BUIN

L'ANGOISSE ET
L'ENGAGEMENT

« Ce corps étouffait : Antoine sentait au fond de sa poitrine une angoisse essentielle, une angoisse des racines : c'était une suspension des mouvements, une pause qui écrasait les parois de sa poitrine, ses poumons. » (*Antoine Bloyé*, p. 275).

Nizan décrit ici une crise d'angine de poitrine, la première manifestation de la maladie de cœur qui emportera Antoine Bloyé, le héros de son premier roman. Mais il ne s'agit pas des symptômes d'une maladie ordinaire : le retraité « neurasthénique » souffre de l'expression corporelle, de la somatisation, dirions-nous aujourd'hui, d'un mal de vivre, d'une angoisse de la mort qui le tenaillent depuis de longues années. Les mots-clés sont « angoisse » et « écrasait », car le patronyme même de « Bloyé » semble dériver pour Nizan du verbe « broyer ».

Antoine Bloyé, publié en 1933, baigne dans une ambiance d'angoisse et de mort. Le roman débute par la veillée funèbre et l'enterrement du protagoniste, le père de Nizan. L'écrivain avoue lui-même que dans ce livre il raconte l'histoire d'un homme qu'il a bien connu : son propre père[1]. Pour renforcer l'aliénation de son personnage, l'auteur a sacrifié la vérité historique : le père, Pierre Nizan, avait été réhabilité après sa destitution et il n'avait pas vécu la déchéance de Bloyé[2]. On pourrait donc définir ce livre comme un roman biographique, le roman étant pour Nizan un instrument de connaissance et d'analyse marxiste. Parce que le destin de son père lui paraissait exemplaire, Nizan avait préféré écrire un roman biographique plutôt qu'une œuvre de pure imagination.

Après avoir raconté la mort de Bloyé, Nizan remonte le cours du temps pour décrire les origines paysannes de sa famille. Voici comment il présente son grand-père, humble « facteur à la gare de l'Orléans » :

> *Jean-Pierre Bloyé... est un homme pauvre ; il connaît qu'il est attaché à une certaine place dans le monde, une place décrétée pour la vie entière..., voulue comme toutes les conditions du monde par le hasard, par les riches, par les gouvernants. « Par Dieu », dit sa femme. Dieu, c'est la même chose que le hasard et les gouvernements. C'est tout ce qui* écrase [3].

Son fils Antoine sera lui aussi écrasé par des puissances qui le dépassent. À force de travail et d'ambition, il fera, jusqu'à sa disgrâce, une belle carrière dans les chemins de fer. Ingénieur, patron, il aura quinze cents ouvriers sous ses ordres, mais après une vague affaire de sabotage dans les ateliers qu'il dirige, il sera affecté à un poste subalterne de directeur de magasins. Alors, nous dit son fils, commence le déclin d'Antoine Bloyé. L'échec de sa vie professionnelle le confronte à l'échec de sa vie sentimentale. Le désœuvrement de sa nouvelle existence, le défaut de divertissement au sens pascalien du terme, livrent Bloyé à l'angoisse de la mort qui ne cesse de le hanter jusqu'à l'embolie fatale qui clôt le roman.

Si Bloyé dérive de « broyer », le prénom Antoine et les initiales A. B. semblent renvoyer à Antonin Besse, le « monsieur C. » d'*Aden Arabie*, dans la famille duquel Nizan avait servi de précepteur. Homme d'affaires international, capitaliste de grande envergure, self-made man, Besse n'avait pas manqué d'impressionner Nizan. Dans la période de désarroi qui précéda son entrée au parti communiste, le jeune philosophe avait même caressé le projet d'entrer dans les affaires sous la tutelle de Besse. Qu'en pensait la famille Besse ? Cinquante ans après le séjour de Nizan à Aden, j'ai pu interroger la veuve de Besse, lors de sa visite au collège Saint Antony's fondé par son mari à Oxford. Madame Besse qui était Anglaise, n'avait jamais lu *Aden Arabie*, mais elle se souvenait du jeune précepteur français, « terriblement intelligent » (« frightfully intelligent »). Son mari avait-il véritablement songé à l'associer à ses affaires ? Madame Besse sourit : « C'était un intellectuel, n'est-ce pas ? » Ce n'est pas parmi les normaliens bourrés d'abstractions qu'on recrute les hommes d'affaires [4]. Reste que pour Nizan, Antonin Besse devait représenter une figure paternelle, l'antithèse de son propre père, écrasé par la vie. Pierre Nizan-Antoine Bloyé aurait-il pu avoir une vie différente, semblable à la carrière de Besse ? Paul-Yves semble s'être posé la question. À deux reprises, Antoine préfère la sécurité du fonctionnaire aux risques du commerce et du voyage. Jeune homme, il refuse un stage au pays de Galles pour ne pas désobéir à ses parents ; homme mûr et marié, il refuse un poste en Chine pour faire plaisir à sa femme. Il s'en souviendra dans sa vieillesse, en ruminant ses rancunes.

Pourtant, Nizan le sait mieux que quiconque, le dépaysement ne sauve pas des affres de l'angoisse. On meurt à Aden comme en Chine, on meurt même au paradis soviétique. Simone de Beauvoir rapporte l'étonnement douloureux de Nizan lors de son séjour, enthousiaste par ailleurs, en U.R.S.S. : « Il s'était demandé si la foi socialiste aidait à conjurer [la terreur de la mort]... ça lui avait porté un coup de découvrir que, là-bas, comme ici, chacun mourait seul et le savait[5]. »

La mort obsédait Nizan – l'homme et le romancier. Comme l'ont remarqué tous les critiques de son œuvre, le thème de la mort s'installe au cœur de ses trois romans, si dissemblables par ailleurs par leurs sujets et par leur technique. Le mot et l'adjectif « mort » reviennent presque à chaque page d'*Antoine Bloyé*, où dominent les images nocturnes et maléfiques. Avant *La Nausée* de Sartre c'est déjà l'univers du visqueux, du glauque où l'homme s'enlise[6]. Nizan ne se contente pas de commencer par l'enterrement et de finir par la mort du père ; il placera au centre du roman l'agonie et la mort de sa petite fille. Lorsque Bloyé assiste enfin à la naissance de son second enfant, de « [son] fils qui le vengera » (p. 169), ce n'est pas la joie qui l'étouffe. Âgé de quarante ans, le père calcule qu'il ne lui reste plus qu'un tiers de sa vie à vivre. En entendant les vagissements du nouveau-né, il s'imagine étendu sur son lit de mort (pp. 171-2).

UN ROMANCIER ENGAGÉ

Rien d'étonnant à ce que les camarades communistes de Nizan aient ressenti un malaise devant ce roman, écrit pourtant par un militant profondément engagé. Il faut citer la critique de Jean Fréville, porte-parole du réalisme socialiste, qui déplore l'absence de conviction et de flamme révolutionnaire dans le roman : « *Antoine Bloyé* est le récit d'une vie manquée, thème qu'affectionnent les écrivains de la bourgeoisie, de Flaubert à Tchékhov, de Dickens à Duhamel [...]. Nizan aurait dû camper un ouvrier révolutionnaire[7]. »

Si nous lisons encore *Antoine Bloyé* et si ce livre nous bouleverse, c'est bien parce que le romancier a parlé plus fort que le communiste, parce que Flaubert l'a emporté sur Jdanov. Le sentiment tragique de la vie qui caractérise Nizan le rapproche de ses contemporains, tels que Malraux et Mauriac, au-delà des définitions politiques. Dans une interview du 11 novembre 1933, lors de la parution de son roman, Nizan s'explique : « J'ai voulu peindre ces milieux des Chemins de Fer où se trouve typiquement représenté ce qui me frappe le plus dans la vie moderne, le côté tragique de la vie des hommes ni ouvriers ni bourgeois [...], un profond déchirement... l'impossibilité d'être un homme complet[8]. » Ce tragique est-il uniquement l'apanage des cheminots « ni ouvriers ni bourgeois ? » On se rend compte en lisant *Le Cheval de Troie* qui met en scène des ouvriers et *La Conspiration* qui présente surtout des bourgeois, que le tragique se moque des différences de classe. C'est la condition humaine elle-même qui condamne les hommes au déchirement et à l'aliénation, au vieillissement et à la mort. Nizan, mobilisé en 1940, écrit dans une lettre à sa femme, quelques mois avant sa mort au front : « L'État-major s'occupe du "moral" de l'armée [...]. Il ne soupçonne pas qu'il devrait s'occuper de la "métaphysique" de l'armée et que le moindre paysan sent ses démêlés avec le vide, le mystère et le temps de la même façon que Kafka. Il n'y a pas de remèdes et il n'y aura pas de foyers de soldat qui tiendront contre le sentiment de l'anéantissement[9]. » Il est vrai qu'il s'agit d'une lettre qui n'est pas destinée à la publication, et de toute manière, Nizan a déjà rompu avec le parti qui lui avait inspiré sa phraséologie pendant de longues années. Il peut désormais se permettre de citer un écrivain bourgeois et décadent comme Kafka.

Antoine Bloyé paraît en 1933, la même année que *La Condition humaine* de Malraux qui recevra le prix Goncourt (Nizan est candidat lui aussi). Une année plus tôt avait paru *Le Nœud de vipères* de Mauriac, bilan d'une vie manquée, marquée par l'angoisse. Comme au *Nœud de vipères* on peut appliquer à *Antoine Bloyé* cette définition de Novalis : « Le roman c'est une vie faite livre », qu'il s'agisse de la vie d'un grand bourgeois de Bordeaux ou de celle d'un modeste ingénieur des chemins de fer, tous deux fils de paysans, de mères illettrées, tous deux étrangers à leur famille et souffrant de crises d'étouffement qui expriment une angoisse indicible.

Est-il permis de comparer Nizan, communiste militant et anticlérical avec Mauriac, écrivain catholique ? Dans son roman, Nizan ne manque pas l'occasion de décocher des flèches contre l'Église, quand il décrit l'enterrement d'Antoine Bloyé confié aux bons soins de la paroisse de Saint-Similien (un saint que Nizan semble avoir inventé pour les besoins de sa satire). Mais les rapports de Nizan avec le catholicisme sont moins simples qu'il ne paraît : élevé par une mère dévote, adolescent il est tenté par le séminaire, avant d'entrer dans le communisme comme on entre dans les ordres pour se plier à une discipline rigoureuse et mettre fin aux doutes et aux angoisses. La hantise du vieillissement, l'obsession du temps qui passe, le vertige devant la mort, qui caractérisent l'œuvre de Nizan sont-ils si éloignés de ce qu'il est convenu d'appeler le « jansénisme » de Mauriac ? Tous deux mettent leur œuvre littéraire au service d'une cause, tous deux annoncent leurs couleurs. Mauriac entoure le texte contradictoire, subversif du *Nœud de vipères* de bouées protectrices : épigraphe de sainte Thérèse et avant-texte destinés à orienter la lecture, lettres de Janine et de Hubert, qui suivent le journal de Louis et imposent leur interprétation au lecteur.

L'appareil paratextuel de Nizan est bien plus modeste : il se contente d'une épigraphe, empruntée naturellement à Marx. Dans les deux cas, ces précautions rhétoriques n'ont pas écarté les critiques orthodoxes, prompts à déceler l'hérésie. Car Bloyé ne souffre pas seulement de son existence de petit-bourgeois, infidèle à ses origines de prolétaire ; il souffre de son existence tout court. Nizan a écrit un roman humaniste plutôt que le roman marxiste qu'on attendait de lui. De même, Mauriac a déçu ses lecteurs catholiques ; le roman qu'il a voulu édifiant est aussi un réquisitoire contre la famille et la bourgeoisie bien-pensante.

Nizan n'ignorait pas ces affinités cachées, ces contradictions déchirantes. L'homme qui était, comme l'a montré James Steel dans une biographie politique, un apparatchik staliniste entièrement dévoué au parti, était en même temps « un communiste impossible » – c'est le titre de sa biographie par Annie Cohen-Solal. Il dira dans une interview après la parution de *La Conspiration* en 1938 :

> *On n'a pas paru comprendre que le fait que j'étais communiste et celui que j'étais romancier ne sont pas inconciliables. Au contraire. C'est un faux problème... Le même faux problème qui leur fait poser la question de Mauriac, romancier et catholique. Le communisme, comme toute expérience profonde, sert le romancier ; précisément parce que le roman est instrument de connaissance et le communisme méthode de connaissance et d'expérience[10].*

James Steel remarque que « leur » ici se réfère probablement à Sartre qui dans un compte rendu de *La Conspiration* se demandait si un communiste pouvait écrire un roman. Sartre se posera la même question à propos de Mauriac, dans un article qui aura le retentissement qu'on sait. À propos de l'engagement communiste de Nizan, Steel écrit : « On peut se demander [...] si Nizan, tout en ayant largement payé de sa personne, ne s'est pas à son tour servi du communisme pour précisément acquérir cette "connaissance" que le christianisme confère à Mauriac, que la médecine confère à Céline, la guerre à Drieu La Rochelle et l'action à Malraux ? Car il est certain qu'au niveau de l'expérience vraie, celle qui marque, celle qui exige un don total de soi, Nizan n'a guère le choix, d'autant plus [...] qu'il a décidé très jeune de ne pas être contemplatif. Alors, ni grand capitaliste, ni grand bourgeois, ni chrétien, que lui reste-t-il pour participer, de l'intérieur, à la grande aventure humaine ?[11] »

Les jugements que porte Nizan sur l'œuvre de Mauriac varient selon les positions du parti, mais l'écrivain communiste reconnaît l'importance du romancier catholique qui « pourrait être un très grand écrivain révolutionnaire »[12]. Dans son compte rendu de *La Fin de la nuit*, le roman qui a provoqué la diatribe de Sartre contre Mauriac, Nizan note l'échec du romancier édifiant qui avoue n'avoir pas trouvé le prêtre qui absoudrait son héroïne : « ... la thèse religieuse n'est pas seulement absente de la conclusion, mais du roman tout entier. Il est dominé complètement par l'angoisse et la domination du destin contre quoi se débat Thérèse ; [Mauriac] peint un monde de solitaires que dressent les uns contre les autres la haine, la peur et l'amour[13] ». Cette vision d'un monde dominé par l'angoisse et le destin tragique pourrait s'appliquer également au roman de Nizan lui-même. Antoine Bloyé semble faire partie de la même famille de solitaires que les personnages de Mauriac[14].

UNE POÉTIQUE DE L'INÉLUCTABLE

Quelles sont les techniques narratives mises en œuvre dans *Antoine Bloyé* pour communiquer au lecteur le sentiment d'angoisse et d'inéluctable dont souffre le personnage ? La critique a déjà étudié dans ce roman les images et le vocabulaire qui créent un climat tragique. Nizan ne s'en contente pas ; il met aussi au service de son thème les modalités de la focalisation et celles de l'ordre et de la durée romanesque, pour employer les termes de Genette.

Dans *La Conspiration* Nizan saura varier les points de vue : il citera des journaux intimes et des lettres pour donner la parole à ses personnages[15]. Dans *Antoine Bloyé* il ne reproduit que quelques documents officiels. Tout passe par le narrateur omniscient. Le récit est fait de flashbacks et d'anticipations, balisé par des maximes justificatives et des interventions d'auteur. Le tout donne au lecteur l'impression d'une progression implacable. Nizan, comme Mauriac, n'hésite pas à juger son personnage. En rentrant chez lui après une grève où il s'était trouvé dans le camp des patrons, Bloyé se disait : « Je suis donc un traître... » et le romancier omniscient ajoute : « Et il l'était » (p. 137). Ailleurs Bloyé parvient à une période heureuse de sa vie, mais le narrateur par une simple phrase au futur s'empresse de lui enlever ses illusions. C'est ainsi que se termine la deuxième partie du roman : « Le soleil est pour lui à mi-course : il est comme éternellement suspendu à une place nuageuse de l'été d'où il ne déclinera pas. Le soleil déclinera » (p. 228). De même, Nizan multiplie les généralisations d'ordre psychologique et les explications sociologiques. Des passages gnomiques jalonnent le récit de la vie d'Antoine Bloyé. Nizan ne se contente pas de nous raconter le destin de son père, il veut le rendre exemplaire, l'insérer dans la trame des vérités universelles sur l'homme et l'Histoire, au présent de l'indicatif. Le romancier se moque de la liberté de ses personnages, conditionnés par le hasard de leur enfance et de leur milieu. Encore une illusion idéaliste ! C'est Nizan, bien plus que Mauriac, qui prête le flanc à la critique de son petit camarade Sartre. La remarque de Jacques Deguy à propos de *La Conspiration* convient parfaitement à *Antoine Bloyé* : « Le verrouillage interprétatif auquel se livre le narrateur de *La Conspiration* est autrement plus contraignant que celui de *La Fin de la nuit* et offre une surenchère dans l'omniscience à faire pâlir d'envie un Balzac[16]. » Un exemple suffira. Nizan explique les études de Bloyé boursier par l'essor des chemins de fer et du capitalisme ; l'économie a besoin d'ouvriers qualifiés. Le diplôme des Arts et Métiers permettra pourtant à Bloyé d'échapper à la misère et à la servitude dont ont souffert ses parents, mais le narrateur n'est pas dupe : « Ces causes massives [...] ont lancé Antoine Bloyé sur une pente qu'il croit peut-être avoir librement choisie ; il va descendre cette longue pente... » (p. 70).

Pour communiquer au lecteur l'angoisse d'un personnage, rien ne vaut le récit à la première personne. *Le Nœud de vipères* l'atteste, mais Nizan ne pouvait pas, pour des raisons de vraisemblance romanesque et de propagande idéologique, donner la parole à un homme qui ne ressentait que confusément ce que l'écrivain explicitera en son nom. Dans ces circonstances dramatiques de la vie de Bloyé, l'écrivain lui accorde des monologues intérieurs, au moment de sa disgrâce – c'est le seul passage sans ponctuation du roman, qui traduit le désarroi du héros –, au moment de la mort de sa fille, de la naissance de son fils, au temps de sa déchéance et de ses « idées noires », toujours au temps du malheur. Les autres événements de la vie de Bloyé seront racontés par le narrateur omniscient qui les commente.

Les temps du verbe sont mis au service de la vision autant tragique que marxiste de Nizan. Les futurs expriment l'inévitable : « le soleil déclinera », « il va descendre cette longue pente ». Au présent s'énoncent les vérités universelles, mais aussi, dans l'ordre du récit, Nizan se sert du présent pour décrire des moments délivrés du temps, comme l'enfance de son personnage, comme les prises de conscience (la distribution des prix qui sépare l'enfant de ses parents sans instruction, le difficile retour à la vie après la mort de Marie, lorsque Bloyé se rend compte que « la vie est une lutte » etc.). Mais c'est l'imparfait qui domine dans ce roman, comme dans *La Conspiration* quelques années plus tard. Les imparfaits flaubertiens disent l'écoulement du temps, temps vides, temps morts qui composent la vie d'un homme. La durée romanesque, ainsi que les images de la nature, insèrent cette œuvre de contestation dans le cadre de la littérature bourgeoise. Pour Michael Scriven, ces procédés familiers au lecteur ne font qu'affaiblir la portée révolutionnaire du roman[17].

UNE DOUBLE PERSPECTIVE

Aujourd'hui, comme dans les années trente, *Antoine Bloyé* dérange la critique. À sa parution, le roman avait déçu ses lecteurs marxistes sans gagner les suffrages du public bourgeois. La double inspiration de Nizan continue à provoquer un malaise, qu'on y voie un mélange de Lénine et de Dostoïevski, ou une alliance de Marx et de Heidegger [18]. Antoine Bloyé n'est-il pas, en fin de compte, une victime de son tempérament plutôt que de la société ? [19] La critique marxiste se double dans ce roman d'une angoisse métaphysique, étrangère au discours politique du livre. Cette dualité d'*Antoine Bloyé* fait la faiblesse idéologique de l'œuvre mais la délivre en même temps des entraves du réalisme socialiste.

Nizan restait trop proche de son héros, son propre père, Pierre Nizan, pour pouvoir le camper en ouvrier révolutionnaire et le transformer en personnage didactique. L'origine de la dualité de ce roman biographique est à chercher dans le double statut du romancier lui-même : il est Paul-Yves Nizan, l'intellectuel marxiste qui décrit un homme dont le sort est déterminé par la société, mais il est en même temps Pierre Bloyé, le fils qui partage les humiliations et le désespoir de son père. Ce n'est pas par hasard que Nizan attribue au fils dans le roman le prénom du père : Pierre. Peut-on être à la fois, comme Nizan dans *Antoine Bloyé*, un narrateur impartial et un témoin passionné ? À cause de cette ambivalence, le roman oscille entre l'engagement et l'angoisse, entre l'analyse matérialiste et la tragédie existentielle. *Antoine Bloyé* est loin d'être un roman parfait, mais son imperfection même fait son intérêt. Nous y découvrons, tant dans l'histoire du père que dans le discours du fils, ce « profond déchirement » qui pour Nizan caractérise la vie moderne.

Helena SHILLONY

1. Interview dans *Le Rempart*, 16 novembre 1933 ; cité dans Michael Scriven, *Paul Nizan, communist novelist*, Macmillan Press, 1988, p. 118.

2. Voir Youssef Ishaghpour, *Paul Nizan. L'intellectuel et le politique entre les deux guerres*, Éditions La Différence, 1990, p. 84.

3. Paul Nizan, *Antoine Bloyé*, Les cahiers rouges, Grasset, 1985. (Première édition en 1933). Toutes les citations se réfèrent à ce texte. C'est nous qui soulignons.

4. Interview avec Madame Besse, Oxford, mai 1977. Madame Besse est décédée depuis. Une biographie d'Antonin Besse a paru en anglais : David Footman, *Antonin Besse of Aden*, St. Antony's/Macmillan series, Macmillan Press, 1986. D'après les lettres de Nizan et de sa fiancée, la proposition de Besse était sérieuse : Annie Cohen-Solal, *Nizan, communiste impossible*, Grasset, 1980, pp. 56-57, p. 59. Besse avait très bien pu offrir un poste subalterne au jeune étudiant, sans songer à le transformer en capitaliste.

5. Simone de Beauvoir, *La Force de l'âge*, Gallimard, 1960, p. 213. Sartre a gardé le même souvenir de la déception de son ami : « ... il est allé là-bas, il a vu les Russes qui pensaient à la mort de la même manière que nous pouvons y penser, et il est revenu déçu », in *Sartre*, bande sonore du film réalisé par A. Astruc et M. Contat, Gallimard, 1977, pp. 47-48.

6. Claude Herzfeld, « Les métaphores diurnes et nocturnes dans *Antoine Bloyé* », dans Bernard Alluin et Jacques Deguy (éditeurs), *Paul Nizan écrivain*, Actes du colloque Paul Nizan, organisé par l'Université de Lille III, Presses Universitaires de Lille, 1988, pp. 159-171.

7. Jean Fréville dans *L'Humanité*, 18 décembre 1933 ; cité dans Luciano Verona et Marisa Ferrarini, « *Antoine Bloyé* » *de Paul Nizan, analyse socio-critique*, Libreria Cooperativa, Milan, 1984, p. 7.

8. Interview de Paul Nizan dans *Le Rempart*, 16 novembre 1933.

9. Jean-Jacques Brochier (éditeur), *Paul Nizan, intellectuel communiste*, écrits et correspondance, Maspero, 1970, vol. II, pp. 123-124.

10. Interview de Paul Nizan dans *Reflets*, 8 décembre 1938 ; cité dans James Steel, *Paul Nizan : un révolutionnaire conformiste ?* Presses de la Fondation nationale des sciences politiques, Paris, 1987, p. 262.

11. *Ibid.*, p. 245.

12. Paul Nizan, compte rendu des *Anges noirs* de Mauriac, *L'Humanité*, 22 mars 1936 ; dans Susan Suleiman (éditeur), *Paul Nizan, pour une nouvelle culture*, Grasset, 1971, p. 197.

13. *Ibid.*, p. 77.

14. Pour une discussion du roman idéologique, voir Susan Suleiman, *Le roman à thèse*, Presses Universitaires de France, 1983 ; pour un rapprochement entre Nizan et Mauriac, voir Helena Shillony, *Le roman contradictoire : une lecture du Nœud de vipères de Mauriac*, Archives des Lettres modernes, Minard, 1978, pp. 30-44.

15. Voir Jacques Deguy, « Écriture du *je* dans *La Conspiration* », in *Paul Nizan écrivain*, Presses Universitaires de Lille, 1988, pp. 243-262.

16. *Ibid.*, p. 257.

17. Michael Scriven, *op. cit.*, pp. 130-132.

18. Michael Scriven mentionne Lénine et Dostoïevski, *op. cit.*, p. 115 ; Y. Ishagh-pour rappelle que Nizan lisait Heidegger au moment de la rédaction d'*Antoine Bloyé*, *op. cit.*, p. 94.

19. Comme l'affirme John Weightman dans son article sur Nizan, « L'homme révolté », *New York Review of Books*, October 25, 1990, p. 30.

ANTOINE BLOYÉ, ROMAN DU DÉTERMINISME

Le premier chapitre d'*Antoine Bloyé*[1] est terrible. Moins par la cruauté des détails sur le poids et les odeurs de la mort que par l'étouffant, l'écœurant conformisme du rituel funéraire. « La mort d'un homme déclenche une suite bien réglée d'actions et de paroles » (p. 17). C'est en effet à ce processus que nous assistons au début d'un roman qui, avant de suivre la vie d'Antoine Bloyé, nous décrit l'horrible mécanique de ces heures, entre la mort d'un homme et son enterrement, entre le moment où l'on ferme les persiennes et celui où on les rouvre. Parce que la mort d'Antoine Bloyé est à l'image de sa vie, réglée, déterminée. Jusqu'au choix du cercueil, adapté au niveau social de la famille et à ses valeurs : solidité, simplicité, humble aisance.

« Au numéro 9, le marteau figurait une main tenant une boule, comme la droite d'un empereur, portait un nœud de crêpe ; au pied des trois degrés de granit de l'entrée se trouvait une boîte noire à filets blancs, ornée d'une croix et de larmes blanches, c'était une maison où il y avait un mort » (p. 11). La fin de la phrase n'apporte aucune information, aucune explication ; la virgule prend l'accablante lourdeur du signe introduisant une évidence, le lien entre l'effet et sa cause. Inutile d'identifier les visiteurs dont on prend le chapeau ou le parapluie et qui disent la même chose, ces piètres mots de condoléances, de philosophie déplorable et éplorée. Une variante toutefois, les hommes serrent les mains, les femmes embrassent Madame Bloyé. Cette différence ne réduit pas le conformisme, elle le subdivise. De même qu'il y a chez les visiteurs des catégories liées au sexe, il existe chez les morts des espèces, selon la nature de leur trépas : « Pierre regardait ce visage qui n'était pas creusé comme celui des morts épuisés par des jours de bataille : son père était mort d'une embolie, sans combattre, il était de ces morts dont on dit : "n'est-ce pas qu'il était bien beau sur son lit de mort ?" » (p. 14) Le mort

Antoine Bloyé, individu qui fut le mari d'une femme et le père d'un garçon, appartient à une catégorie de morts qui détruit son individualité. Insistons sur le démonstratif : « il était de *ces* morts dont on dit... » ; car il s'avère d'une fréquence troublante, au point de sembler un tic d'écriture. « Un de ces », « une de ces » sont des tournures fondamentales qui révèlent le regard particulier de Nizan dans *Antoine Bloyé*. Balzac nous avait habitués à cette manière de replacer un personnage dans un ensemble physique, psychologique ou social. Ouvrons presque au hasard *La Cousine Bette* : « C'était une de ces beautés complètes, foudroyantes, une de ces femmes semblables à Mme Tallien... » Jules Verne avait poursuivi. Ouvrons presque au hasard *Michel Strogoff* : « C'était un de ces hommes dont la main semble toujours pleine des cheveux de l'occasion. » Nizan se situe dans le prolongement de cette tradition romanesque typologique. Il use et abuse du procédé :

Antoine est un de ces *hommes dont les journaux de province disent seuls quelques mots lorsqu'ils meurent... (p. 176)*

C'était un de ces *accidents comme il en arrive tous les jours,* un de ces *petits déraillements qui n'attirent pas les journalistes de Paris... (p. 131)*

C'était une de ces *maisons noires à toit d'ardoise, avec des cordons de brique jaune, une bâtisse longue et plate comme les maisons de tous les dépôts. (p. 105)*

Le démonstratif, seul, joue le même rôle :

Il n'avait pas ce *savoir amer des hommes qui ont tué. (p. 23)*

Il fut cet *homme qui part de jour et de nuit avec son sac et ses nourritures... (p. 51)*

Antoine est à cet *âge où l'homme croit posséder ses forces les plus certaines. (p. 227)*

Il avait cette *autorité polie, facile d'un homme qui domine toujours autrui. (p. 290)*

Parfois, c'est l'article défini qui fait de l'individu le représentant d'une catégorie : « Il est l'homme que les maîtres d'école offrent en modèle aux enfants d'ouvriers » (p. 227). De même, quand nous lisons « un Antoine Bloyé », le nom propre devient nom commun désignant quasiment une espèce. Les outils grammaticaux maniés par Nizan ne sont donc pas anodins, ils participent à tout un dispositif d'écriture qui vise à exprimer le déterminisme.

Le système de métaphores et de comparaisons y concourt également, avec une nette domination des images mécaniques et animales. Il arrive qu'elles soient réunies dans une même phrase, quand il s'agit de définir le couple bourgeois : l'homme et la femme se connaissent « comme on connaît les appareils ménagers, les animaux domestiques » (p. 147). Les études d'Antoine Bloyé aux Arts et Métiers, sa carrière dans les Chemins de fer en ont fait un homme des machines ; il les a conduites, entretenues, réparées, puis il a dirigé des hommes qui devaient faire les mêmes travaux. Dans cet univers d'ateliers, rien d'étonnant à ce que l'image de la roue crantée s'impose pour évoquer la machine sociale et ses effets sur l'individu devenu lui-même machine :

> Il sut que la guerre était complètement montée, comme une grande machine. (p. 234)

> Et il tournait [Antoine] comme une machine à faible rendement. (p. 250)

Nombreuses, les images empruntées au monde animal font de l'homme un être privé de liberté, agi par sa programmation ou bridé par les conditionnements de la domesticité :

> Ils recomposaient avec une patience d'animal inférieur leur vie mutilée par la perte de leur fille. (p. 161)

> Toutes les avenues des habitudes l'avaient conduit vers le sommeil comme une bête guidée vers son enclos. (p. 311)

Des animaux particuliers peuvent être utilisés, comme la chèvre attachée à sa corde, ou les petits rongeurs besogneux et craintifs, mais ce sont les insectes qui reviennent le plus souvent dans le bestiaire de Nizan. Ne les ressent-on pas comme industrieux, tenaces, fragiles ? À chaque mutation, Anne Bloyé « recomposait avec une sûreté d'insecte son cocon détruit » (p. 121). Antoine se sent dans son métier « pris comme un insecte dans cette toile vibrante des voies ferrées » (p. 124). Le jour de la naissance de son fils, il est rejeté comme un « mâle d'abeille ». C'est sa belle-mère qui, avec son « abdomen d'insecte », s'active autour du nouveau-né en émettant un « bourdonnement joyeux ». Les évêques sont comparés à des « insectes à élytres » et les femmes de la petite bourgeoisie à des araignées...

Puisque la vie humaine apparaît réglée comme l'activité des machines ou des bêtes, la tentation est forte d'en dégager des lois générales. Souvent, trop souvent, le romancier Nizan se fait moraliste, auteur de maximes, de sentences :

Les hommes ne comprennent pas la mort du premier coup. (p. 157)

Dans la vie des hommes, il y a des années qui semblent posées en équilibre. (p. 175)

Tous les hommes s'exagèrent beaucoup les vices, les soucis, les malheurs de ceux qui sont placés plus haut qu'eux. (p. 185)

Tous les hommes regrettent les plaisirs des jeux collectifs. (p. 191)

À ces lois valables pour toute l'humanité s'ajoutent des lois spécifiques à l'un ou l'autre sexe : les femmes conservent une grande présence d'esprit devant la mort, les hommes connaissent moins bien les enfants que les femmes... Et enfin, des lois s'appliquent à telle catégorie sociale, telle profession : « Un machiniste ne résiste pas à l'amour de la vitesse et à l'ardeur de son métier » (p. 101).

Il ressort de ces diverses lois que les déterminismes sont à la fois biologiques, psychologiques et sociaux. À propos de ces derniers, il n'est que Marie Bloyé, mère d'Antoine, pour donner un contenu religieux au mot « destin » et expliquer par Dieu les événements de la vie humaine. Nizan montre clairement que le sentiment de destin résulte d'une impossibilité de compréhension et de révolte. Les forces qui régissent la vie des hommes comme Antoine Bloyé et son père sont diversement localisées et nommées dans le roman : les « riches », les « gouvernants », les « maîtres de la bourgeoisie française », les « usiniers », les « assemblées d'actionnaires », les « parlements », le « grand commerce ». Ce pouvoir politique et économique lointain, concentré dans la capitale, a aussi ses serviteurs ou ses antennes qui influent plus directement sur la vie des individus : les enseignants qui orientent les élèves ; la hiérarchie des Chemins de fer qui distribue augmentations, mutations et punitions ; les représentants locaux du monde des affaires. Les financiers de Nantes, en décidant le développement de Saint-Nazaire, ont décidé de la vie du père d'Antoine. Nizan montre aussi le rôle de la science, de la technique : « Les inventeurs transforment plus les hommes et le monde que les généraux et les hommes d'État. » Il n'est pas exagéré de dire que la vie d'Antoine Bloyé est également la conséquence des travaux de Stephenson. Le roman analyse fortement et finement les bouleversements entraînés dans la société française par le développement des chemins de fer. Il est symbolique qu'Antoine Bloyé soit né près d'une voie ferrée.

En plus des grands déterminismes socio-économiques, interviennent d'autres données liées à la géographie, l'héritage et l'environnement culturels, l'histoire personnelle, familiale, tous les éléments qui justifient l'emploi du roman comme mode d'investigation. Ainsi l'ascendance bretonne et rurale d'Antoine Bloyé, marqué par des générations fatalistes qui, dans une province éloignée des grands mouvements de l'histoire, ont cru aux superstitions, lu la presse religieuse et vu dans les Rouges des créatures du Diable. Ainsi la force physique qu'Antoine a en commun avec son père et les paysans du pays natal. Ainsi les coutumes et les ambiances locales qui amènent la famille à s'adapter aux différentes villes où travaille Bloyé... On pourrait peut-être penser que le roman est la « mise en fiction » des théories matérialistes, scientistes, marxistes, et que lui-même mériterait l'emploi d'une peu flatteuse image mécanique. Il évite ce défaut, parfois en le frôlant, grâce à son contenu sensible et à la « mise en tension » des forces du déterminisme et de celles de la liberté, même si les premières l'emportent.

Le collégien Antoine Bloyé reçut comme livre de prix *Le Devoir*, de Jules Simon, de l'Académie française. Il put y lire : « L'homme est libre... il reconnaît toujours à lui-même le pouvoir de ne pas faire ce qu'il fait, de faire ce qu'il ne fait pas. » Par-delà l'ironie de la situation, cette idée quasi existentialiste constitue bien la problématique de la liberté, et du roman. Si l'on admet que la liberté réside dans le choix, la possibilité de choix diffère selon les classes sociales. Les pauvres sont ceux dont l'avenir est prévisible. Le luxe, le privilège, c'est de disposer de plusieurs avenirs possibles et de la part d'inconnu qui en résulte : « Les bourgeois, ce sont des hommes qui peuvent changer d'avenir et qui ne connaissent pas toujours la figure qu'il prendra » (p. 35). Selon les métaphores ferroviaires du livre, la vie d'Antoine Bloyé ne peut connaître les correspondances ni les arrêts permettant le vagabondage. Elle suit une voie « inflexible », celle d'un rapide aux arrêts rares et brefs. Plusieurs fois pourtant, un choix s'offre à lui. En sortant de l'école des Arts et Métiers, il pouvait entrer dans une compagnie de navigation. Les pressions parentales l'orientèrent vers les Chemins de fer. Il a choisi Anne, fille d'un directeur de dépôt, contre Marcelle, fille des rues de Paris. Il a renoncé à un travail en Chine pour rester dans la voie tracée par ses parents, sa femme, ses beaux-parents. À chaque carrefour possible, les forces du déterminisme ont gagné. Il n'est resté à Bloyé que des espaces de liberté dérisoires, ceux des petits mensonges, ceux des vacances annuelles en Bretagne : la liberté des parenthèses.

Le comble de la privation de liberté, c'est l'ignorance des mécanismes qui dirigent sa propre vie, la croyance en cette individualité que précisément le roman s'acharne à détruire. Antoine Bloyé s'engage dans ses études en pensant s'émanciper, se réaliser. Il ne fait que répondre aux besoins de l'industrie en contremaîtres et « bénéficie » des structures d'enseignement créées à cet effet. Il reçoit une formation allégée du latin, du grec, des inutiles humanités. Pire, cette promotion fait de lui un traître qui entre dans le « complot du commandement », un être doublement déraciné qui a quitté sa classe et son lieu d'origine. À dix-neuf ans, il connaît la révolte, feu de paille par manque de références, ignorance du socialisme, du syndicalisme. Adulte, il est dévoré par son travail ; il n'a pas, il ne prend pas le temps de se connaître ni de connaître le monde.

Bloyé est un homme divisé. Divisé socialement, ses études l'ayant éloigné du monde ouvrier, condamné à une sympathie qui l'en sépare comme une vitre. Divisé sexuellement et psychologiquement, entre les tiédeurs conjugales et le fantasme, entre l'homme social et l'homme potentiel qu'il étouffe ou ignore. Divisé entre l'homme du travail diurne et l'homme du rêve nocturne. Comme il y a des privilégiés de la fortune, il y a des privilégiés du rêve, ceux qui en possèdent les clés. Bloyé ne maîtrise pas sa vie parce qu'il ne comprend pas ses rêves.

Le roman serait-il sans aucune issue, sans aucune perspective ? Vaincues mais présentes, les forces de libération proposent, par leur échec même et une démonstration par l'absurde, les possibilités de jeu dans l'écrasante mécanique. Nizan n'échappe pas à trois mythes de l'opposition au monde bourgeois et industriel : l'enfance, la nature, la prostituée. L'enfance serait un âge de liberté où les différences de classe, la notion du temps et la morale seraient noyées dans les élans ludiques : « Entre cinq et douze ans, tous les hommes sont faits pour s'entendre : des enfants échappés à l'espionnage des grandes personnes se rencontrent, les coups de foudre des camaraderies enfantines négligent toutes les barrières et jouent sans respect avec les idoles sinistres et les chaînes des familles » (p. 47). La nature est liée à l'enfance de par les origines de Bloyé, elle représente l'âge d'avant. Avant l'âge des villes, des machines, du travail. Quant à Marcelle, la fille du pauvre, sans souteneur, criant contre les riches, elle permet momentanément à Bloyé de retarder son entrée dans le monde petit-bourgeois : « L'amour de Marcelle luttait contre l'attrait d'une destinée solidement préméditée » (p. 95). Plus intéressantes sont les autres voies dont Antoine prend trop tardivement conscience : l'amour libre, la création, l'action avec ses semblables. Tout ce qu'il a manqué : il n'a pas aimé, pas créé, pas agi.

Ce roman de la catastrophe suggère ce qui permettrait d'en finir avec l'homme divisé. Il semble le négatif d'un des poèmes où Éluard chante l'homme réuni, avec lui-même et avec les autres. Nullement surréaliste dans sa facture, il concilie la perspective révolutionnaire « classique » et les valeurs surréalistes : enfance, rêve, amour libre.

J'écris cet article soixante ans après la parution d'*Antoine Bloyé*. S'il souffre de faiblesses d'écriture, de raideurs et de clichés, le roman conserve sa puissance, sa sensibilité parfois bouleversante, et surtout son actualité. Disant cela, je pense à ceux qui ont aujourd'hui quarante ans et qui ont suivi le parcours de Bloyé. Ils sont cadres moyens ou enseignants, ils coiffent leurs thuyas. Quand ils sont nés, Nizan était mort deux fois. Je pense aux jeunes qui connaissent et connaîtront le drame de la promotion sociale illusoire et aliénante... La lecture d'*Antoine Bloyé* demeure indispensable.

Michel BESNIER

1. Les références des citations renvoient à l'édition des Cahiers Rouges, chez Grasset.

CETTE GUERRE CIVILE
EST FINIE

*Pour Lutz Taufer, ancien camarade de jeunesse, qui, devenu
« conspirateur » à sa manière, paye, depuis 1975, son engagement
dans une cellule de prison.*

Comme d'autres lecteurs en Allemagne, c'est vers 1970 que j'ai pris connaissance de l'œuvre de Paul Nizan. Rowohlt, l'éditeur de Camus et de Sartre, avait alors publié la traduction d'*Aden Arabie* et des *Chiens de garde*. Ces pamphlets écrits au début des années 30 arrivaient dans une République Fédérale secouée par un mouvement de révolte et pouvaient être perçus comme un écho lointain de notre situation présente : dans les gardiens de l'ordre établi mis à nu par Nizan sous leurs masques de penseurs désintéressés, ne reconnaissions-nous pas nos propres mandarins intellectuels défendant le statu quo contre la contestation tous azimuts des jeunes révoltés ? Cet écrivain mort en 1940 à l'âge de trente-cinq ans semblait s'adresser, d'une voix vive et touchante, directement à tous les enragés, ceux de Francfort ou de Berlin inclus. Nizan fut une découverte bouleversante.

Un peu plus tard, je lus *La Conspiration*, réimprimé en France en 1968, et j'en fus enthousiasmé. Le philosophe normalien devenu intellectuel contestataire s'y révélait un narrateur sensuel et captivant. Gagnant ma vie à cette époque en partie par des traductions, j'acceptai sur-le-champ la proposition de l'éditeur Rogner & Bernhard, réputé pour ses publications de Bataille, d'Artaud et des œuvres surréalistes, de traduire le troisième roman de Nizan. Cette entreprise devenait autre chose qu'un travail philologique ordinaire. Elle me permettait de découvrir, tout en exigeant une reconstruction dans une autre langue et un autre langage, un monde fascinant et révolu, celui du Paris des années 20, avec son quartier du Panthéon où flottaient encore des souvenirs ruraux et avec ses zones incertaines aux confins de la ville. À l'aide d'un vieux guide Baedeker, je cherchais à m'orienter dans la topographie de ces quartiers afin de mieux situer les itinéraires des personnages du roman. Aujourd'hui même, certaines rues de Paris me rappellent le moment où je les ai pour la première fois trouvées, *La Conspiration* près de moi sur la table, dans les plans de ce petit livre rouge qui indiquait jusqu'aux horaires du chemin de fer de ceinture.

Outre la beauté de l'écriture, il y avait quelque chose de poignant dans ce livre. En République Fédérale, au début des années 70, nous pouvions le lire comme s'il parlait du présent le plus immédiat et non d'un passé déjà lointain. À cette époque, quelques intellectuels issus du mouvement de contestation avaient rejoint la clandestinité et se préparaient à la lutte armée contre l'État. Il y avait parmi eux des êtres extrêmement brillants. Certains messages qu'ils adressaient à des revues militantes ressemblaient de manière impressionnante aux déclarations de Bernard Rosenthal, lorsque devant ses camarades insatisfaits d'un acte de rébellion qui aboutit à la rédaction d'une revue intellectuelle, il explique en quoi consiste le sens de l'action illégale : « Rien ne me sollicite davantage que l'idée d'engagement irréversible. Il nous faut inventer les contraintes qui nous interdiront l'inconstance ; l'adhésion à la Révolution ne doit pas être une promesse à temps sur laquelle il soit un jour licite de revenir. Redoutons nos infidélités futures... »

Même la trahison, devenue très vite une obsession au sein de la Fraction Armée Rouge qui assista à la désertion de quelques-uns de ses combattants, était un thème qui trouvait place dans le roman de Nizan. Comment et pourquoi devient-on traître ? Tandis que les aveux de tel militant auprès de la police ou de la justice suscitaient un âpre débat moral et politique, l'auteur de *La Conspiration* prenait la liberté de chercher les mobiles de la trahison au-delà de toute considération moralisatrice. Dans la trahison de Pluvinage, le romancier déchiffre le langage tordu d'une revanche sociale – la revanche d'un jeune homme d'origine modeste qui se sent rejeté, malgré l'affirmation de la solidarité militante, par ses camarades d'origine bourgeoise qui ne comprennent pas que leur comportement et leur discours saturé d'allusions cultivées puissent créer un sentiment d'exclusion chez autrui. Dans le cas de la guérilla urbaine ouest-allemande, de jeunes ouvriers politisés, souvent réduits à un rôle de techniciens, furent parmi les premiers à abandonner une armée où les intellectuels étaient aux postes de commande.

Le roman de Nizan se lisait donc comme un récit anticipateur, pensé par un esprit lucide qui avait compris que la réalité, aussi caduque et condamnée qu'elle puisse paraître, ne ressemble pas à un mur qu'un assaut valeureux suffit à démolir. Du même coup, *La*

Conspiration me semblait fournir une réponse littéraire d'une particulière acuité à la question posée par les débats en cours : décrire ou analyser ? La réussite de Nizan était à mes yeux d'avoir intégré l'explication à la narration, sans que pèsent sur le récit les ombres du roman à thèse. Dans l'écriture même, il y avait une manière de passer outre à l'alternative établie par Lukács dans les années 30 et reprise ensuite dans maintes discussions sur la littérature : montage ou création ? Entre le dialogue épistolaire de Rosenthal et Laforgue, les extraits du carnet de Régnier et la narration descriptive, il n'y avait pour moi nulle cassure, nulle solution de continuité. En revanche, je discernais un lien médiateur d'une grande finesse, de sorte que même l'hétéroclite soutenait la composition d'ensemble. Bref, *La Conspiration* fut la preuve vivante que le roman était encore possible et que pouvaient se concilier en lui la beauté du récit et la subtilité de la réflexion. Derrière ce livre se dressait de surcroît la figure de l'auteur, ce révolté anti-bourgeois devenu militant révolutionnaire sans renoncer pour autant à ses désirs créateurs, ce « communiste impossible » qui savait préférer, le moment venu, la lucidité de son esprit à l'appartenance rassurante à la communauté du Parti.

Aujourd'hui, vingt ans après, que reste-t-il de cette lecture ravie, euphorique et presque identificatrice ? Il me semble qu'elle a en grande partie abusé de l'œuvre et de son auteur pour satisfaire des besoins d'orientation dans un contexte trouble qui avait pourtant peu à voir avec l'action qui se déroule dans le roman et avec l'époque où il fut écrit. Peut-être était-ce le propre des années 70 de penser le présent dans les termes du passé, de préférence celui des années 30, avec le lyrisme du Front populaire et des Brigades internationales, avant que la *Realpolitik* de Staline n'en brisât cruellement les espérances. Ce regard anachronique affectait considérablement la perception des enjeux du présent, en suggérant qu'on assistait à la simple réapparition des conflits du passé. Dès lors, ne devait-on pas se battre avec les moyens hérités des années 30, non sans tenir compte des mises à jour qui avaient eu lieu depuis et tout en évitant les graves erreurs qui avaient alors entraîné la défaite du mouvement ouvrier et populaire ? Dans ce contexte, le départ de Nizan du parti communiste, peu avant sa mort, pouvait revêtir après coup une signification démesurée. Surtout dans un pays, l'Allemagne de l'Ouest, où la Guerre froide avait ôté au communisme tout droit de cité et où même la tradition de ce qu'on appelle « marxisme occidental » s'était trouvée réduite à une existence confidentielle. Les lettres écrites à Henriette Nizan pendant la « drôle de guerre » semblaient ouvrir un horizon nouveau, dans la mesure où s'y esquisse la perspective d'un communisme à reconstruire. On oubliait tout simplement qu'entre 1940 et

1975, un changement complet avait affecté le paysage derrière lequel on cherchait à entrevoir un horizon futur.

À propos du communisme de Nizan, je voudrais relever une curieuse coïncidence entre des prises de position totalement opposées, car elle nous montre de quelle manière les obsessions de la Guerre froide ont pu déformer le jugement sur un fait du passé. En 1978, Gallimard republiait *Chronique de septembre* dans une édition préfacée par Olivier Todd. Par son regard franco-britannique, Todd était certes bien placé pour commenter les enjeux de l'accord de Munich, le sujet du livre. Un an après, en 1979, la principale maison d'édition de la R.D.A., Aufbau Verlag, publiait Nizan en un fort volume regroupant *Le Cheval de Troie* – ce fut la première et la seule traduction allemande de ce roman et elle reste aujourd'hui inconnue dans la partie occidentale du pays réunifié –, ma traduction de *La Conspiration* et un choix d'articles tirés du recueil *Pour une nouvelle culture*. Cette publication était à l'époque un signe non négligeable, étant donné que Nizan passait pour un écrivain hautement suspect aux yeux du Parti est-allemand : elle me semblait annoncer une certaine décrispation de la politique culturelle, signe précurseur peut-être d'autres ouvertures.

Pourtant, le traducteur et commentateur de Nizan, Wolfgang Klein, ne se privait pas dans sa préface de qualifier d'« erreur politique » la sortie du Parti communiste, tout en ajoutant que les débats de l'après-guerre autour de Nizan avaient été marqués par une « considérable âcreté et grossièreté ». Olivier Todd, lui, évoquant la conviction marxiste de Nizan mort à trente-cinq ans, affirme que son beau-père « n'a pas eu le temps de guérir ». Nous avons donc droit au choix entre l'« erreur politique » et la « maladie » : malgré les positions strictement opposées des deux commentateurs, ils sont unis par la conscience béate de savoir parfaitement ce qui est juste et erroné, ce qui est sain et malade. Belle illustration des effets de la Guerre froide sur les esprits des deux côtés de la ligne de partage.

Si j'ai relaté ce que fut mon propre rapport à Nizan dans les années 70, je dois avoir la prudence de ne pas tomber à mon tour dans le piège de la fausse bonne conscience : aussi ne prétendrai-je pas savoir désormais ce qui constitue une lecture correcte de Nizan et ce qui ne l'est pas. Cinq ans après la chute du Mur de Berlin, il devient évident que cette nouvelle phase de l'histoire et l'effondrement de l'Empire soviétique n'ont pas instauré comme par magie le règne de la lucidité universelle. On assiste en revanche au retour de nombreux spectres du passé que l'on croyait enterrés depuis des lustres, et cette expérience m'amène à considérer la leçon fournie par la faillite du « socialisme réel » avec une retenue attentive.

En réalité, la distinction entre bon usage et abus me paraît difficile à établir. Ce que je voudrais souligner avec ma remarque, c'est l'abus spécifique de la lecture de Nizan et plus particulièrement de *La Conspiration* en fonction des préoccupations des années 70. Entre cette époque-là et le moment où j'écris ces lignes, le milieu des années 90, il y a en fait une profonde césure, en ceci que personne ne connaît plus de période de référence dont les acteurs et les actions s'imposeraient comme repères ou comme modèles. Situation inédite, bien que composée pour partie d'éléments d'origine très ancienne. Une lecture anachronique, confondant la perception du présent avec la lecture nostalgique du passé, n'est plus aujourd'hui le risque majeur. Les illusions lyriques liées à un Front populaire capable de s'opposer effectivement à la barbarie se sont dissipées. Mais la seule disparition d'une illusion ne signifie pas forcément un gain de vérité ; comme l'a très bien remarqué Nietzsche, elle entraîne aussi un élargissement de « l'espace vide, de notre désert ».

C'est donc au milieu de ce désert confortable que j'ai relu *La Conspiration*. Je m'attendais à un certain désenchantement. Il n'en a rien été. De nouveau j'ai éprouvé un vif plaisir au contact de cette prose qui me paraît construite selon un rythme très particulier dont Nizan avait le secret. Prose au plein sens du terme, c'est-à-dire, récit qui ne dissimule pas le matériau qui le constitue. Prose en tout point consciente que le monde ne s'explique plus tout seul et qui par conséquent n'entretient pas l'illusion que le roman puisse faire exception à la règle. Il est vrai qu'à certains égards *La Conspiration* est un roman d'éducation, mais contrairement à la vieille tradition du *Bildungsroman*, chez Nizan le récit du douloureux processus d'apprentissage n'est jamais assentiment aux valeurs du monde auquel l'initiation ouvre l'accès. Le monde tel qu'il est décrit dans le récit n'est pas fait pour susciter l'adhésion. L'initiation ne mène nulle part, ou bien au cœur de l'ordre établi sapé par sa propre décomposition.

Où se situe le narrateur, capable de constater avec un mélange caractéristique de sécheresse et de tendresse la décomposition du monde bourgeois dont il n'ignore au demeurant ni les charmes ni les richesses ? Se situe-t-il du côté du prolétariat ? Du côté du communisme ? Mes souvenirs auraient répondu oui, mais ma relecture apporte une réponse plus nuancée. Le communisme qui œuvre d'une façon tranquille et fiable à l'arrière-plan du monde de *La Conspiration* n'existe qu'à force d'allusions ; la brève apparition du militant Carré, quelques phrases du carnet de Régnier et de la déposition de Pluvinage en font état. Mais ces propos-là ne sont qu'une étape du récit qui, parce qu'il est récit d'un processus, traverse différentes zones sémantiques. Le fait que la révolte de ces jeunes intellectuels bourgeois échoue d'une manière lamentable ne saurait signifier pour autant que leurs réflexions et leurs prises de positions sont toutes démenties. Sinon, pourquoi les *écrire* – au sens fort du mot ? En relisant le roman, je me suis aperçu qu'une grande complexité intrinsèque se dissimulait derrière une structure apparemment transparente. Si l'on tient compte de cette complexité, il devient impossible de rapporter exclusivement le sens de certains propos au rôle des acteurs au sein de l'intrigue romanesque.

Je ne suis plus sûr du tout aujourd'hui qu'un mémorable paragraphe sur la conviction des rédacteurs de *La Guerre civile* ne parle que de ces jeunes normaliens pleins d'ardeur et d'impatience : « Ils n'aimaient que les vainqueurs et les reconstructeurs, ils méprisaient les malades, les mourants, les causes désespérées : aucune force ne pouvait séduire plus fortement des jeunes gens qui se refusaient à être emportés dans les défaites bourgeoises qu'une philosophie qui, comme celle de Marx, leur désignait les futurs vainqueurs de l'histoire, les ouvriers promis à ce qu'ils considéraient un peu vite comme une fatalité de victoire ». Je me demande s'il ne faut pas lire cette phrase comme si elle concernait *aussi* l'attitude du mouvement ouvrier de l'époque. S'il en était ainsi, elle serait très proche des *Thèses de philosophie de l'histoire* de Walter Benjamin qui, rédigées en 1939-1940, reprochent au mouvement ouvrier d'avoir misé sur l'idée de progrès et de croire par là qu'il « nage avec le courant ». Dans cette hypothèse, il faudrait lire *La Conspiration* d'une manière moins naïve, c'est-à-dire ne pas oublier que le roman, situé historiquement à la fin des années 20, est écrit par un contemporain de l'échec du Front populaire qui ne peut toutefois en récuser l'expérience. Il y a donc oscillation entre deux époques différentes, ce qui exige une lecture apte à suivre ces mouvements difficilement perceptibles à première vue.

Je ne sais pas si ma lecture d'aujourd'hui est plus « juste » que ma première lecture des années 70. Elle est certes moins immédiatement enthousiaste, mais elle jouit, je crois, d'une plus grande liberté, puisqu'elle se trouve débarrassée d'une question dont le poids était alors considérable : désormais, mon souci premier n'est plus de savoir où se place l'œuvre de Nizan dans le contexte de tel débat esthétique ou de telle conception de l'intellectuel militant. Précisément parce que le roman s'est éloigné de nous en tant que témoignage contemporain, il laisse plus aisément percevoir la beauté de ses récits. Qu'il appartienne à l'histoire, à une histoire révolue avec la problématique de son intrigue, me paraît aussi évident que le fait que l'histoire ne cesse de travailler et rebrasser ce qu'on tient pour historiquement classé.

En guise de conclusion, une note d'ordre anecdotique. Le directeur littéraire de la maison d'édition Rogner & Bernhard qui avait commandé à l'époque la traduction de *La Conspiration* dirige aujourd'hui sa propre maison, Matthes & Seitz, qui se fait parfois remarquer par la publication, entre des textes de Bataille ou de Baudrillard, de propos révisionnistes et antisémites. Depuis 1994, *La Conspiration* en traduction allemande, longtemps disparue des librairies, est de nouveau disponible, réimprimée par une maison d'édition autrichienne, Europa Verlag à Vienne, dont le propriétaire est un grand industriel allemand. L'Aufbau Verlag de Berlin-Est, qui avait fait traduire *Le Cheval de Troie* en 1979, vient d'être vendue à un agent immobilier fortuné de Francfort-sur-le-Main. Que personne ne dise que l'histoire n'est plus en mouvement.

Lothar BAIER

Lothar Baier est né en 1942 à Karlsruhe, en Allemagne. Parmi ses livres parus en traduction française : Les Allemands, maîtres du temps, *essai,* La Découverte, *et* Le Délai, *roman,* Actes Sud. *Il a reçu en 1994 le Prix Heinrich Mann de l'Académie des Beaux-Arts de Berlin.*

LE CHARME ÉTERNEL
DE LA GRÈCE,

ou la théâtrale sortie de la réalité

La Conspiration[1], troisième roman de Paul Nizan, conduit l'un de ses héros en Grèce, le temps de courtes vacances et d'une dizaine de pages. Mais ces pages sont remarquables par le fait que leur tonalité contraste avec celle, dominante, du livre, au centre duquel elles sont très exactement situées. Le séjour en Grèce correspond en effet à la seule période de bonheur jamais vécue par Bernard Rosenthal, un jeune bourgeois qu'une révolte « immature » et inefficace contre sa propre classe sociale finit par conduire au suicide. Alors que les représentations mortifères de cette triste aventure s'enchaînent dans le roman, la relation du voyage en Grèce s'accompagne très paradoxalement d'un processus d'idéalisation, et c'est ce processus qui nous intéresse du fait qu'il pose et résout l'énigme du « charme éternel » du paysage méditerranéen.

On peut remarquer tout de suite que la Grèce ne fait l'objet d'aucun « discours informatif » de la part d'un narrateur, par ailleurs volontiers didactique. Tout au contraire, elle est l'occasion d'une suspension du réalisme ; véritable parenthèse dans le roman, elle semble devoir abriter le mythe. L'arrivée du héros dans l'île de Naxos s'apparente d'ailleurs à un voyage initiatique – qui nous fait, bien entendu, espérer la découverte d'une vérité. Conduit, à sa descente du bateau d'Athènes, par un chauffeur de taxi nommé Dyonysos, Rosenthal est emmené, par des routes sinueuses et grimpantes, dans un château perché sur une colline, celui de sa sœur, mariée à un riche Grec. Ce château, disons-le dès maintenant pour éviter tout malentendu, n'est pas celui du Marquis de Sade, mais en quelque sorte son revers. Certes, on y trouve des « enfants au crâne rasé » ainsi qu'une jeune et fort troublante « servante aux pieds nus ». Mais ils resteront intouchés par Bernard, et cela en dépit même de son désir. Il faut noter que le paysage méditerranéen a un effet immédiat et singulier sur le voyageur, un effet qui contredit toute sa conduite antérieure d'intellectuel révolté : l'île de Naxos est pour lui source, non de pensées, mais d'émotions – « Bernard ne pensait déjà plus à se fabriquer des idées sur la Grèce » (p. 142) ; « il était plongé dans une grande exaltation » (p. 142) ; « il était enivré » (p. 142) ; « Bernard pensait rêver » (p. 143). La Grèce est en effet le lieu d'une réussite, passagère, de l'individu, un lieu où il est dessaisi de lui-même (« des bateliers s'emparèrent de ses valises, de son corps ; il se laissa guider », p. 142) et où il se perd pour s'ouvrir au monde de la sensation (« il s'abandonnait au vent pur », p. 142) et se retrouver (« ne consentir qu'à soi-même », p. 150). Mais quelle est donc alors la force du paysage méditerranéen, tel que le roman le constitue, pour modifier aussi radicalement le sujet ?

Bernard éprouve, dès son arrivée sur l'île, une sensation de pureté, jusque-là inconnue de lui, une pureté qui a ses sources dans les données physiques du monde grec – la qualité de sa lumière, de son air – et dans son histoire. Rosenthal fait à Naxos l'expérience d'un « exotisme dans le temps ». L'île lui offre le spectacle de rapports sociaux pré-capitalistes, spectacle profondément singulier – et qui contredit celui qu'il a observé en France – car les éléments qui le composent paraissent être non conflictuels. En effet, la Grèce, dans le discours du narrateur, harmonise les contraires : « la lumière de verre filé [...] couronnait les montagnes de *marbre* et les jeux de dés des villages au flanc des vallons de *velours* » (p. 142) ; le château, « cette dure sucrerie de *marbre* et de *chaux* » (p. 143) ; « les oliviers en quinconce *montaient* vers les hauteurs comme des bouffées *immobiles* » (p. 144) ; « un grand verger [...] avec des bassins *d'eau verte* [...] et des files d'aloès [...] sur les *pierres sèches* des murets » (p. 147). Bien plus que d'une harmonisation des contraires, il faut en réalité parler de leur fusion, comme le révèle le « paysage », cadré par la fenêtre du château, que contemple, immobile, Bernard, un paysage absolument nécessaire et suffisant, qui « possède en lui-même toutes ses raisons » (p. 144) et qui provoque l'extase qu'indique un cliché : « c'était à vous couper la respiration de surprise et de bonheur » (p. 144). Construit en une longue phrase, ce tableau a naturellement sa vérité, que met au jour le commentaire du narrateur. L'effet dominant de cette « œuvre » est qu'elle réaccorde le sujet à son extériorité : « on était mis à sa place dans ce monde qui se suffisait absolument » (p. 144). Le paysage de Naxos transforme la position de Rosenthal : il n'est plus cet individu en trop dans l'action, que suivait antérieurement le roman, ce promeneur facultatif qui se balladait dans la société bourgeoise tout en la rejetant : l'île lui procure une place et en fait un « personnage nécessaire ». Naxos est ainsi le théâtre de l'avènement d'un nouveau sujet – « on n'y avait plus ni passé, ni avenir » (p. 144) –, un théâtre où s'annulent tous les contraires, en premier lieu la vie et la mort : « rien ne paraissait vieillir, se transformer, au sein d'un monde qui, de seconde en seconde, se répétait, toujours identique à lui-même » (p. 144). L'île grecque abrite un rêve de l'histoire, celui de la suppression des contradictions, de la disparition des discriminations entre culture et nature, sacré et profane : Rosenthal et sa sœur « allèrent voir des colosses couchés de Phœbus dont le dos tenait encore à la carrière de marbre » (p. 146). Et l'auteur de cette œuvre parfaite, remarquons-le, est pour Bernard l'Apocalypse, soit, paradoxalement, une représentation de la Révolution à venir : « il imaginait de grands cataclysmes religieux et guerriers qui avaient dispersé les sculpteurs et les prêtres » (pp. 146, 147). Finalement, le paysage de Naxos met en scène la « sortie de la réalité », ainsi que le rend sensible ce propos du narrateur : « pas une ligne de fuite, pas une absence, pas une aspiration de l'horizon ne font penser à la grandeur terrible de la terre » (p. 144). À ce moment précis, *La Conspiration* abandonne sa propre Loi, qui lui commandait de se soumettre au Réel et d'en produire une image exacte. Le paysage méditerranéen n'existe dans le roman qu'en tant qu'il s'efface comme référent. L'abolition de la distinction du passé et de l'avenir, c'est aussi celle du partage de la fiction et du réel : « on était établi, affirme le narrateur, dans la grande aventure imaginaire » (p. 144).

L'île fait cependant plus que loger un idéal, millénariste, de l'Histoire. Le monde grec noue le sujet social qui rêve de l'avènement d'une société parfaite et le sujet individuel qui désire vivre une enfance qu'il n'a jamais connue. À Naxos, Rosenthal plonge dans ses origines et fait avec sa sœur l'expérience de rapports familiaux d'où sont miraculeusement absents tous les interdits et commandements parentaux : « Ils ne connaissaient qu'à vingt ans les connivences enfantines, que leur enfance encombrée de nurses, de professeurs, de parents, avait à peine, dix ou douze ans plus tôt, soupçonnées. Ils n'avaient même pas de livres, ils ne voyaient que des journaux grecs : on n'aurait pas cru que l'Europe existât, il ne leur restait à partager que des jeux. Ils coururent l'île » (p. 145).

Naxos fédère ainsi un triple désir : celui du sujet individuel de faire l'épreuve de ce qu'il n'a pas vécu – le temps merveilleux de l'enfance ; celui du sujet social de voir se réaliser l'âge d'or, où s'effacent les divisions douloureuses du monde, l'Histoire et la mort ; celui de se libérer du réel et de s'ouvrir à l'imaginaire. La Grèce, ce paradis perdu, fantastiquement retrouvé, est un monde hors-la-loi ; et c'est là que réside, pour paraphraser Marx, son charme éternel.

Christian PETR

---

1. Nous citons dans l'édition Folio, n° 511.

DE JEAN-BAPTISTE CHIAPPE À EUGÈNE MASSART

Un modèle historique ?

Même sans tenir compte de personnages comme Sherlock Holmes ou Maigret qui sont entrés dans la mythologie et dans l'imagination populaires, la figure du policier apparaît sous de multiples aspects dans l'univers du roman. Dans *Crime et Châtiment* de Dostoïevski, le personnage de Porphyri Pétrovitch anime un débat philosophique à propos de la motivation de l'acte criminel et du comportement humain en général. Dans *Le Zéro et l'Infini* de Koestler, Gletkine, l'interrogateur de Roubachoff, est fonctionnaire et représentant d'un régime politique. Dans *1984* de George Orwell, O'Brien est le chef d'un réseau sinistre qui opprime la plus grande partie de la population. On trouve aussi des personnages basés sur une figure historique, fût-ce de manière approximative : la création de Vautrin dans *La Comédie humaine* a été inspirée, comme on le sait, par un forçat métamorphosé en policier, François Vidocq. Bien qu'il soit moins célèbre que tous ces personnages, Eugène Massart, dans *La Conspiration*, appartient à la même catégorie. Il n'apparaît que deux fois et brièvement dans le livre, mais il exprime les grandes lignes d'une pensée nettement opposée à celle de Nizan, basée sur la théorie du progrès socio-économique. Le modèle historique de Massart est Jean-Baptiste Chiappe, Préfet de police à Paris de mai 1927 à février 1934.

Comme réflexion ironique et souvent amère de Nizan sur sa propre évolution et ses attitudes politiques à la fin des années 20, en particulier en 1928-1929, *La Conspiration* a déjà fait l'objet d'analyses nombreuses et détaillées. Mais Massart qui encourage Pluvinage à trahir Carré – le communiste militant, lui-même inspiré par Vaillant-Couturier – a été largement négligé. Il ne faut pas oublier que si Nizan fixe son regard sur la fin des années 20, il le fait de façon rétrospective à travers la période turbulente de la décennie suivante. Sur le plan international, la tension qui résultait du développement du fascisme italien, espagnol et surtout allemand était alors considérable. Sur le plan national, la société française était tourmentée par toute une série de désordres sociaux, politiques et intellectuels qui menacèrent plus d'une fois, comme à Paris en février 1934, de se transformer en quelque chose de beaucoup plus sérieux. Si cela ne se produisit pas, ce fut en partie dû à l'efficacité de Chiappe et de son réseau policier.

Jean-Baptiste Chiappe est né à Ajaccio en 1878. Après des études de droit, il réussit une carrière au ministère de l'Intérieur puis est nommé Préfet de police en mai 1927 à la suite d'Alfred Morain. En tant que préfet, il ne dissimula pas son ambition de faire de Paris une ville plus propre et moins dangereuse pour ses habitants. Pour lui les problèmes de la pollution, du bruit et de la fumée avaient autant d'importance que ceux de la drogue, de la prostitution et de la pornographie. Sa politique civile s'inspira, dit-il, d'un patriotisme profond : « Je place la Patrie au-dessus de tout et je demande que sa sécurité soit garantie par tous les moyens... Le sentiment national est un état d'âme[1]. »

Avec ses origines corses, son comportement, son admiration ouverte pour Napoléon[2], son hostilité au communisme et à toute influence soviétique en France, beaucoup de gens, et surtout à gauche, le considèrent autoritaire, répressif et très lié à la droite militante[3]. Ses adversaires lui donnèrent le sobriquet de « petit Chiapporal » et il fut souvent victime d'attaques personnelles dans *L'Humanité, Le Populaire* et *Le Peuple*. Quelles que fussent sa réputation et ses méthodes, la façon dont il modernisa la police et s'attaqua au crime reste impressionnante. Pourtant sa carrière à ce poste ne fut que de courte durée. Au début de 1934 le parti socialiste se déclara prêt à appuyer Daladier à condition que Chiappe fût renvoyé. Le 1er février, toujours en fonction, le préfet fit disperser sans violence une manifestation de 5 000 chauffeurs de taxi en grève. Mais deux jours plus tard il se trouva renvoyé par Daladier qui lui offrit le poste de gouverneur général au Maroc en guise de consolation. Chiappe refusa. Le 6 février, ébranlée par l'affaire Stavisky, la France fut pendant quelques heures au bord de la guerre civile.

La rancune de Chiappe était profonde. Peu à peu, il entama une nouvelle carrière dans le monde politique parisien et national, et il n'hésita pas à exprimer des opinions qui avaient déjà attiré l'attention critique de ses ennemis et déterminé pour une part ses activités en tant que Préfet de police. Le 2 juillet 1936 il évoqua avec un certain orgueil la période pendant laquelle il avait exercé ses fonctions et ne fit pas mystère de ses choix politiques : « Pendant sept ans j'ai maintenu l'ordre dans cette ville, sans la moindre effusion de sang. Eh bien ! sachez-le, jamais Paris n'aurait vu de drapeau rouge dans ses rues, ni de séquestrations, ni de violations d'immeubles, si j'étais encore préfet de police[4]. »

Ses discours et ses interventions en témoignent, de février 1934 jusqu'à sa mort en 1940, Chiappe fera de l'ordre public son cheval de bataille et ne cachera pas non plus son opposition totale au marxisme. Le 2 mai 1935, à la Salle Bullier, pendant la campagne des élections municipales à Paris, il exhorte ses auditeurs à travailler « ensemble au réveil de la cohésion des forces nationales » et à lutter « contre tout ce qui compromet la sécurité de notre pays »[5]. L'année suivante, à la Salle d'Iena, il exprime une vive sympathie pour Charles Maurras. Il s'en prend à « ce gouvernement aux ordres de l'étranger » et poursuit : « Il faut que nous nous débarrassions de ces hommes qui sacrifient le pays à leurs intérêts propres. » Le 3 janvier 1938, dans une interview accordée au journal fasciste La Nuova Italia, il exprime son admiration pour Mussolini qui a imposé dans son pays « une discipline religieuse, mystique, pour laquelle chaque Italien agit comme s'il ressentait, non visible, mais continue, la présence du chef auprès de lui ».

D'une certaine façon, l'attitude de Chiappe n'avait rien d'exceptionnel. À l'époque du Front populaire, de telles opinions étaient largement répandues. Mais sous d'autres aspects, Chiappe osa aller plus loin. Dans une série de conférences données en Scandinavie en 1935, il développa un programme politique basé sur la discipline, la police devant être à ses yeux une sorte de corps supra-national et indépendant centré sur Genève[6]. Au cours de ces mêmes conférences, Chiappe suggéra aussi que les partis politiques ne devaient avoir que peu d'influence effective. Selon l'ancien préfet, dans toute évolution historique ne comptent pour l'essentiel que l'amitié, les relations personnelles et la chance. D'après Maurice Martin du Gard, dans Les Mémorables (1957), Chiappe aurait déclaré : « Il n'y a pas de partis. Il y a l'amitié qui les confond. » Massart dans La Conspiration est du même avis.

Bien que dans son roman Nizan fasse référence à Chiappe comme personnage historique, il est évident que le véritable portrait du préfet se trouve dans le personnage de Massart. Divers détails personnels sont ici pertinents : Massart « était un homme de cinquante ans », l'âge de Chiappe en 1928. Une autre notation est plus inventive : le 29 juin 1935, Chiappe s'était battu en duel avec un journaliste, Pierre Godin ; son témoin s'appelait Armand Massard.

Massart apparaît et développe sa philosophie dans les chapitres XXII et XXIII du roman après la trahison de Pluvinage envers Carré. Au cours de la confession-interview avec le policier, ce dernier différencie soigneusement le véritable policier du fonctionnaire : « Un bon policier n'est [...] pas un fonctionnaire et la défense de la Société contre le Crime est une formule pour les peintres académiques et les discours du préfet au conseil municipal en l'honneur des Morts de la Maison. [...] La police pure est indemne de tous ces attrape-gogos. C'est qu'il y a un secret de la police... » (pp. 288-289)[7]. Ce secret, poursuit-il, c'est que toute l'activité policière est basée sur une théorie qui est l'antithèse de celle selon laquelle la progression de l'Histoire est influencée par des forces économiques ou même spirituelles. Ne compte dans la vie que le hasard – le fait, par exemple, que le nez de Cléopâtre aurait pu être plus petit : « De petites chances et de petits hommes fabriquent les grands événements. La masse et les professeurs ne voient jamais les vrais rapports parce que les causes n'ont aucune proportion visible avec l'effet et que toutes les traces sont brouillées. Tout le monde ignore les coulisses de la chance et le secret des petits hommes... » (p. 229). Mais la chance, elle aussi, peut être maniée. Ce qu'il faut, c'est un système où l'on travaille de façon anonyme et silencieuse :

> Imagine des hommes obscurs, assis dans les bureaux anonymes comme le mien, assez semblables à des araignées ou à des calculateurs, sans aucune ressemblance avec les grands détectives que nous imaginons de temps en temps pour qu'on nous aime : ils possèdent des dossiers qui contiennent en somme, à quelques exagérations près, à peu près tout ce qu'il faut savoir des personnages publics, de leur jeunesse, de leurs besoins, de leurs défaillances, de leurs colères, de leurs préférences érotiques, de leurs ambitions. Je ne connais pas de moyen plus puissant d'agir ou de ne pas agir que cette concentration intense des informations et des moyens de chantage politique et privé[8]. C'est alors qu'on tient la puissance véritable, qu'on fabrique l'événement historique, qu'on mêle les cartes. Un coup de pouce change tout, personne ne sait rien de rien. (p. 230)

Pour Massart, une telle autorité occulte est plus efficace que tous les systèmes conventionnels. Mais son cynisme et sa suffisance s'atténuent lorsqu'il reconnaît en aparté que le policier, lui aussi est un raté : « On entre dans la police comme on se suicide. Notre genre de puissance console de la puissance visible qu'on n'a pas et des succès manqués. Un véritable policier est un homme qui a raté une autre vie. » (p. 230)

Pluvinage accepte l'opinion de Massart quand ce dernier affirme qu'il est fait pour la police (« tu as toujours été un petit humilié » p. 231). Néanmoins, dans son récit, Pluvinage reconnaît aussi que, s'il se sent incapable de se soustraire à ce système, celui-ci n'en est pas moins faux : « On ne change rien par des petits moyens. La révolution est le *contraire* de la police. » (p. 264) Cependant, à la fin Pluvinage a fait son choix : il appartient désormais à un système dont le but est de supprimer l'homme et l'esprit révolutionnaires. Massart est un rouage central de ce système. Pour autant, il n'est pas présenté comme un fasciste et, comme Chiappe – du moins jusqu'en 1934 – il se proclame apolitique : « je n'ai jamais fait de politique et je n'ai jamais appartenu à aucun groupement ». Mais il est évident que ses sympathies comme celles du Préfet sont entièrement opposées aux idées de Nizan et à sa foi dans le pouvoir régénérateur du marxisme.

John FLOWER

1. Toutes les références sont aux dossiers de la Préfecture de Police (n° E. A/173). Ils contiennent en particulier un résumé dactylographié et non signé de la carrière de Chiappe bourré de citations. On y trouve aussi mention d'un petit volume de ses discours, *Paroles d'ordre* (1931 ?).
2. Comme Napoléon, Chiappe n'était pas grand. Sur les photos il se tient souvent sur une marche.
3. Dans *L'Humanité*, le 4 février 1934, Vaillant-Couturier le décrit comme « un assez puissant maître-chanteur ». Dans les dossiers, sous le titre général de *Correspondance*, une note anonyme en date du 26 juin 1935 observe : « Le chef des Francistes, Bucard, prétend "qu'il pourra obtenir beaucoup de choses de M. Chiappe", maintenant que ce dernier est président du conseil municipal. »
4. *Le Jour*, 3 juillet 1936.
5. *Correspondance*, rapport dactylographié, 3 mai 1935.
6. Voir *Le Temps*, 19 janvier 1935.
7. Toutes les références au roman renvoient à l'édition de 1968.
8. Voir Lucien Zimmer, *Un septennat policier*, (Fayard, Paris 1967), qui cite Chiappe : « Des indicateurs : j'en ai. J'ajouterai, pas assez à mon gré. Je vais plus loin. Je voudrais avoir pour indicateurs contre l'armée du crime, tout le peuple des honnêtes gens. [...] J'ai déplacé des milliers d'hommes, j'ai monté de formidables organisations, j'ai usé, dans tous les domaines, de toutes les ressources disponibles pour obtenir ce que je désire par-dessus tout : éviter la bagarre... » (*op. cit.*, pp. 69-71).

NIZAN ET SARTRE

Les miroirs jumeaux de la fiction

La récente publication des *Écrits de jeunesse* de Sartre rend aussi aux lecteurs de Nizan une part importante de la jeunesse littéraire de celui-ci[1]. On savait combien, dans les années de lycée qu'ils passèrent ensemble, il avait guidé son « petit camarade » vers des lectures plus modernes que celles de Corneille ou de Flaubert évoquées dans *Les Mots*. On le retrouve ici plus proche encore du futur auteur de *La Nausée* que ce qu'on en savait par les témoignages et les biographies. Dans leur introduction, Michel Contat et Michel Rybalka recensent ce que l'amitié entre « Nitre et Sarzan » à l'époque de la khâgne et de l'École normale a produit de textes composés à quatre mains : un conte écrit vers 1925 pour paraître (l'affaire échouera) sous la signature « d'une romancière qui écrivait dans les journaux de mode », et qui traite du lent suicide d'une femme laide que le poison rend belle en lui ôtant la vie ; une adaptation collective, vers la même époque, du *Poil de Carotte* de Jules Renard pour le cinéma (Sartre voulait souligner dans cette œuvre « le besoin de tendresse », lui qui ne sera guère tendre pour le même Renard quand il critiquera son *Journal* dans les *Carnets de la drôle de guerre* et dans un article repris dans *Situations 1*[2]). En 1928, les deux amis révisent ensemble la traduction française de la *Psychopathologie générale* de Jaspers. Le conte et le scénario semblent malheureusement perdus. Ne reste de cette écriture à deux que la très canularesque *Complainte de deux khâgneux qui travaillaient fort* écrite en 1922-1923, et dont la première strophe annonce assez le ton :

> *Nous allons en hypokhagne*
> *Travailler comme des cochons*
> *Cependant que – sans un pagne –*
> *Les copains sont au boxon (bis)*[3]

Des textes comme *Les Maranes*, parodie d'étude érudite, et *Pour les 21 ans d'Ugène mélancolique*, expriment aussi la mythologie de fantaisie élaborée (d'après *Le Potomak* de Cocteau) par Nizan, Sartre et leur groupe de provocateurs farfelus qui animèrent la rue d'Ulm de 1924 à 1928, souvent aux dépens du directeur d'alors, Gustave Lanson, avec lequel, on le sait, Nizan fut impitoyable dans les premières pages d'*Aden Arabie*.

Les textes du seul Sartre offrent aussi un intérêt majeur. Ils brossent – pour la première fois dans l'œuvre sartrienne, mais non la dernière – un portrait de Nizan en compagnon paradoxal et difficile, qu'il s'agit de séduire et dont on attend une improbable reconnaissance. Dans *La Semence et le Scaphandre*, roman inachevé de 1924, est relatée la naissance de *La Revue sans titre*, éphémère publication qui connut cinq numéros de janvier à mars 1923 et dans laquelle Sartre publia *L'Ange du morbide* et le début de *Jésus la Chouette*, alors que Nizan y donnait un article contre le critique Clément Vautel, un conte (*Hécate ou la méprise sentimentale*) et la *Complainte du carabin qui disséqua sa petite amie en fumant deux paquets de Maryland*. La première partie du « roman » sartrien s'ouvre par une rétrospection à la première personne : « De cette joute data notre amitié. [...] En fait elle était plus orageuse qu'une passion[4]. » Tailleur, le narrateur au pseudonyme transparent (on passera ici par la traduction latine de *sartor* pour retrouver facilement qui se cache sous ce nom), s'interroge sur sa relation exclusive (« J'étais dur, jaloux, sans prévenances ni douceur, comme un amant maniaque ») à Lucelles, son ami de lycée. Il relate leurs promenades dans Paris, leurs références communes, leurs divergences aussi. Lucelles se moque de « la morale de la Pitié » qu'avait choisi Tailleur, qui se vantait par là de toucher l'absolu. Littérairement, Tailleur avoue être porté sur le réalisme et la confession. « Lucelles, plus discret et plus constructeur, préférait être impersonnel. » On notera d'autres traits, qui sont autant d'allusions à des biographèmes nizaniens :

> *Il évitait soigneusement de peindre le physique de ses personnages et ne condescendait à nous renseigner – mais copieusement – que sur leur moral. Il décrivait aussi les paysages, surtout ceux de Bretagne, de manière charmante, et, quoique de tempérament assez triste, il excellait dans la peinture du printemps et du bonheur[5].*

Tous deux, à l'époque de leur khâgne commune, désirent se faire publier et participent à l'aventure de la création de la revue *La Semence*, dont l'insuccès leur fait dire qu'ils n'ont pas de génie. Avec Lucelles, Nizan entre à part entière dans l'univers des personnages sartriens, avec le thème de l'amitié difficile. La part de parodie, de dérision et d'auto-dérision qui signalent déjà l'écriture sartrienne empêche sans doute de lire ce portrait de Nizan adolescent comme absolument fidèle. Mais s'installe ici l'image de l'alter ego, du double critique et amical à la fois qui reviendra chez Sartre dans *Les Chemins de la liberté*, avec les rapports de Mathieu et de Brunet, puis, surtout, de Brunet avec Schneider (version allemande de notre « Tailleur » sartrien) alias Vicarios. « Drôle d'amitié », comme l'indique le titre putatif du quatrième tome, inachevé, du cycle romanesque de la maturité. Nous y reviendrons.

Avec *Une défaite*, Sartre, en 1927, se met en scène sous le nom de Frédéric, un normalien qui connaît de nouveau une amitié déçue :

> *L'Ancien Ami, son ancien ami, était encore son compagnon de toute heure. Mais il le jugeait, à présent, avec la volupté triste de faire mal qu'ont les fils qui jugent leurs parents. Leur amitié avait été de tout temps une lutte. Mais du moins, autrefois vierges et faibles, leur faiblesse même et le sentiment de leur puissance future les unissaient contre le monde qu'ils méprisaient timidement. L'amour et la demi-réalisation de leurs ambitions les avaient séparés[6].*

Comme signe de cette séparation, le récit propose une discussion entre Frédéric et l'Ancien Ami au sujet d'un livre d'Organte, écrivain et musicien que Frédéric admire :

> *« Veux-tu que je te dise la thèse du livre ? Au fond de chaque homme, il y a l'attirance de la Mort, du Mal, du Néant ; nous sommes tous, même les plus forts, même les Samson, des sadiques ou des maso-chiens. » « Et toi, tu es un couillon », lui répliqua Frédéric, irrité par tant de bêtise[7].*

On relira ici la préface que Sartre écrivit en 1960 pour la réédition d'*Aden Arabie* : il y indique clairement combien il eut du mal à comprendre le pessimisme de Nizan lors de ces années d'École normale. Obsédé par la mort, ce dernier se voit dans *Une défaite* objet d'une agression directe à propos de cette obsession même. Une page est tournée, le temps d'une longue période de latence qui ne cessera chez Sartre qu'avec la mort de l'« Ancien Ami ».

Quittons les *Écrits de jeunesse* et revenons à des œuvres plus célèbres. La figure du double amical disparaît dans *La Nausée*, qui relate l'odyssée solitaire de Roquentin. Seule Anny occupe la fonction dévolue dans les premiers textes sartriens à Lucelles et l'« Ancien Ami » : l'occasion éphémère et vite perdue d'échapper à l'angoisse. Nizan n'apparaît plus que sur le mode anodin du clin d'œil rapide pour « petit camarade » : il prête son nom à un gendarme de Monistiers, commune proche de Bouville, avant de réapparaître promu général, oncle de Bergère et ami de M. Fleurier (donc un possible « salaud ») dans *L'Enfance d'un chef* de 1939[8]. Même clin d'œil dans *La Conspiration* où Nizan fait arrêter Simon par le « commandant Sartre » (« qui n'avait pourtant pas le sens des visages »)[9]. Les rapports entre les deux hommes passent surtout, en cette année 1938, par des critiques sur leurs romans respectifs qui semblent rejouer l'inégal besoin l'un de l'autre mis en texte dans *La Semence et le Scaphandre*. Dans son compte rendu de *La Nausée* publié dans *Ce Soir* du 16 mai 1938, Nizan parle certes d'un « éclatant début » – ce qui est aussi une façon de faire remarquer que de son côté il est loin d'être un débutant –, il évoque Kafka et loue « un romancier philosophe de premier plan » ; mais il termine son bref article par un appel à retrouver le monde réel que ne désavouerait pas Aragon : « M. Jean-Paul Sartre [...] a des dons trop précis et trop cruels de romancier pour ne pas s'engager dans les grandes dénonciations, pour ne pas déboucher totalement dans la réalité »[10].

Dans la *NRF* de novembre 1938, Sartre, plus chaleureux, critique le romancier de *La Conspiration* (« ses jeunes gens ne sont pas romanesques ») mais avoue être séduit par le témoignage offert sur une génération et par la présence de l'« Ancien Ami » ressuscitée par l'écriture : « On aime à retrouver, derrière ces héros dérisoires, la personnalité amère et sombre de Nizan, l'homme qui ne pardonne pas à sa jeunesse, et son beau style[11]... »

Si dans les années trente la figure de Nizan disparaît de l'unique roman sartrien de cette décennie, enfanté dans la douleur, en revanche la figure de Sartre apparaît dans le miroir imaginaire de la fiction nizanienne. Il s'agit, on le sait, du personnage de Lange (on se rappelle que le premier écrit de Sartre, publié dans *La Revue sans titre*, fut *L'Ange du morbide*), dans *Le Cheval de Troie* en 1935. Malgré les dénégations de son auteur, qui prétendit avoir peint plutôt Brice Parain, Sartre se reconnut dans cet anarchiste de droite qui finit par tirer sur les ouvriers de Villefranche. Normalien, agrégé (d'histoire, la spécialité de Roquentin), exilé en province, Lange avait été un des meilleurs amis de Bloyé, intellectuel communiste et héros positif du livre. Certains traits définissent assez bien le Sartre de cette époque. Lange déclare :

Je n'aime pas les marxistes. Je n'aime pas les psychanalystes non plus [...] Tout ce qu'il importe de fixer, c'est le rapport de l'homme seul à l'Être... Je trouve Valéry naïf de s'étonner que les choses soient telles qu'elles sont, au lieu de s'indigner qu'il en existe. Mon indignation est plus radicale que la tienne. Il est plus radical de nier le monde que le monde bourgeois[12]...

On a pu lire dans ces lignes l'esquisse des chapitres de *L'Être et le Néant*. La référence à Valéry est aussi tout à fait sartrienne.

Comment ne pas penser non plus à *La Nausée* dans cette évocation des projets littéraires de Lange :

> *Quand il songeait à des livres qu'il pourrait écrire, il imaginait un livre qui décrirait uniquement les rapports d'un homme avec une ville où les hommes ne seraient que des éléments du décor, qui parlerait d'un homme seul, vraiment seul, semblable à un îlot désert[13].*

Nizan avait lui-même publié en 1934 *Présentation d'une ville*. Mais c'est le rapport de Roquentin à Bouville qui semble ici programmé par anticipation.

Le miroir que Nizan tend à son petit camarade frappe cependant par la dureté de sa déformation critique. Les lois du roman à thèse font de Lange l'exemple négatif de l'apprentissage militant, l'ennemi physique et idéologique des ouvriers révoltés[14]. Les obsessions propres à Nizan réapparaissaient chez Lange, fasciné par la mort comme ne le fut jamais Sartre (il s'intéressait philosophiquement au néant, ce qui n'est pas la même chose). On notera cependant, dans l'ordre des publications de nos deux auteurs, l'étrange prémonition que représentent ces épisodes du *Cheval de Troie* consacrés au professeur d'histoire : dans cette dérive vers le fascisme, on pourrait lire une version dramatisée de *L'Enfance d'un chef* que Sartre publiera en 1939 dans *Le Mur*. Lucien Fleurier y est certes un individu de moindre dimension intellectuelle que Lange, mais sa petite enfance recèle des traits qui sont ceux du Poulou des *Mots*. Les deux récits de Nizan et de Sartre racontent comment on devient un salaud, tout en jouant sur une possible lectu·e biographique. Un dialogue du genre : « Sartre, ton attitude pɛ t te faire virer au fascisme. – Mais tu vois bien, Nizan, que moi aussi je peux dénoncer une telle dérive, et que donc jamais je ne m'en rendrai coupable. » Œuvres croisées, mais comme on croise le fer entre deux duellistes. Jeu d'agressions et de réponses où Sartre semble toujours relever un défi et parfois se justifier.

Nizan ne fut-il pas le surmoi politique de Sartre ? Après le désastre de 1940 qui vit la mort de l'un et la captivité de l'autre, Sartre va faire cet effort pour « déboucher totalement dans la réalité » que lui conseillait Nizan en rendant compte de *La Nausée*. Le militantisme communiste qui avait en partie séparé les petits camarades entre sans masque dans l'univers fictionnel sartrien, dans le théâtre avec *Les Mains sales* (1948) et dans le roman avec *Les Chemins de la liberté* (1945-1949). On notera, pour ce dernier cycle romanesque, la métamorphose au fil des tomes du personnage de Brunet, le militant communiste. Au chapitre VIII de *L'Âge de raison*, il vient demander à Mathieu d'entrer au Parti, au nom de la nécessité de l'engagement :

> *Tu es fils de bourgeois, tu ne pouvais pas venir à nous comme ça, il a fallu que tu te libères. À présent c'est fait, tu es libre. Mais à quoi ça sert la liberté, si ce n'est pas pour s'engager ? Tu as mis trente-cinq ans à te nettoyer et le résultat c'est du vide. Tu es un drôle de corps, tu sais, poursuivit-il avec un sourire amical. Tu vis en l'air, tu as tranché les attaches bourgeoises, tu n'as aucun lien avec le prolétariat, tu flottes, tu es un abstrait, un absent. Ça ne doit pas être drôle tous les jours[15].*

Mathieu, ému, refuse néanmoins la proposition ; il s'aperçoit que son interlocuteur ne le comprend pas et qu'il va le prendre pour un « salaud » (le mot est dans le texte). De fait, Brunet ne l'écoute pas plus longtemps :

> *Brunet leva les épaules sans répondre. Il eût suffi de dire un mot, un seul mot, et Mathieu eût tout retrouvé, l'amitié de Brunet, des raisons de vivre. C'était tentant comme le sommeil [...] Brunet avait ouvert la porte. Il sourit à Mathieu et s'en fut. Mathieu pensa : « C'était mon meilleur ami[16]. »*

Ce texte exemplaire rejoue une scène fondamentale des rapports entre Sartre et Nizan durant les années trente : la communication perdue entre le militant et l'homme seul. Écrit lorsque Nizan avait déjà démissionné à la suite du pacte germano-soviétique (mais sans doute avant la mort de celui-ci au front), il présente en analepse et sur le mode de l'hyperbole un Nizan idéal, dont l'apparence physique (« un lourd visage couleur de brique, aux traits tombants avec des cils roux très pâles et très longs ») doit plus à Georges Politzer qu'à l'auteur de *La Conspiration*. Mais la fonction du personnage dans le texte reste celle de l'« Ancien Ami », que l'on ne retrouve que pour mieux le perdre et qui catalyse chez l'autre une rétrospection pleine de douleur et de remords.

Disparaissant, comme d'autres, des premiers plans d'une intrigue éclatée dans la tourmente du *Sursis*, Brunet redevient le protagoniste de la seconde partie de *La Mort dans l'âme*. Sartre écrit ce roman après la mort de Nizan et dédouble la figure de l'ami disparu par la création du personnage de Schneider, qui inspire à Brunet une curiosité amicale et inquiète :

> *Un esprit négatif, un intellectuel, j'avais bien besoin de m'embarrasser de lui. Drôle de type : tantôt si amical et si chaud, tantôt glacé, presque cynique, où l'ai-je vu ? Pourquoi dit-il « les camarades » en parlant des types du Parti et non « tes camarades » comme on*

l'attendrait de lui ? Il faudra que je m'arrange pour jeter un coup d'œil sur son livret militaire [17].

Par les voix de ces deux personnages, le Nizan d'avant 1939 et celui d'après dialoguent ainsi sur le Parti dans un registre bien différent de l'entretien entre Mathieu et Brunet de *L'Âge de raison*. Le pacte germano-soviétique est au centre du débat. Le titre du roman, qui reprend le mot de « mort » à la connotation si nizanienne, est proféré par Schneider : « Toi aussi, tu as la mort dans l'âme [18]. »

La clef du mystère Schneider sera livrée dans le quatrième tome (inachevé) du cycle, où Brunet, prisonnier comme lui dans un Stalag, découvre qu'il se nomme Vicarios et qu'il a été exclu du PC, dénoncé comme un traître lorsqu'il le quitta au moment du traité entre Staline et Hitler. Michel Contat commente ainsi cette résurrection de Nizan dans l'imaginaire romanesque sartrien : « La "drôle d'amité" entre Brunet, le militant pur et dur en qui [Sartre] avait précédemment contesté le communiste Nizan, et Schneider / Vicarios, le militant déchu qui réunit en lui les positions antagonistes de l'intellectuel solitaire et de l'intellectuel partisan – positions qui avaient séparé Sartre et Nizan dans les années trente –, est une amitié fantasmée entre l'ancien Nizan et celui qu'il serait peut-être devenu s'il n'avait pas été tué au front [19]. » Double résurrection, dialogue des morts d'un nouveau genre, le roman sartrien est en fait un tombeau à l'ami disparu, qui en fait revivre pour la première fois la figure dans tous ses traits et dans toutes ses contradictions. Se plaignant de n'avoir jamais été compris par lui, il lui offre ici un miroir qui se veut le moins déformant possible par le jeu du dédoublement romanesque.

Le thème de l'amitié difficile se retrouve une dernière fois dans les fragments inédits de ce quatrième tome des *Chemins de la liberté* publiés dans la Pléiade sous le titre de *La Dernière Chance*. Vicarios mort dans une tentative d'évasion, c'est Mathieu qui retrouve Brunet au camp et qui, dans un retournement complet de la situation de *L'Âge de raison*, va exhorter ce dernier à ne pas quitter le Parti. Le Sartre de 1951-1952 s'est converti au communisme (sans entrer cependant au Parti) et donne au militant troublé par les discours de son double une leçon de cohérence morale et politique :

Toi sans le Parti, dit Mathieu, qu'est-ce que c'est ? De la merde. Un peu d'orgueil et de crasse. Et le Parti sans toi, qu'est-ce qu'il fera ? Précisément la politique que tu ne veux pas qu'il fasse. En le quittant, tu le précipites dans la voie que tu détestes [20].

De ce quatrième tome des *Chemins de la liberté* qui restera à l'état d'ébauche, ce sont donc les parties consacrées à la poursuite post mortem du dialogue avec Nizan que Sartre a rédigées en premier.

C'est dire l'étendue de l'ombre portée du petit camarade mort sur le petit camarade survivant. Sartre porte en lui un double, il est hanté par un « zar » comme il le dit de Jean Genet dans l'étude qu'il consacre à ce dernier en 1952.

À la même période Sartre commence *Jean sans terre*, la première version des *Mots*. Ce récit d'enfance lui fait prendre contre lui-même, contre la famille et contre la culture, le ton pamphlétaire d'*Aden Arabie* ou des *Chiens de garde*, transformant l'autobiographie en « entreprise de démystification »[21]. La résurrection explicite de Nizan dans la préface qu'il rédige en 1960 à la réédition de ce même *Aden Arabie*, texte le plus connu lorsqu'il s'agit d'évoquer les rapports entre les deux auteurs, semble presque secondaire en face des impératifs d'écriture plus secrets que nous venons d'évoquer. La fiction, comme souvent, en dit plus long que la rétrospection (auto)biographique.

On nous permettra dans cette perspective de compléter notre esquisse d'un panorama de l'intertexte nizano-sartrien par quelques repères thématiques. Nizan et Sartre ont traité quelques sujets analogues, chacun à leur manière. La naissance d'une revue, élément principal de l'intrigue de *La Semence et le Scaphandre*, occupe les jeunes normaliens de *La Conspiration*. Ce personnage collectif (les Normaliens) est déjà évoqué par Sartre dans *La Semence* et *Une défaite*. Nous avons déjà parlé du récit de l'apprentissage d'un salaud à propos du Lange du *Cheval de Troie* et du Lucien Fleurier de *L'Enfance d'un chef*. Un avortement réel provoque dans ce roman de Nizan la mort terrible de Catherine ; dans *L'Âge de raison*, l'avortement possible de Marcelle fait se révéler à eux-mêmes les personnages de Mathieu et de Daniel. La trahison (vis-à-vis de sa classe ou vis-à-vis de soi-même) a passionné l'auteur d'*Antoine Bloyé*, le metteur en scène de Pluvinage dans *La Conspiration*, avant que Sartre n'en fasse dans *Saint Genet* un principe d'explication de l'auteur du *Journal du voleur*. Malgré les dénégations de Sartre, il doit le sujet et les documents historiques du *Sursis* à *Chronique de septembre*, le reportage sur les accords de Munich publié par Nizan en mars 1939, son dernier livre[22].

Plus troublants encore que ces sujets communs, des motifs récurrents de l'imaginaire passent d'une œuvre à l'autre et se laissent repérer malgré la différence des styles, des genres et des techniques de narration. *La Conspiration* recèle ainsi nombre de thèmes sartriens : le regard (« On peut tout supporter, sauf le regard d'un homme »[23]) ; l'érotisme morbide et solitaire (l'épisode de Pauline et de Laforgue, à rapprocher des amours de Roquentin à Bouville) ; les « nausées » de Bernard avalant du gardénal[24] ; le visqueux (« Ils ne savaient pas encore comme c'est lourd et mou le monde, comme il ressemble peu à un mur qu'on flanque par terre pour en monter un autre plus beau, mais plutôt à un amas sans queue ni tête de gélatine, à une espèce de grande méduse avec des organes bien cachés[25]. ») Un épisode du passé de Bernard illumine le récit : l'été que le personnage passa dans l'île grecque de Naxos, l'île où Thésée abandonna Ariane. Il y rejoint Marie-Anne (on notera la ressemblance phonétique de ce prénom avec celui de l'héroïne mythologique), sa sœur, la seule personne de sa famille qu'il aime vraiment (« sans doute était-elle la seule qu'il eût quelquefois l'impression d'avoir choisie »[26]). Dans un décor grandiose (une « lumière de verre filé qui couronnait les montagnes de marbre et les jeux de dés des villages au flanc des vallons de velours »[27]), il vit des jours de bonheur ; chose exceptionnelle chez Nizan, « le temps et la mort paraissaient suspendus »[28]. Ce paradis est éclairé par la présence de la sœur aimée. Bernard, au moment de sa liaison avec sa belle-sœur Catherine, se rappellera ce lieu : « Naxos, pensait-il, j'y ai été heureux avec une sœur. Quel bonheur d'y vivre avec une femme que j'aimerais, qui coucherait dans mon lit, qui ne m'abandonnerait pas la nuit ![29] » Une ultime révélation, au moment de mourir, lui fera enfin définir l'amour comme « cette union pareille à un inceste permis »[30], conclusion logique du rêve éveillé de Naxos. Or ce motif de la sœur aimée, de l'amour comme « inceste permis », l'image même d'Ariane abandonnée sur son île, les phonèmes du nom de l'héroïne antique, tout ce « complexe » imaginaire, au sens où l'entendait Bachelard, se retrouve chez Sartre. Dans *Les Mots*, la mère de Poulou porte le prénom d'Anne-Marie, reflet en miroir de celui de la sœur de Bernard Rosenthal. Le texte la présente comme une « grande fille délaissée »[31], comme « la longue Ariane qui revint à Meudon »[32]. Son veuvage la fait redevenir mineure : « On me montre une jeune géante, on me dit que c'est ma mère. De moi-même, je la prendrais plutôt pour une sœur aînée[33]. » Sœur aînée, sœur aimée : « Je l'aime », dit Poulou. « Plus tard je l'épouserai pour la protéger[34]. » Cette tendresse et cette connivence font échapper l'enfant à la totale aliénation dans la comédie familiale dont le grand-père Schweitzer est l'agent le plus redoutable, l'ogre du mauvais conte dont Anne-Marie est la seule fée. Dans un livre où la confession des premiers émois de la sexualité est soigneusement censurée, Sartre se permet enfin cette confidence calculée : « J'avais une sœur aînée, ma mère, et je souhaitais une sœur cadette. Aujourd'hui encore – 1963 – c'est bien le seul lien de parenté qui m'émeuve[35]. » Suit une note où il donne (cas exceptionnel) une piste de lecture pour repérer l'incarnation de ce « fantasme » incestueux dans ses œuvres passées : « Oreste et Électre, dans *Les Mouches*, Boris et Ivich dans *Les Chemins de la liberté*, Frantz et Léni dans *Les*

Séquestrés d'Altona. » Si, par son universalité, le désir de l'inceste dépasse à l'évidence les seules sensibilités de Sartre et de Nizan, la mise en texte de ce désir avec le recours commun au mythe d'Ariane nous semble indiquer un relais intime de plus entre les deux amis, une figuration commune d'un âge d'or perdu.

La chronologie, la balle allemande qui faucha Nizan à trente-cinq ans, ont fait de Sartre le miroir survivant du camarade disparu. Nous ne saurons jamais quelle aurait été l'image de Sartre dans les œuvres d'un Nizan parvenu à l'âge mûr. Sans doute une retouche au trop négatif Lange du *Cheval de Troie*. Mais la présence de Nizan dans la fiction sartrienne, en particulier dans le roman et l'autobiographie, indique combien leur dialogue se poursuivit dans l'imaginaire au-delà de la mort. On peut être frappé par cette fidélité de Sartre, par ce désir aussi de faire écho à la personne, aux engagements, aux idées et aux thèmes de l'autre. Sartre n'aura jamais une telle connivence avec le nouvel alter ego qui, d'une certaine façon, prit la place de Nizan à partir de 1929, Simone de Beauvoir (qui pourrait dire par exemple quels personnages féminins de l'œuvre de Sartre incarnent le « Castor » ?). La nostalgie d'une ancienne amitié, aussi forte que douloureuse, fait peut-être mieux comprendre pourquoi, dans les dernières années de sa vie, il se donna sans réserve, et parfois contre l'avis de sa « famille », au dialogue avec Benny Lévy, espérant réaliser avec lui une œuvre à deux voix qui ne se comprend pas seulement comme un palliatif contre la cécité dont il était atteint. Avec plus de cohérence qu'on ne le lui accorda, Sartre renouait à sa façon avec l'amitié « plus orageuse qu'une passion » qui marqua sa jeunesse.

Jacques DEGUY

1. Jean-Paul Sartre : *Écrits de jeunesse*, édition établie par Michel Contat et Michel Rybalka, Gallimard, 1990.
2. « L'homme ligoté – notes sur le *Journal* de Jules Renard » (1945), repris dans *Situations 1*, Gallimard, 1947.
3. *Écrits de jeunesse*, op. cit., p. 338.
4. *Ibid.*, p. 140.　　5. *Ibid.*, p. 146.　　6. *Ibid.*, p. 208.　　7. *Ibid.*, p. 250.
8. Jean-Paul Sartre : *Œuvres romanesques*, Pléiade, Gallimard, 1981, p. 191 pour *La Nausée* et p. 350 pour *L'Enfance d'un chef.*
9. Paul Nizan : *La Conspiration*, Gallimard (1938), rééd. Folio (tirage 1990), pp. 112-113.
10. « *La Nausée*, un roman de Jean-Paul Sartre », in *Ce Soir* du 16 mai 1938, repris in P.N. : *Pour une nouvelle culture*, textes réunis et présentés par Susan Suleiman, Grasset, 1971, pp. 285-286.
11. Jean-Paul Sartre : *Situations 1*, p. 28.

12. Paul Nizan : *Le Cheval de Troie*, Gallimard (1935), rééd. 1963, pp. 53-54.
13. *Ibid.*, pp. 105-106.
14. Sur cette conformité du *Cheval de Troie* à la structure du roman à thèse, on lira Susan Suleiman : *Le roman à thèse ou l'autorité fictive*, P.U.F., coll. Écriture, 1983, en particulier les pages 126 à 131.
15. Jean-Paul Sartre : *Œuvres romanesques*, Pléiade, p. 521.
16. *Ibid.*, p. 527.   17. *Ibid.*, p. 1401.   18. *Ibid.*, p. 1526.
19. *Ibid.*, p. 2107 (notice de Michel Contat à *Drôle d'amitié*, extraits du tome IV – inachevé – des *Chemins de la liberté*, parus pour la première fois dans *Les Temps modernes* de novembre et décembre 1949).
20. *Ibid.*, p. 1653.
21. L'expression a été employée par Sartre pour présenter au public soviétique la traduction russe des *Mots*.
22. Voir sur cette utilisation par Sartre de *Chronique de septembre* la note 1 p. 1977-1978 de la Pléiade à propos des repères historiques du *Sursis*.
23. Paul Nizan : *La Conspiration*, p. 249.
24. *Ibid.*, p. 236.   25. *Ibid.*, p. 30.   26. *Ibid.*, pp. 140-141.
27. *Ibid.*, p. 142.   28. *Ibid.*, p. 144.   29. *Ibid.*, p. 185.   30. *Ibid.*, p. 237.
31. Jean-Paul Sartre : *Les Mots*, Gallimard (1964), rééd. Folio, p. 16.
32. *Ibid.*, p. 17.   33. *Ibid.*, p. 20.   34. *Ibid.*, p. 21.   35. *Ibid.*, p. 48.

DEUX STYLES DE VIE ET D'ÉCRITURE

Paul Nizan et Roger Vailland

« Quel homme sait triompher de sa division ? Il n'en triomphera point tout seul car les causes de sa division ne sont pas en lui... »

Paul Nizan, *Antoine Bloyé.*

« L'écrivain arrivé à maturité a résolu ou surmonté ses conflits intérieurs ; ses problèmes sont devenus ceux de l'humanité de son temps. »

Roger Vailland, *325 000 francs.*

Paul Nizan, Roger Vailland : deux des rares romanciers communistes encore lus aujourd'hui, deux hommes d'une même génération[1] dont les données de vie sont au départ fort comparables. Issus d'un milieu social et familial assez proche, contre le vide duquel ils se révoltent très tôt, ils suivent à Paris des études de philosophie et font leur hypokhâgne au lycée Louis-le-Grand. Des études que Nizan mène à terme – il réussit le concours d'entrée à Normale Supérieure et l'agrégation – et que Vailland interrompt – il quitte la khâgne, puis abandonne un projet de mémoire déposé en Sorbonne sur Hegel. À l'évidence, la philosophie occupe une place importante dans leur existence. Nizan laisse derrière lui une œuvre de théoricien, Vailland des essais et un projet de livre sur le thème de « l'opposition entre la nature humaine et la condition humaine ». Tous deux, non seulement mettent la philosophie à l'épreuve de la réalité tout au long de leur carrière journalistique, mais ils la font passer dans le roman, liant ainsi celui-ci à une expérience concrète de la pensée[2]. Ces deux domaines d'activités ont en effet chez Nizan et Vailland un même objet : l'homme dans sa vie concrète (ce que juste avant la Seconde Guerre mondiale, Georges Politzer nomme « drame »). Le roman est tout naturellement pour eux le lieu où tenir sur l'individu un discours, d'une certaine manière théorique, qui périme celui de la philosophie idéaliste, de la médecine (*Antoine Bloyé*, p. 143) et de la psychologie classique (*Drôle de Jeu*, pp. 107, 108). On ne s'étonnera donc pas de retrouver dans leurs fictions, au-delà d'une relative identité des thèmes, des énoncés anthropologiques très comparables[3]. Cette communauté des objets de la réflexion leur vient de leur adhésion au marxisme, qu'ils conçoivent comme un processus social contre l'humiliation et l'étouffement individuel inhérents aux rapports de domination dans une société de classes. Une adhésion qui trouve sa suite logique dans leur inscription au Parti communiste français, qu'ils quitteront à des périodes de crise : Nizan au moment de la signature du pacte germano-soviétique, Vailland après le XXᵉ congrès du P.C.U.S. et l'intervention de l'U.R.S.S. en Hongrie – mais sans que l'un ou l'autre ne remette en cause son adhésion au matérialisme historique et dialectique. Les deux hommes connaîtront les attaques du parti (lot de tous les « ex ») avant d'être réhabilités[4]. Les biographies, on le constate, ne manquent pas de ressemblance. Elles diffèrent cependant sur deux points essentiels. Le premier concerne la durée de vie. Nizan disparaît en 1940, frappé d'une balle ennemie à Dunkerque. Il n'aura pas eu, selon la terminologie de Vailland, la *grâce*, cette grâce qu'à cette époque l'auteur de *Drôle de Jeu* attribue à son héros Marat auquel il s'identifie (« La chance m'aime » – *Drôle de Jeu*, p. 422). Vailland meurt d'un cancer en 1965. Nizan aura donc écrit tous ses romans alors qu'il était membre du P.C.F. (dix ans d'activité littéraire), ce qui n'est pas le cas de Roger Vailland (vingt ans d'activité littéraire). Le second point qui singularise les deux hommes relève de leur rythme d'inscription dans l'Histoire. Nizan vient très tôt au parti et à l'écriture. Il a 22 ans quand il adhère au P.C.F., 25 ans quand il rédige son premier livre (*Aden Arabie*), 28 ans quand il publie son premier roman (*Antoine Bloyé*). Son œuvre s'achève au moment où, pratiquement, commence celle de Vailland. Celui-ci écrit *Drôle de Jeu* en 1944-1945 ; il s'inscrit au P.C.F. en 1951. Et ce décalage dans les temps de passage des deux hommes à la littérature et à la lutte collective a valeur explicative pour saisir ce qui les rapproche et les sépare.

La venue tardive de Roger Vailland à l'écriture est en fait d'autant plus significative qu'il s'était lié très tôt aux mouvements littéraires d'avant-garde. Lycéen à Reims, il fonde en compagnie de René Daumal et de Roger Gilbert-Lecomte un groupe, *les phrères simplistes*, que soudent une pratique scandaleuse de la poésie, de la drogue, des techniques de dépersonnalisation de soi, du suicide. Étudiants à Paris, *les phrères simplistes* créeront *Le Grand Jeu*, une revue proche du mouvement surréaliste, qui aura quatre numéros et pour laquelle Vailland n'écrira que des textes de réflexion. Il la quitte en 1929-1930, et avec elle le milieu littéraire. Conjointement à une activité journalistique alimentaire, menée « secrètement » sous divers pseudonymes, il affiche alors dans sa vie un refus hautain de tous les tabous et se livre, contre la société bourgeoise, à un usage systématique et maîtrisé de l'alcool, de l'opium et des femmes. Roger Vailland promène donc à Paris sa silhouette osseuse de libertin au regard froid, de marginal passionné par son personnage, au moment où Nizan, marié, père de deux enfants, professeur de philosophie au lycée de Bourg-en-Bresse (en attendant d'être journaliste à *l'Humanité* et à *Ce Soir*) se présente dans cette ville comme candidat communiste à la députation et rédige ses premiers textes. De 1929 à la guerre, Vailland est dans l'attente de ce que va produire l'Histoire et dans l'attente de devenir écrivain. Des tentatives avortées de romans, un petit livre écrit en collaboration avec Raymond Manevy sur Drouet le régicide (*Un homme du peuple sous la Révolution*, 1936), voilà toute son activité littéraire durant cette période. Vailland explique ce silence par « un manque de confiance » (*Écrits intimes*, p. 70), confiance qu'il ne retrouve qu'avec la guerre et son adhésion à la Résistance qui, en lui permettant de stabiliser sa pensée philosophique, est à l'origine de *Drôle de Jeu*. Le roman se substitue en effet à un projet d'essai, « Trente méditations sur la vie, la mort, la liberté, l'amour et autres notions essentielles » (1942), dont il réalise la transformation.

Drôle de Jeu est le roman d'une initiation personnelle à l'Histoire : il marque le passage d'une marginalité d'intellectuel avant la guerre – celle du héros Marat, dont la biographie rappelle celle de Vailland – à l'isolement motivé par le combat clandestin. Non pas donc un roman *sur* la Résistance, mais sur l'écrivain *et* la Résistance, qui porte résolution des contradictions de Marat/Vailland entre 1920 et 1942 par l'accord entre sa vie individuelle et la lutte collective pour la libération du territoire. Les règles de vie que s'impose le résistant et qu'exigent sa sécurité et l'efficacité de son action viennent ainsi donner un sens social positif aux exercices sur soi auxquels s'astreignait Marat/Vaillant avant-guerre. Les jeux de la clandestinité, la discipline quotidienne du militant, l'accomplissement de la libération nationale sont autant de faits concrets et symboliques constitutifs de rituels d'initiation à l'Histoire. Ces rituels de passage ne sont pas un fait institutionnel, mais le produit d'un travail de la singularité individuelle qui s'avère avoir comme base l'accord entre un individu et un événement historique, le second étant la mesure – au sens de dimension et de rythme – du premier. Et le roman formule, ici et là, les repères d'une théorie de la concordance de l'individualité avec les transformations historiques : accord rythmique de l'individu avec le monde, recoupement du temps collectif et du temps individuel.

Aden Arabie, comme *Drôle de Jeu*, est le récit d'une initiation personnelle à l'Histoire. Mais si Vailland s'émerveille, lors d'un séjour en Éthiopie sur les traces de Rimbaud (1930), de l'aventure et des choses vues, Nizan tout au contraire ne perçoit l'Arabie que de manière négative. C'est qu'au terme du voyage, qui a valeur initiale d'un acte de révolte contre la société bourgeoise, advient une découverte qui périme l'exotisme. Aden, « image concentrée de l'Europe », est un modèle des rapports sociaux capitalistes, qui les rend immédiatement compréhensibles. Sur la scène de la cité coloniale britannique se donne en spectacle l'homme de la société bourgeoise, un homme qui n'est pas comme pour Roger Vailland un être singulier, mais une épure, un fantôme sans consistance, une abstraction, une fonction, un simple support dans les rapports sociaux. Et c'est cet être inachevé qui fait surgir la question, que se posera également Vailland et qui pour les deux écrivains sera une question romanesque, de la division du sujet et des conditions de son développement intégral. « La lumière éclatante » (p. 129) d'Arabie, c'est donc celle du savoir. *Aden* est la relation d'une conversion réussie à l'Histoire par la révélation de la Vérité et l'adhésion militante à celle-ci : une Vérité qui en retour permet à Nizan d'une part de déchiffrer la France (et de la découvrir en état de guerre), d'autre part de saisir la situation que celle-ci lui réservait et que masquaient diverses justifications idéologiques (philosophie, art, etc.). Le voyage initiatique d'Aden résout donc les contradictions d'un jeune petit-bourgeois divisé d'avec lui-même et séparé du monde. La Connaissance, parce qu'elle défait « les fantômes et les démons » (*Les Matérialistes de l'Antiquité*, p. 174), réaccorde le sujet au monde, réunit le corps et l'idée, fait coïncider l'acte et ses déterminations, son circuit individuel et son circuit social. *Aden* marque ainsi l'intégration d'un rejet immature de la vie bourgeoise dans une conscience de classe, le passage d'une révolte à un engagement qui est indissolublement politique, philosophique et littéraire[5] : *Les Chiens de garde* dénonceront, des rives du matérialisme historique et dialectique, la pensée idéaliste et mystificatrice de leur temps et *Antoine Bloyé* fera de l'inachèvement de l'homme et de ses causes son thème commenté.

 Aden Arabie et *Drôle de Jeu*, pour être deux récits d'une adhésion réussie à la lutte collective et à l'écriture, bâtissent cependant deux conceptions fortement contrastées de l'engagement. Si celui-ci pour Vailland correspond à une incorporation de l'ensemble de ses expériences passées dans une vie présente, il est chez Nizan le basculement d'une entité qui n'implique pas l'intégralité de son existence antérieure, ce qui crée ce malaise, cette angoisse même si sensible dans son œuvre. Et il est significatif à cet égard que le narrateur d'*Aden* ne propose de lui qu'une image très abstraite et qu'il ne dise rien, ou presque, de sa biographie, contrairement au Marat/Vailland de *Drôle de Jeu*. En même temps, cette initiation à l'Histoire – que

Nizan pense en termes d'« agencement entre l'histoire et l'homme » (*La Conspiration*, p. 211) et Vailland d'« implantation de son histoire dans l'Histoire » (*La Fête*, p. 147) – correspond pour les deux hommes à un glissement de soi dans un *rôle*, soit le Bolchevik, tel que l'époque l'institue, et que tous deux conçoivent comme le découvreur et le porteur du savoir efficace dans le monde : « Le type vers lequel tend le philosophe des exploités est celui du révolutionnaire professionnel décrit par Lénine. Il s'oppose aussi brutalement qu'il se peut au clerc contemplatif établi par la pensée bourgeoise » (*Les Chiens de garde*, p. 122). L'homme de génie, « ce sera celui qui saura tirer du marxisme une explication du monde actuel frappante, évidente, universellement acceptable, et en déduire des règles d'action : ce que fit Lénine en 1917 » (*Drôle de Jeu*, p. 10). Or, pour Nizan, cette identification à une figure, en quelque sorte dessinée par avance[6], n'est pas problématique, en ce sens du moins que les difficultés qui pourraient en découler ne font l'objet d'aucun commentaire public. Chez Vailland au contraire, cette adhésion à la fonction du Bolchevik ne va pas sans résistance. Et ses romans, d'une certaine manière, ne parlent que de cela.

Certes comparable, le rapport des deux hommes à l'Histoire n'en diffère donc pas moins sensiblement ; cela engage leur devenir de révolutionnaire et d'écrivain, la variété des styles de l'activité militante et d'écriture. Sans doute, l'identification de soi à la figure du Bolchevik est-elle pensée par les deux romanciers en termes de trahison, cette trahison qui est une jouissance pour le Vailland du *Grand Jeu* et dont Nizan fait l'éloge[7]. Mais les représentations qu'ils en proposent sont très étrangères l'une à l'autre. Paradoxalement, le bourgeois révolutionnaire de Nizan trahit par fidélité : « Les philosophes rougissent encore d'avouer qu'ils ont trahi les hommes pour la bourgeoisie. Si nous trahissons la bourgeoisie pour les hommes, ne rougissons pas d'avouer que nous sommes des traîtres » (*Les Chiens de garde*, p. 123). Le traître est celui qui quitte les siens pour rejoindre l'Autre, et c'est cet abandon qui fait surgir l'écriture. Le traître est scandaleux en ce qu'il révèle et dénonce le monde qu'il vient de laisser. Il remet en cause la Loi, et d'abord celle du discours. Il est celui en effet qui restitue au langage sa transparence, son innocence, car il réconcilie le mot et la chose : « le prolétariat n'a pas besoin des idéalismes. Accepter l'idéalisme que la bourgeoisie lui offre avec l'histoire c'est accepter [...] la connaissance d'un univers du discours qui fasse tout oublier. L'idéalisme bourgeois est le triomphe du vocabulaire. Rien n'existe mais tout est nommé. Les choses ne sont pas, mais les mots sont réels » (*Pour une nouvelle culture*, p. 29). La seule Loi à laquelle se soumettre, pour l'écrivain révolutionnaire, est donc celle du réel : « faire apparaître aux yeux du prolétariat l'ennemi capitaliste tel qu'il est » (*Pour une nouvelle culture*, p. 41). Cette trahison implique chez Nizan une perte de soi, par ailleurs naturellement acceptée. Rejoindre la classe ouvrière suppose en effet de se nier en tant qu'Autre. Adhérer à l'Histoire, et ainsi surmonter la tentation du suicide, implique de tuer une part de soi : « ils [les bourgeois ralliés au prolétariat] doivent inverser les coutumes où ils furent élevés, tuer en eux l'orgueil et la suffisance qui sont les marques du clerc bourgeois » (*Les Chiens de garde*, p. 153). Et ce meurtre d'une partie de soi se retourne en une volonté de détruire celui que l'on a quitté parce qu'il a tué l'Homme (moment où le désir s'articule sur une politique : Nizan adhère au Parti qui fait miroiter la disparition de la bourgeoisie). La trahison est donc liée au sacrifice, c'est-à-dire à la mort : « il savait que la trahison est irrémédiable comme la mort, et que, comme la mort, elle ne s'efface jamais » (*La Conspiration*, p. 255). Dans un monde débarrassé de Dieu, la trahison convoque le Sacré : « Il faut qu'on puisse croire à la sainteté même de la trahison » (*La Conspiration*, p. 298). Adhérer à l'Histoire se soutient et se justifie ainsi de l'attente de l'Apocalypse – la Révolution – qui conjure la mort[8]. Acte sacré, la trahison a valeur de rachat, celui de la faute originelle des Pères, Antoine Bloyé, Monsieur Rosenthal, qui ont trahi l'Homme. À cet égard, Nizan écrira toujours le même roman.

L'Autre qu'a abandonné Nizan est mis à distance, rejeté, et perçu de manière totalement négative, comme peut-être son propre refoulé. Du créneau de la forteresse ouvrière qu'il vient de rejoindre, le philosophe écrivain révolutionnaire observe l'univers de l'ennemi, et il s'en dissocie pour le constituer en un spectacle morbide. Les narrateurs de Nizan s'effacent dans leurs descriptions. L'écrivain théorisera cette mise entre parenthèses du sujet à propos de l'essai, mais sa réflexion vaut très exactement pour les romans : « Un pamphlétaire qui touche vraiment au fond de son pamphlet ne séduit pas. Il n'intéresse pas à sa personne, à l'adresse de son art : il est indifférent. Il n'intéresse qu'à l'objet de sa dénonciation » (*Intellectuel communiste*, T. II, p. 20). Les romans de Nizan, en effet, sont dénués de toute force de séduction, contrairement à ceux de Vailland. Les choses, les paysages, les êtres, les rites de la vie bourgeoise y sont décrits aux couleurs du deuil. Le corps même de la femme, dont Vailland ne cessera de célébrer les formes et la sensualité, ne supporte aucune esthétisation et est souvent perçu de manière morcelée (le titre du premier récit de Nizan est à cet égard symptomatique : « Complainte du carabin qui disséqua sa petite amie en fumant deux paquets de Maryland »). Les représentations s'enchaînent dans les romans, mortifères jusqu'à l'obsession. La description exhibe les cadavres, les corps accidentés, les morgues, les cimetières, les situations atroces, les horribles villes ouvrières, ces villes dont Vailland construit le charme[9]. La « pulsion de mort » de Nizan, si évidente à toutes ses pages, se réalise ainsi dans un rôle social et dans la sphère du romanesque. Une même révolte chez les deux hommes contre la société bourgeoise, une volonté commune de transformer la vie s'incorporent donc, dans des circonstances variées, des architectures de désirs, des subjectivités très contrastées. Et c'est cette connexion qui fonde les différences entre leurs univers imaginaires et romanesques.

La nature du rapport à l'Autre qu'on abandonne oppose Nizan et Vailland. Ce dernier est divisé entre celui qu'il a trahi et celui qui trahit. Il est à la fois le bourgeois et le révolutionnaire, et donc dans la tension qui doit le conduire, sans castration de soi, à réaliser dans sa singularité son unité par un travail sur lui-même volontaire et raisonné (qui en retour méconnaît la spécificité du désir). Cette identification à l'ennemi de classe comme Autre est au centre de ses essais[10] et de ses romans. C'est elle qui dans *Drôle de Jeu* justifie l'impossibilité pour Marat de faire passer l'ensemble de ses expériences antérieures dans la fonction du militant communiste : « Je suis fils de bourgeois. Je lutte contre ma classe de toutes mes forces, mais j'ai hérité de ses vices, j'aime son luxe, ses plaisirs. Beaucoup de choses que le militant ne soupçonne même pas tiennent une grande place dans ma vie » (p. 288). Entre ces deux sujets, il y a *un jeu*. Et c'est ce drôle de jeu qui donne lieu à la disposition subjective propre à l'éthique de Vailland : la nécessaire distance de soi d'avec soi, qui fait l'action consciente du libertin, de l'amateur et du révolutionnaire.

Ces relations différenciées de Nizan et de Vailland à la figure du Bourgeois et à l'Histoire ordonnent des conceptions et des pratiques spécifiques de l'écriture romanesque. Remarquons tout d'abord que ni l'un ni l'autre ne sont des théoriciens de la littérature. Ils ne lui ont consacré en particulier aucun essai[11], et cela est en soi révélateur de leur rapport à l'Institution. Si tous les deux souscrivent aux thèses les plus générales du réalisme socialiste jdanovien, ils ne les « chantent » pas, encore moins s'y soumettent-ils. Nizan et Vailland ne sont pas à cet égard des hommes de pouvoir ; leurs romans répondent à des préoccupations personnelles et non à des directives. Une certaine idée néanmoins, plus ou moins formalisée, de l'œuvre romanesque se dégage de leurs notes de lecture et de réflexions dispersées ici et là. Nizan associe, curieusement, au mot littérature trois notions ; 1) *le déplaisir* (la littérature révolutionnaire doit être « déplaisante » – *Intellectuel communiste*, T. 1, p. 116) ; 2) *la contrainte* (reprenant une prescription de Marx, Nizan affirme que le roman doit donner aux hommes « la conscience d'eux-mêmes ; [...] même s'ils ne le veulent pas » – *Intellectuel communiste*, T. 1, p. 119) ; 3) *le savoir* (« considérer le roman comme un instrument de connaissance » – *Intellectuel communiste*, T. 1, p. 119). Il s'agit, avec cette détermination, ni plus ni moins que d'une conceptualisation de ce que sont effectivement ses livres. Aussi bien n'y a-t-il aucun hiatus entre cette représentation de l'activité littéraire et le fonctionnement de son roman. Celui-ci se caractérise en effet par un partage entre un récit et des énoncés didactiques qui viennent, en commentaire des faits et réflexions rapportés, les expliciter et en livrer le sens au lecteur. On observera un fonctionnement différent du roman chez Roger Vailland, par quoi il échappe, me semble-t-il, au « roman à thèse » : le savoir y est mis à l'épreuve du récit, qui le confirme ou l'infirme. Le roman de Vailland peut ainsi être défini comme expérimental – énoncé d'une hypothèse et sa vérification – ainsi que le suggère une remarque du narrateur de *Beau Masque* : « Au début de mon séjour, je notai chaque soir mes impressions sur un cahier. Le lecteur trouvera ci-dessous quelques-unes de ces notes. Beaucoup de mes jugements durent être révisés par la suite » (p. 8).

Roger Vailland tient sur le roman un propos qui rapproche des termes a priori opposés : la séduction / le bonheur / le tragique. Laïcisée et définie comme un art dialectique des conflits, la tragédie est conçue comme une forme [12] de référence pour le roman moderne qui ne peut être qu'un « théâtre héroïque » [13]. Elle est, comme la séduction, une action complète, ou plus exactement son modèle : « La vie d'un homme véritable est analogue à une bonne tragédie. Elle se dénoue dans une mort heureuse, après que l'homme a résolu, tels qu'ils se reflètent en lui-même en fonction de son temps, de son pays, de sa classe, de sa condition et de sa singularité, tous les problèmes de son temps, tous les conflits de son temps » (*Expérience du drame*, p. 145). Or, ce qui anime un homme véritable, et ce sur quoi repose la dynamique des romans de Vailland, c'est la chasse au bonheur, cette chasse (où se réalise si l'on veut « la pulsion de vie ») dont le ressort est le désir, la volonté et le savoir de l'individu et des personnages, et son critère d'évaluation, le décalage ou non de leur existence avec l'Histoire.

Ces différences dans les ressorts de l'action romanesque révèlent des conceptions éthiques divergentes. Le roman de Vailland, en dégageant un besoin de « vivre sa vie » sans attendre un changement révolutionnaire, propose l'unité d'une éthique moderne de la singularité individuelle avec la stratégie d'alors du P.C.F., une unité qui donne lieu à un dépassement de l'opposition solution individuelle / solution politique collective propre à l'époque. Changer l'homme / changer la société : tandis que Vailland affirme la nécessaire concomitance des deux, Nizan subordonne au contraire l'un à l'autre, soumettant les actes de la vie personnelle à ceux de la vie collective. Voici Nizan : « être radical, c'est changer les conditions matérielles avant de

changer l'esprit » (*Pour une nouvelle culture*, p. 63). Et voilà Vailland :
« un être vivant digne de ce nom [...] ne cesse jamais d'essayer de
transformer le monde et lui-même dans le monde » (*La Nouvelle
Critique*, janvier 1956). En recentrant l'éthique révolutionnaire sur le
sujet, il semble bien que l'auteur de *Drôle de Jeu* marque, sur ces
terrains clefs de l'individu et de la politique, une avancée par rapport
à Nizan, décisive du moins pour l'idéologie communiste.

Alors, « Nizan/Vailland même combat », comme l'affirmait il y a
quelques années un numéro de *La Nouvelle Critique*[14] ? Sans doute.
Mais la comparaison des deux écrivains révèle surtout deux subjectivités, deux styles de vie et d'écriture fort différents. Et si l'on voulait
céder au plaisir d'une formule qui résumerait ces oppositions tout en
les radicalisant, l'on dirait volontiers que Nizan est un écrivain du
malheur, Vailland du bonheur.

Christian PETR

1. Nizan est né en 1905, Vailland en 1907.
2. « La littérature révolutionnaire exprimera tous ses objets [...] avec les armes de la
philosophie » (*Pour une nouvelle culture*, p. 36). Nous citons Nizan et Vailland dans
les éditions suivantes : *Aden Arabie*, Éd. du Seuil, coll. Points, n° R 392 ; *Les Chiens
de garde*, Maspero, n° 10 ; *Antoine Bloyé*, Le Livre de Poche, n° 3 173 ; *Les
Matérialistes de l'Antiquité*, Éd. d'Aujourd'hui, 1975 ; *La Conspiration*, Folio,
n° 511 ; *Chronique de septembre*, Gallimard, 1978 ; *Intellectuel Communiste*, 2 T.,
Maspero, n°s 55, 56 ; *Pour une nouvelle culture*, Grasset, 1971. *Drôle de Jeu* (1945), Le
Livre de Poche, n°s 640-641 ; *Expérience du drame*, (1953), Œuvres complètes,
Lausanne, Éd. Rencontre, 1967-1968, T. V ; *Laclos par lui-même*, Paris, Seuil, 1953 ;
Beau Masque (1954), Le Livre de Poche, n° 2 797 ; *325 000 francs* (1956), Le Livre
de Poche, n° 986 ; *La Fête* (1960), Folio, n° 505 ; *Écrits Intimes*, Paris, Gallimard,
1968.
3. Remarquons que Nizan et Vailland ne consacreront pas de textes théoriques à la
question qu'ils posent dans leurs romans : savoir ce qu'est un homme dans sa
singularité.
4. Vailland n'interviendra pas dans « l'affaire Nizan » : il ne fera d'ailleurs jamais
référence à sa vie ou à son œuvre.
5. Et l'on pourrait dire de Nizan ce que lui-même affirmait de Gide : sa « grande
aventure [...] fut un voyage en Afrique qui le révéla à lui-même » (*Intellectuel
communiste*, T. 1, p. 125).
6. Nizan : « Les socialistes se réunissent et parlent politique, élection, et après, c'est
fini, ça ne commande par leur respiration, leur vie privée, leurs fidélités personnelles,
leur idée de la mort, de l'avenir. Ce sont des citoyens. Ce ne sont pas des hommes [...]
le communiste a l'ambition d'être absolument un homme. » (*La Conspiration*,
p. 212) – Vailland : « Être communiste, c'est aussi, par-delà la doctrine et le combat,
tout un comportement, une manière d'être et de sentir, une configuration intime. »
(*Drôle de Jeu*, p. 288)
7. Vailland : « Il est probable que les peuples des colonies massacreront un jour
colons, soldats et missionnaires et viendront à leur tour "opprimer" l'Europe. Et

nous nous en réjouissons... Pénétrés de la forte joie d'être traîtres, nous vous ouvrirons toutes les portes. » (*Le Grand Jeu* n° 1, 1928) – Nizan : « la trahison est ici défendue, exigée [...] ne rougissons pas d'avouer que nous sommes des traîtres ». (*Les Chiens de garde*, pp. 122-123).

8. Cette résurgence, si peu marxiste, du millénarisme (par laquelle le désir excède la politique) s'appuie par ailleurs sur la certitude, propre aux révolutionnaires du moment, que la révolution est proche. Les choses changeront avec *325 000 francs*. Contrairement à *Beau Masque*, ce roman de 1955 se fonde sur la conviction d'un report de la transformation révolutionnaire de la société. *325 000 francs* marque ainsi la fin d'une période, celle de « l'avant-guerre », et ouvre sur notre présent.

9. « J'aime l'animation des villes ouvrières, à l'heure de la sortie des ateliers, les motos qui se frayent bruyamment leur chemin parmi les cyclistes, les boutiques pleines de femmes, l'odeur d'anis à la terrasse des cafés [...] les vitrines de Bionnas ont plus d'éclat qu'il n'arrive d'ordinaire en province ; elles évoquent les banlieues, Montrouge, Saint-Denis, Gennevilliers. » (*325 000 francs*, p. 6).

10. Elle constitue l'une des thèses principales de *Laclos par lui-même* : « Laclos n'est pas Valmont : c'est l'ennemi de classe des Valmont » (p. 8).

11. Exception faite d'*Expérience du drame* de Vailland pour le théâtre.

12. Il faut remarquer que l'attention aux formes esthétiques est plus grande chez Vailland que chez Nizan – voir par exemple la remarque de ce dernier : « L'art est pour nous ce qui rend la propagande efficace. » (*Pour une nouvelle culture*, p. 34) et celle de Vailland : « le fond, c'est de la forme mal foutue ». (*Écrits Intimes*, p. 691). On retiendra également comme symptomatique leur réflexion sur le journalisme : Nizan insiste sur les conditions d'établissement des faits (*Chronique de septembre*, pp. 7-18), Vailland, sur les conditions formelles de leur restitution (*Chronique d'Hiroshima à Goldfinger, 1945-1965*, p. 15, Paris, Éd. Sociales, 1984).

13. « Des romans de Dostoïevski, c'est *Le Joueur* que je relis le moins volontiers. Un être humain ne m'intéresse plus dès que je sais que son comportement est entièrement conditionné par la tuberculose, le jeu ou l'amour-passion. L'écrivain devra réagir comme moi [...] Ce qui me touche par excellence, c'est la lutte consciente et volontaire de l'homme contre le monde, sous tous ses aspects : le mineur défonçant l'Oural et le kolkhozien déniaisant le paysan pour édifier le socialisme [...] ou encore Brutus tuant César : *César m'aimait, je le pleure. Il avait de la chance, je m'en suis réjoui. Il fut courageux, je le respecte. Mais il voulait devenir tyran : je l'ai tué.* [Shakespeare] [...] Ce qui me touche, en un mot, c'est la tragédie. » (*Drôle de Jeu*, pp. 107-108)

14. N° 105, juin-juillet 1977.

POUR UN THÉÂTRE
DE DÉNONCIATION

Faire le bilan de la vie et de l'œuvre de Paul Nizan, c'est privilégier l'intellectuel communiste, le romancier, le journaliste. Il est rare que l'on associe son nom avec le théâtre. Hormis son adaptation de la comédie d'Aristophane, *Les Acharniens*, et un essai critique sur le dramaturge américain Eugène O'Neill, il semble que Nizan ne se soit guère passionné pour le théâtre. L'absence relative de textes théâtraux dans son œuvre est significative. Elle s'explique en premier lieu par une certaine hiérarchisation des formes culturelles dans l'esprit de l'écrivain : pour lui, « le grand genre littéraire qui tient aujourd'hui le rang occupé dans l'art classique par la tragédie est justement le roman »[1]. Nizan ne ressentait donc pas le besoin de s'aventurer outre mesure sur la scène dramatique. Par ailleurs, on relève chez lui un manque d'empressement à se lier à une cérémonie culturelle typiquement bourgeoise et nécessairement éloignée de la classe ouvrière. Pourtant, Henriette Nizan insiste sur le fait que l'écrivain nourrissait un vif intérêt pour l'expérience théâtrale, et qu'il fréquentait assez souvent les théâtres parisiens pendant les années Trente[2]. Il serait donc téméraire de négliger le potentiel de Nizan dans ce domaine. Bien que, à l'instar du Sartre de l'entre-deux-guerres, son projet littéraire fondamental fût le discours fictif du roman, la problématique théâtrale restait néanmoins une possibilité dans son horizon culturel.

Cette problématique théâtrale implicite s'inscrit dans le cadre d'un programme culturel et politique explicitement formulé dans toute son œuvre[3]. Le point de départ de la production littéraire chez Nizan est une division manichéenne entre une culture « classique » et une culture « nouvelle ». Foncièrement marxiste, il envisage la production culturelle comme un phénomène de classe sociale, et catégorise les écrivains et les artistes en deux camps antagonistes. D'un côté, les écrivains qui collaborent avec la bourgeoisie défendent les intérêts de leur classe et produisent une littérature irresponsable. Ils s'opposent à tout changement de l'ordre établi et tentent dans leurs écrits de dissimuler la réalité de l'existence sociale. Nizan rejette cette littérature classique comme un processus de déception axé sur la mystification, l'idéalisme et le symbolisme, et dont la mission principale est de soutenir la politique opprimante d'une classe en décomposition. De l'autre côté, les écrivains ralliés à la classe ouvrière produisent, selon lui, une littérature responsable et s'efforcent de mettre en lumière et de transformer la réalité sociale. Nizan ne cesse de plaider en faveur d'une littérature révolutionnaire, une littérature de révélation centrée sur le marxisme et le réalisme, et dont la raison d'être est la prise en compte des demandes sociales justifiées d'une classe en ascension.

La production littéraire de Nizan lui-même est en réalité beaucoup plus sophistiquée : au-delà de ce manichéisme culturel simplificateur et apparemment dogmatique, Nizan réussit, surtout dans son œuvre romanesque, à fusionner une conscience troublante de l'injustice sociale et une technique narrative de premier ordre. Ce qui est à retenir, cependant, dans cette ébauche préliminaire de la stratégie de production culturelle nizanienne, c'est la présence dans tous ses écrits, aussi stylisés soient-ils, d'une forte demande sociale. Cette stylisation, produit inévitable d'un long apprentissage de la culture bourgeoise, ne devrait pas occulter le message politique assez brut et direct situé au cœur de tous ses discours littéraires.

NIZAN DRAMATURGE

L'essai critique que Nizan consacre à l'œuvre dramatique d'Eugène O'Neill[4], prix Nobel 1936, sert à deux fins : il offre la possibilité à Nizan non seulement de placer O'Neill dans le camp des écrivains « révolutionnaires », mais aussi de critiquer la notion d'un théâtre « symboliste ». En effet, Nizan triche quelque peu lorsqu'il parle du théâtre d'O'Neill. Il fait exprès de situer O'Neill par rapport à Sinclair Lewis, le premier Prix Nobel américain. « Il est assez significatif », remarque-t-il, « que l'Académie suédoise ait choisi comme les deux plus grands représentants des États-Unis deux écrivains qui les dénoncent, comme si la civilisation américaine ne s'exprimait véritablement qu'à travers les dénonciations qu'elle rend inévitables, les refus qu'elle ne peut pas ne pas engendrer »[5]. Il y a donc une dimension tactique à cet article consacré à O'Neill en 1936, moment où le P.C.F. tente de rallier les intellectuels et les artistes à la cause du Front populaire. Nizan propose une lecture d'O'Neill à travers la grille d'une lecture de Sinclair Lewis et d'Erskine Caldwell, deux romanciers américains « réalistes » qu'il admire profondément. Il est intéressant à cet égard de comparer la réaction de Nizan à

O'Neill avec sa réaction à Caldwell [6]. Car lorsque Nizan analyse le cas d'O'Neill, il semble implicitement faire un amalgame avec l'auteur du *Petit arpent du Bon Dieu*. Puisque pour Nizan « tout écrivain américain véritable est un dénonciateur » [7], puisque « la véritable littérature américaine est tout entière déplaisante » [8], puisqu'elle est « une littérature offensante par sa vérité » [9], il s'ensuit que le théâtre d'O'Neill est nécessairement un théâtre de dénonciation où les injustices de la société américaine sont mises en cause.

La difficulté, c'est qu'O'Neill n'est pas comme Caldwell un écrivain expressément réaliste. Contrairement à Lewis, contrairement à Caldwell, O'Neill joue sur un registre plutôt symboliste. Ses dénonciations sont donc symboliques. La dimension révolutionnaire de ses écrits est un tant soit peu cachée par un symbolisme dramatique que Nizan n'accepte pas :

> *On ne peut s'empêcher de penser que la solution symbolique en art est presque toujours la marque d'une certaine défaite, d'une certaine dégradation de la pensée : le théâtre d'Eugène O'Neill, à qui il est pourtant impossible de refuser ce qu'on nomme le génie [...] joue sur un registre de symboles, presque tous naïfs. [...] [O'Neill] vise à la solution de problèmes universels touchant la condition de l'homme. [...] Mais, dans les conditions rigoureuses de l'art, cette ambition n'est jamais satisfaite que lorsqu'elle s'exprime par les moyens sévères et efficaces du réalisme ou de la poésie, c'est-à-dire par l'expression immédiate des passions et des événements et non par leurs déguisements et leurs transpositions symboliques, autrement dit par des signes efficaces et non par des métaphores abstraites. Entre la thèse brutalement exprimée et le symbole, il faut que le théâtre trouve sa voie* [10].

La dernière phrase de cette citation constitue presque un manifeste théâtral nizanien : rejet de toute expression univoque et simplificatrice, rejet de tout symbolisme mystificateur [11], recherche d'une voie théâtrale qui révèle et dénonce les injustices de la condition humaine par des moyens réalistes ou poétiques.

Ce qui est remarquable dans cette théorie théâtrale nizanienne embryonnaire, c'est sa parenté avec sa théorie du roman. La mission principale du roman est de révéler sans ménagement et sans obscurantisme symboliste la situation tragique de l'homme dans la société contemporaine. Cependant, puisque selon Nizan le roman aujourd'hui est l'équivalent de la tragédie de l'art classique, il s'ensuit que le théâtre contemporain doit chercher sa voie plutôt du côté burlesque, satirique. On dirait même que le burlesque fonctionne dans l'esprit de Nizan comme un contrepoids sain et tonique face à un symbolisme mystificateur. Dans son essai sur Caldwell, par exemple,

il note : « les éléments burlesques sont excellents, les éléments symboliques sont faibles, comme il arrive presque toujours »[12]. Révélation,
dénonciation, refus de toute mystification symboliste, recherche du
burlesque et du satirique, voilà les éléments fondamentaux d'un
théâtre nizanien. La seule expression de cette théorie se trouve dans
son adaptation des *Acharniens* d'Aristophane.

LES ACHARNIENS : PIÈCE DÉNONCIATRICE OU PLAIDOYER ÉPICURIEN ?

Nizan précise que le moment de production des *Acharniens*
correspond aux années 1934-1937. En 1934, à Moscou, Léon
Moussinac lui « demanda d'adapter une comédie d'Aristophane »[13].
Avant d'être portée à la scène, l'adaption des *Acharniens* fut d'abord
diffusée à la radio en février 1937. La pièce fut publiée la même année
aux Éditions sociales internationales[14]. Le moment de production
coïncida par conséquent avec l'essor du Front populaire. En préambule à une étude détaillée de cette pièce, il convient de rappeler le
contexte historique où elle vit le jour.

Du sectarisme à la coopération : 1934-1937

Les événements de février 1934 marquèrent aux yeux de Nizan un
grand tournant dans la vie politique et culturelle de la France.
Comme il le notait alors : « Personne n'est capable d'écrire en 1935 la
suite des livres de 1933. Nous vivons dans un temps qui presse
chacun de choisir une position politique : on verra peut-être un jour
que le 6 février 1934 établit un plan de clivage dans les lettres comme
dans la politique[15]. »

Nizan avait passé l'année 1934 en Union soviétique. Depuis son
entrée au P.C.F. en 1927 jusqu'à son départ pour Moscou en janvier
1934, il avait suivi une ligne politique et culturelle rigoureusement
sectaire. Ses écrits programmatiques de l'époque, « Notes-Pro-
gramme sur la philosophie » (1930), « Les Conséquences du refus »
(1930), « Littérature révolutionnaire en France » (1932), par exemple,
font preuve d'une intransigeance partisane : l'écrivain refuse toute
compromission avec un système capitaliste et une classe bourgeoise
détestés. En revanche, ses écrits programmatiques produits à partir
de 1935, tels « L'Ennemi public numéro 1 » et « Sur l'humanisme »[16],
témoignent d'une volonté de coopération avec les éléments progres-
sistes de la classe bourgeoise pour contrecarrer la menace d'un
fascisme de plus en plus dangereux. La politique de « la main
tendue », ainsi que les nombreux congrès antifascistes de l'époque
étaient autant de signes d'un changement décisif de la ligne culturelle
et politique pour le P.C.F. et pour Nizan lui-même. À partir de 1934,

donc, le mot d'ordre devint la création d'un Front populaire politique et artistique afin de barrer la voie au fascisme.

Les conséquences de ce revirement de stratégie politique et culturelle pour Nizan écrivain étaient doubles. D'une part, il se sentait obligé de ménager dans ses critiques les intellectuels et les artistes bourgeois susceptibles de se rallier au Front populaire – l'article qu'il consacre à O'Neill en 1936 a ici une valeur emblématique. D'autre part, ses propres écrits deviennent de plus en plus nuancés, de moins en moins sectaires. *Les Acharniens*, pièce représentée et publiée pour la première fois en 1937, porte nécessairement l'empreinte de cette prise de position plus conciliante.

Le Front populaire stimule donc la création d'un climat politique et culturel où l'on courtise tous les artistes et tous les intellectuels susceptibles de se rallier aux thèses anti-fascistes, et où l'on attaque de façon brutale tous les partisans d'un nazisme guerrier. Dans le domaine de la politique internationale surtout, la stratégie devient une croisade contre les forces fascistes de la guerre et une défense de la paix. Dans les articles qu'il consacre à la politique étrangère dans *L'Humanité* et *Ce Soir* à partir de 1935, Nizan souligne à maintes reprises la nécessité d'une sécurité collective internationale pour préserver la paix, pour s'opposer à un fascisme de plus en plus belliqueux, pour empêcher une deuxième guerre mondiale. « On ne répétera jamais trop », note-t-il en 1935, « la célèbre phrase de Romain Rolland : *La paix est mortelle pour l'hitlérisme*. Elle ne l'est pas moins pour le fascisme[17] ». Et encore : « Nul ennemi ne travaille plus patiemment contre le fascisme que la paix[18]. » L'adaptation nizanienne des *Acharniens*, dont la thèse principale est une défense de la paix et une satire violente contre la guerre, n'est donc pas sans rapport avec la stratégie politique et culturelle adoptée à la fois par Nizan et par le P.C.F. à l'époque du Front populaire.

Moyens comiques et fins satiriques

Nizan était fasciné par la philosophie et l'art de la Grèce antique. Outre son adaptation des *Acharniens*, il écrivit une nouvelle « grecque », *Histoire de Thésée*, et édita *Les Matérialistes de l'Antiquité*, morceaux choisis de Démocrite, d'Épicure et de Lucrèce. Il serait inexact, cependant, de voir un signe d'archaïsme dans cet intérêt pour la Grèce antique. La culture classique, qu'il s'agisse de sa dimension *matérialiste* ou de sa dimension *populaire*, replonge Nizan dans ses préoccupations journalières de militant et d'intellectuel communiste. Ce qu'il recherche dans la culture grecque, c'est la source de l'authenticité. À l'opposé de la culture bourgeoise contemporaine largement consacrée selon Nizan aux faux-fuyants et à un idéalisme trompeur, la culture de la Grèce antique s'adresse aux contemporains avec une franchise et une urgence louables. L'adaptation nizanienne des *Acharniens* d'Aristophane s'inscrit donc dans cette perspective. C'est un défi à un théâtre bourgeois gratuitement divertissant. Nizan proclame ses intentions de la façon suivante :

> *Il n'était pas question de donner une version intégrale de la pièce : elle est encombrée, comme tous les ouvrages de la Comédie ancienne, de jeux de mots presque tous scatologiques ou obscènes qui ne font pas rire les hommes modernes [...]. Il fallait donc ne garder que l'essentiel, qui est un réquisitoire contre la guerre, les hommes qui tirent profit d'elle et ceux qui s'y laissent duper, et un mouvement presque continu de poésie consacrée à la nature, au travail rural et à un érotisme sans détours* [19].

Nizan insiste sur l'actualité de la pièce : « Les lecteurs de 1937 retrouveront quelques-uns de leurs soucis dans des scènes dictées à Aristophane aux environs de 425 par les angoisses de la guerre du Péloponnèse [20]. » Il mise donc sur les possibilités catalytiques de la dramaturgie grecque, sur l'impact de la comédie d'Aristophane auprès des spectateurs contemporains. Le succès de cette entreprise théâtrale dépend par-dessus tout de la manière dont Nizan intègre les deux thèmes principaux de la pièce, « un réquisitoire contre la guerre », et « un mouvement presque continu de poésie consacrée à la nature ». Dès lors, on peut se demander si la voie théâtrale qu'il trace entre « la thèse brutalement exprimée et le symbole », réussit à éveiller chez les spectateurs le sentiment angoissant d'une condition humaine intolérable, ou si elle provoque plutôt la nostalgie d'une évasion épicurienne.

À première vue, *Les Acharniens* semble relativement non-problématique. L'action se déroule dans la Grèce antique au moment de la guerre entre Athènes et Sparte. Un personnage principal nommé Dicéopolis, paysan de l'Attique, refuse cette guerre et réclame la paix. Il décide de signer une paix pour son propre compte et s'oppose par conséquent aux forces de l'ordre athéniennes qui soutiennent les thèses de la guerre. Dicéopolis s'engage dans un combat verbal avec les Acharniens, partisans de la guerre, et surtout avec le général Lamachos, défenseur des droits et des privilèges militaires. Dicéopolis triomphe et sur les Acharniens et sur le général Lamachos. S'adressant aux spectateurs, il proclame la justesse de ses idées pacifistes et les encourage à suivre son exemple, à renoncer à la guerre et à accueillir joyeusement la paix.

Ce qui est en cause dans *Les Acharniens*, ce n'est pas le sort d'un individu particulier mais plutôt le bien-fondé d'une prise de position pacifiste en une période de guerre. La pièce ne propose pas vraiment ce qu'on pourrait appeler une action linéaire. Les sept tableaux se succèdent, cela va de soi, mais il n'y a ni véritable intrigue, ni suspense ni coup de théâtre. On assiste plutôt à une présentation dramatique de deux points de vue antagonistes. L'action linéaire, subordonnée à cette structure dramatique d'opposition entre la Paix et la Guerre, n'est donc qu'un leurre. La véritable dynamique de la pièce ne se trouve pas dans une suite chronologique d'événements, mais dans une série de démonstrations oppositionnelles. Il s'agit plutôt d'une succession de tableaux satiriques où les défenseurs de la guerre sont systématiquement attaqués et ridiculisés, tandis que sont exaltées les valeurs de la paix. Ainsi, satire violente et humour burlesque se rejoignent pour servir les fins dramatiques et politiques de Nizan dramaturge.

Dès le départ, Nizan insiste sur la nécessité de démystifier le principe même de la guerre et de mettre en évidence le fait qu'elle est un crime contre la nature dicté par des intérêts politiques et matériels.

La paix, c'est la culture. La guerre, c'est comme une grande mise en friche... La guerre écrase les villes de la Grèce dans son mortier ; le sang sort comme de l'huile. Athènes contre Sparte, Mégare contre Athènes. Nos villes sont comme des cosses de pois égrenées. Elles se montrent les dents comme des chiens. Mais les gens discourent sur le droit et la liberté, et les marchands d'armes les payent. Les policiers dénoncent des espions, des suspects. Le peuple choisit au hasard ses grands hommes, comme un homme nu ramasse le premier chiffon pouilleux sur la route[21]...

Le problème, c'est que la classe gouvernementale d'une nation, une fois installée dans une guerre qui lui profite, refuse d'envisager la possibilité de la paix et tente par tous les moyens de convaincre la masse des citoyens que la guerre est menée à leur avantage. Dicéopolis, simple paysan, en osant prononcer le mot *paix* à l'Assemblée, est traité de « provocateur »[22]. Même les Dieux sont accusés de saboter la guerre. « Quand on pense qu'ils sont immortels, qu'on ne peut même pas les exécuter pour défaitisme[23]. » Zeus, par exemple, est renié de façon brutale : « Il était menteur. Il était débauché, il était cruel, il était venimeux, il était parricide, il était adultère. Soit, ces petits défauts vont de soi. Mais pacifiste à présent ![24] »

Être pacifiste, donc, est le dernier des crimes puisque le pacifisme menace de mettre fin non seulement au profit financier que la classe gouvernementale et marchande tire de la guerre, mais aussi au profit idéologique et propagandiste qu'un État peut tirer de l'écrasement militaire d'une nation ennemie. En ce qui concerne ce dernier aspect, Nizan démystifie la notion d'une guerre juste et conteste l'honneur de mourir sur le champ de bataille en bon patriote. Puisque les guerres sont fabriquées par une classe qui en profite (« Les peuples, c'est pareil à un enfant sans jugement... Il y a toujours des malins pour fabriquer les occasions de la guerre et des imbéciles pour marcher »[25]), puisque les véritables causes d'une guerre sont toujours dissimulées ou du moins mystérieuses (« Vous vous rappelez le commencement de cette guerre ? Non ? C'est vrai, après quatre ans, comment savoir encore pourquoi on meurt[26] ? »), tout le discours patriotique n'est au fond qu'une mystification. Le patriotisme n'est pas synonyme d'une défense justifiée de la patrie. Il est devenu plutôt synonyme de la défense des intérêts de ceux qui tirent profit d'une guerre. « Un soldat et un patriote ne cherchent jamais à comprendre. La puissance de la République ne repose que sur ce défaut de curiosité »[27] ; « Un bon patriote, c'est souvent un homme qui ment[28]. » Nizan se sert donc du projet pacifiste de Dicéopolis pour procéder à une satire systématique non seulement de la classe gouvernementale qui trompe la population et de la population qui se laisse abuser, mais aussi de tous les groupes qui profitent de la guerre : les militaires, les marchands d'armes, les policiers, etc.

Le général Lamachos, symbole de la classe militaire, est mis au pilori par Nizan. Les chefs militaires se préoccupent par-dessus tout de leur carrière : « Mon métier, c'est la guerre... Tant qu'il restera un homme debout, une décoration à décerner, une tombe à remplir, je fais la guerre[29]. » La guerre, aux yeux d'un général, n'est pas une affaire de douleur, d'angoisse et de désespoir ; c'est plutôt une affaire de décorations et d'avancement social. Le peuple se laisse massacrer au nom d'un patriotisme dénué de sens et son sacrifice sert à l'avancement professionnel des chefs militaires : « les coups à recevoir ne sont pas le fait des généraux[30] ». « C'est l'affaire du peuple de se faire tuer. Un général n'a pas le coup de main. Il meurt mal. Ah ! le seul devoir qui soit vraiment beau, c'est encore le devoir des autres[31]. »

La critique dirigée contre ceux qui exploitent la guerre pour en tirer des avantages financiers est tout aussi féroce. Au-delà d'une attaque précise contre les marchands d'armes, représentés dans *Les Acharniens* par le marchand de cuirasses et le marchand de casques, c'est l'idée même de la guerre comme marché commercial que Nizan veut surtout souligner. Tandis que la paix représente pour les marchands d'armes la « morte saison »[32] « qui prophétise notre ruine »[33], la guerre est une bonne affaire : « On liquide, on solde ! Une seule tournée a épuisé mon stock. Quelle époque ! Les forgerons travaillent jour et nuit, les cuirasses coulent de mon atelier comme un fleuve. Je n'y suffis plus. La mode n'en passe point[34]. »

Les policiers sont également pris pour cible. En temps de guerre leur tâche principale est de surveiller le peuple afin de détecter et d'éliminer toute collaboration avec les ennemis de l'État. Autrement

dit, ils suivent la piste des « ennemis de l'intérieur », tous ceux qui
n'acceptent pas la propagande gouvernementale, tous ceux qui
critiquent le bien-fondé des thèses guerrières. Le policier Nicarque
qui accuse Dicéopolis de « commerce avec l'ennemi » et de « haute
trahison » est traité de façon dédaigneuse. Aux yeux de Dicéopolis,
Nicarque est une « bourrique », un « imbécile »[35].

Enfin, et d'une manière qui fait penser à l'éthique existentialiste
sartrienne, Nizan s'en prend à tous ceux qui *refusent de refuser* la
guerre, aux faibles qui manquent du courage nécessaire pour réclamer la paix : « Va pleurer chez les militaires ! Homme trop lâche pour
vouloir toi-même la paix ! La paix t'attend à Sparte. À pleins
tonneaux, à pleins foudres. À Sparte, à Sparte, si tu craches sur la
guerre[36]. »

Il est d'ailleurs frappant que cette satire systématique de la classe
gouvernementale, marchande et militaire qui profite de la guerre, et
de la masse des gens qui ne font que subir la guerre passivement,
reflète les catégories éthiques sartriennes. D'un côté, les *salauds*, les
chefs qui se croient justifiés, qui ont leur place dans le monde et qui
essaient de se dissimuler leur fade existence en se cantonnant dans
l'esprit de sérieux ; de l'autre côté, les *lâches*, les faibles qui n'ont pas
le courage d'affronter la réalité de l'existence humaine et qui préfè-
rent se réfugier dans la mauvaise foi. Comme l'affirme Dicéopolis de
manière superbement sartrienne : « Chacun doit se sauver lui-même.
Le seul service qu'on ait jamais rendu à l'homme a été de lui proposer
des exemples. Qu'ils m'imitent ![37] » Cette analogie avec la pensée de
Sartre s'ajoute, comme on le verra plus tard, aux ressemblances
formelles entre la dramaturgie nizanienne et sartrienne.

Pour autant, *Les Acharniens* n'est pas une pièce uniquement
empreinte de gravité. C'est une comédie où l'intention est de ridiculi-
ser tous ceux qui « fabriquent » la guerre. Les moyens dont Nizan se
sert pour arriver à cette fin hautement sérieuse sont donc principalement comiques. En ridiculisant les personnages, en les rendant à la
fois ineptes et grotesques, Nizan entre de plain-pied dans le domaine
du burlesque. Il ironise, par exemple, sur le général Lamachos qui,
bien que théoriquement courageux, est en réalité peureux et lâche :
« Mon moral a toujours froid quand on se bat. A-t-on jamais vu un
général en première ligne ! C'est la fin de tout[38]. » De même, les
marchands d'armes sont transformés en bouffons inefficaces. Une
fois la paix annoncée, les objets de leur commerce ne servent plus à
rien ; ou plutôt on détourne ces objets de leur fonction militaire. La
cuirasse devient un récipient domestique inoffensif : « J'y pourrais
mettre – déclare Dicéopolis – la seule chose qui soit digne d'une
cuirasse : de la fiente, des excréments, les productions d'un ventre
pacifique, des fèces, enfin du bran[39]. » Pareillement, les policiers sont

tournés en dérision. Puisque, selon Dicéopolis, « un flic... c'est un produit que nous fabriquons en grande série » [40], il décide de troquer le policier Nicarque contre une anguille ! « Voilà une bonne affaire. Une anguille contre un mouchard ! C'est bien de l'honneur pour la police [41]. » Même le jugement sévère porté sur les gens trop lâches pour refuser la guerre est quelque peu adouci par le biais du burlesque. D'abord hostile à un jeune marié dont la crainte de mourir sur le champ de bataille amenuise la vigueur sexuelle (« Je ne partage pas ma paix. Je n'ai pas trop de toute ma paix pour mes propres génitoires » [42]), Dicéopolis ne résiste pas à la femme qui parle de la part de la jeune épouse : « Dis à ta pucelle de frotter son mari de ma paix à l'endroit sensible que tu sais [43]... »

Les Acharniens juxtaposent des éléments acerbement satiriques et des éléments burlesques. Cependant, malgré la présence constante d'un humour rabelaisien, d'un plaidoyer épicurien qui prêche les valeurs d'un bonheur naturel, ce qui reste dans l'esprit des spectateurs à la fin de la pièce, c'est indubitablement un réquisitoire contre la guerre et un hymne à la paix. Deux tableaux (4 et 7) où Nizan s'adresse directement aux spectateurs, sont hautement symboliques à cet égard. Dans le septième et dernier tableau, les valeurs de la paix et les valeurs dionysiaques sont inextricablement mêlées :

> *Ô paix, où trouverai-je pour te saluer des paroles plus vastes que dix mille amphores ? Ô paix ! comme ton visage est étincelant ! Comme j'ai longtemps ignoré ton visage ! Des odeurs s'élèvent de ta poitrine, tu es l'odeur même des Dionysiaques ; tu es le chant des flûtes, la chair des grives, les filtres à vin, les brebis, les femmes affairées dans les cuisines, les filles ivres, les amphores versées. Ô pacifique, que l'amour m'unisse à toi ! [44]*

Ce rapport intime entre la paix et la vie libertaire et dionysiaque ne doit pas nous aveugler, cependant, sur la nature de cette pièce. Il ne s'agit pas d'un plaidoyer en faveur d'une existence épicurienne éloignée de la réalité des conflits politiques et sociaux ; il s'agit plutôt d'une prise de conscience de la réalité amère de la guerre et d'une critique de la propagande belliciste. Dans le quatrième tableau Nizan insiste sur la fonction démystificatrice de l'expérience théâtrale :

> *Ah ! spectateurs ! Le poète vous éclaire. Vous ne vous laisserez plus prendre aux phrases des provocateurs. Athènes, ville couronnée de violettes, les compliments t'avaient amollie comme une fille. Tu n'attendais que le fouet des vérités. Le poète dévoile le mystère de l'enfantement de la guerre. Trahiras-tu encore celui qui chante la justice [45] ?*

NIZAN ET SARTRE : VERS UN THÉÂTRE DE SITUATIONS

Depuis la mythologisation du célèbre tandem Sartre-Nizan, il est devenu banal de parler des ressemblances entre la vie et l'œuvre de ces deux écrivains. La relative absence de textes théâtraux nizaniens, cependant, n'a pas encouragé les recherches dans ce domaine. Pourtant, dès qu'on examine de près la ligne directrice de la dramaturgie nizanienne, les ressemblances avec le théâtre sartrien sont frappantes. La première production dramatique de Sartre, *Bariona*[46], date de 1940, trois ans après la mise en scène des *Acharniens*. Malgré la distance idéologique qui séparait Sartre et Nizan pendant les années 30[47], il semblerait que leurs conceptions théâtrales de base fussent orientées dans la même direction.

Dans l'introduction aux *Acharniens* Nizan insiste sur l'aspect *collectif* de la dramaturgie grecque d'Eschyle à Aristophane. À l'opposé des drames bourgeois contemporains qu'il écarte dédaigneusement comme « des divertissements proposés à des spectateurs solitaires ou à de petits clans unis par la mode, la vie mondaine et une culture détournée de sa signification générale »[48], il plaide en faveur d'un grand spectacle de masse qui aurait mission de créer des rapports de complicité entre l'auteur, l'acteur et le public. Tels les drames athéniens de la Grèce antique, il s'agirait « beaucoup moins d'un spectacle que d'une communion »[49]. Nizan reste convaincu qu'une dramaturgie orientée dans le sens d'une prise de conscience collective ne nuirait pas à la qualité du spectacle parce que la valeur du drame résiderait plutôt dans sa capacité à mobiliser les émotions, à captiver les sentiments, et non dans une simple rigueur formelle. Le rapport avec le théâtre sartrien est à cet égard saisissant. « Ce théâtre – note-t-il – était... un théâtre d'actualité, soit qu'il empruntât ses thèmes à un répertoire légendaire de mythes et d'histoires qui gardaient aux yeux des Grecs une signification permanente, soit qu'il entreprît de présenter des événements contemporains dans l'ordre des mœurs ou de la politique[50]. »

Trois ans plus tard, quelques mois après la mort de Nizan, au moment de la production de *Bariona*, Sartre aboutit à une conception du théâtre étonnamment semblable :

Lorsque j'étais prisonnier en Allemagne en 1940, j'ai écrit, mis en scène et joué une pièce de Noël [...] qui s'adressait à mes compagnons de captivité [...] À cette occasion, comme je m'adressais à mes camarades par-dessus le feu de la rampe, leur parlant de leur condition de prisonniers, quand je les vis soudain si remarquablement silencieux et attentifs, je compris ce que le théâtre devrait être : un grand phénomène collectif et religieux [...] si nous rejetons le théâtre de symboles, nous voulons, cependant, que le nôtre soit un théâtre de mythes ; *nous voulons tenter de montrer au public les grands mythes de la mort, de l'exil, de l'amour*[51].

L'aspect collectif d'une part, l'aspect mythique d'autre part sont les deux pierres de touche, donc, de la dramaturgie nizanienne et sartrienne. Mais les ressemblances dépassent la simple théorie. La dernière pièce de Sartre, *Les Troyennes*[52], est une adaptation d'une tragédie d'Euripide dont le thème principal est justement la guerre :

> *Du temps même d'Euripide, [le drame des Troyennes] avait une signification politique précise. Il était une condamnation de la guerre en général et des expéditions coloniales en particulier.*
> *La guerre, nous savons aujourd'hui ce que cela signifie : une guerre atomique ne laissera ni vainqueurs ni vaincus. C'est précisément ce que toute la pièce démontre : les Grecs ont détruit Troie, mais ils ne tireront aucun bénéfice de leur victoire puisque la vengeance des Dieux les fera périr tous. Que « tout homme sensé doit éviter la guerre », comme l'affirme Cassandre, il n'était même pas besoin de le dire : la situation des uns et des autres en témoigne assez. J'ai préféré laisser à Poséidon le mot de la fin : « Vous crèverez tous*[53]. *»*

Les Acharniens, version nizanienne, « réquisitoire contre la guerre, les hommes qui tirent profit d'elle et ceux qui s'y laissent duper » ; *Les Troyennes*, version sartrienne, « condamnation de la guerre en général et des expéditions coloniales en particulier ». Quelle meilleure preuve de la correspondance d'idées politiques et dramatiques entre Nizan et Sartre ?

Michael SCRIVEN

N.B. Je tiens à remercier la British Academy qui subventionna mes recherches sur Nizan.

1. P. Nizan, « *L'Année des vaincus* par André Chamson », dans S. Suleiman (éd.), *Paul Nizan : Pour une nouvelle culture*, Grasset, Paris, 1971, p. 88.
2. Entretien avec Henriette Nizan, 5 octobre 1990.
3. Voir « Nizan's Revolutionary Literature », dans M. Scriven, *Paul Nizan Communist Novelist*, Macmillan, London, 1988, pp. 99-112.
4. P. Nizan, « Eugène O'Neill : Prix Nobel 1936 », dans S. Suleiman *op. cit.*, pp. 222-227.
5. *Ibid.*, p. 222.
6. P. Nizan, « Images de l'Amérique : *Le Petit Arpent du Bon Dieu* », dans S. Suleiman, *op. cit.*, pp. 217-221.
7. *Ibid.*, p. 217.   8. *Ibid.*, p. 218.   9. *Ibid.*, p. 218.
10. P. Nizan « Eugène O'Neill : Prix Nobel 1936 », dans S. Suleiman, *op. cit.*, pp. 223-224.
11. Voir à cet égard l'article de Nizan consacré à Céline : « Pour le cinquantenaire du

symbolisme : *Mort à crédit* par Louis Ferdinand Céline », dans S. Suleiman, *op. cit.*,
pp. 205-210.

12. P. Nizan, « Images de l'Amérique : *Le Petit Arpent du Bon Dieu* par Erskine
Caldwell », dans S. Suleiman, *op. cit.*, p. 220.

13. P. Nizan, « Introduction aux *Acharniens* », Éditions sociales internationales,
Paris, 1937, p. 7.

14. *Ibid.*, p. 10.

15. P. Nizan « *Les Violents* par Ramon Fernandez », dans S. Suleiman, *op. cit.*, p. 172.

16. Ces deux textes datent de 1935.

17. *L'Humanité*, 4 août 1935, p. 3.

18. *L'Humanité*, 5 août 1935, p. 3.

19. P. Nizan, « Introduction aux *Acharniens* », pp. 7-8.

20. *Ibid.*, p. 8.

21. P. Nizan, *Les Acharniens*, p. 15-16.

22. *Ibid.*, p. 21.   23. *Ibid.*, p. 25.   24. *Ibid.*, p. 20.   25. *Ibid.*, p. 42.
26. *Ibid.*, p. 42.   27. *Ibid.*, p. 38.   28. *Ibid.*, p. 43.   29. *Ibid.*, p. 47.
30. *Ibid.*, p. 46.   31. *Ibid.*, p. 72.   32. *Ibid.*, p. 59.   33. *Ibid.*, p. 61.
34. *Ibid.*, p. 58.   35. *Ibid.*, pp. 56-57.   36. *Ibid.*, p. 68.   37. *Ibid.*, p. 31.
38. *Ibid.*, p. 71.   39. *Ibid.*, p. 60.   40. *Ibid.*, p. 56.   41. *Ibid.*, p. 57.
42. *Ibid.*, p. 69.   43. *Ibid.*, p. 70.   44. *Ibid.*, pp. 76-77.   45. *Ibid.*, p. 49.

46. J.-P. Sartre, *Bariona, fils de tonnerre*, dans M. Contat, M. Rybalka, *Les Écrits de
Sartre*, Gallimard, Paris, 1970, pp. 565-633.

47. « Je me sentais contesté par le marxisme parce que c'était la pensée d'un ami et
qu'elle venait en travers de notre amitié », « Autoportrait à 70 ans par Jean-Paul
Sartre », *Le Nouvel Observateur*, 7-13 juillet 1975, p. 70.

48. P. Nizan, « Introduction aux *Acharniens* », p. 9.

49. *Ibid.*   50. *Ibid.*, p. 10.

51. J.-P. Sartre, « Forger des mythes », dans *Un théâtre de situations*, Gallimard,
Paris, 1973, pp. 61-62. (C'est moi qui souligne.)

52. J.-P. Sartre, *Les Troyennes*, adaptation de la pièce d'Euripide, Gallimard, Paris,
1966. Il est d'ailleurs intéressant de noter que Sartre définit sa pièce la plus
explicitement politisée, *Nekrassov*, comme une « farce-satire » dans la tradition
d'Aristophane. Voir M. Scriven, « Press Exposure in Sartre's *Nekrassov* », *Journal of
European Studies*, XVIII, 1988, pp. 267-280.

53. J.-P. Sartre, « Introduction aux *Troyennes* », reproduite dans *Un théâtre de
situations*, *op. cit.*, p. 364.

LES GÉNÉRATIONS NIZAN

Une histoire en chantier

« – Il y eut la génération des petits camarades, celle des Camarades tout court, celle de la Libération ; il y eut aussi la génération de-la-préface-de-Sartre-à-*Aden* et de Mai 68, celle des années 70, et, peut-être, celle des années 80. Quelle impression cela vous fait-il de voir se succéder ainsi les vagues de "nizanistes" ?

– Cela me donne l'impression que je suis là depuis longtemps. »

Par cette boutade, Henriette Nizan clôturait le colloque « Paul Nizan et les intellectuels de son temps » organisé en 1986 à la Cité Internationale de Paris[1]. Avec l'humour légèrement teinté d'ironie qu'on lui connaît, Rirette esquivait donc une question qu'elle jugeait trop universitaire pour être fondée.

Que pourrait être une histoire des générations Nizan, à partir de quels matériaux se construirait-elle, et quelle serait son utilité ? Cet article tente de dégager quelques-unes des pistes qui permettraient d'identifier les générations Nizan, indiquant par là-même dans quelles directions des recherches pourraient être entreprises.

Car l'histoire des générations Nizan est une histoire en chantier. Si l'auteur de *La Conspiration* a d'ores et déjà fait l'objet de nombreuses études de grande qualité, en revanche certains aspects de son œuvre, en particulier sa diffusion et son accueil critique, sont encore à défricher[2].

L'étude des générations Nizan se heurte à un double problème de méthode et de sources. Cependant, une première typologie peut être esquissée, ouvrant ainsi la voie à une investigation plus fouillée.

QUELLE MÉTHODE ET QUELLES SOURCES ?

À partir de quels matériaux une histoire des générations Nizan peut-elle être construite ? Et d'abord, qu'est-ce qu'une « génération

Nizan » ? Une génération est un groupe d'individus identifié par des caractéristiques communes, qui se réfère le plus souvent à un événement dateur historiquement situé, et qui assume une conscience de groupe minimale.

Dès lors, on pourrait définir une génération Nizan comme un groupe de personnes qui partage, à un moment précis et par rapport à un contexte donné, une même interprétation de l'œuvre, ceci indépendamment de son contenu. Ce groupe peut être plus ou moins homogène, et plus ou moins nombreux.

Toutefois, une précision s'impose de suite. Nizan est un grand écrivain, mais non un écrivain majeur. Son influence sur les générations successives est importante dans les milieux intellectuels, surtout à Paris, et en particulier dans les années trente et soixante. Mais elle est moyenne quand on se place cette fois à l'échelle du siècle.

Si l'on compare – comment ne pas le faire ? – Nizan et Sartre, on est forcé de constater que, même au faîte de sa notoriété, Nizan n'eut jamais pour ses contemporains le prestige qu'eut par la suite Sartre pour les siens. C'est donc au sein d'une perspective modeste qu'il faut évaluer un éventuel phénomène de génération, et non par rapport à une échelle générale et abstraite.

Une seconde précaution méthodologique touche au rapport qui associe l'homme et l'œuvre du point de vue du lecteur. Pour être classique, la progression dialectique entre ces deux éléments n'en est pas moins particulièrement riche en ce qui concerne Nizan. Parce que l'écrivain est mort jeune, l'essentiel des générations Nizan qu'il s'agit d'étudier lui sont postérieures, et s'appuient donc sur des références essentiellement livresques. Par conséquent, pour reprendre l'exemple évoqué ci-dessus, la situation est tout à fait inverse de celle de Sartre, qui vécut durant plusieurs décennies au milieu d'une cour assidue – et critique.

Mais, d'autre part, parce que le choix militant de Nizan l'empêchait de dissocier l'action politique du travail littéraire, la biographie revient sans cesse au milieu des lectures. En clair, les lecteurs de Nizan n'ont dans leur immense majorité aucune chance de l'avoir connu ou fréquenté, mais ils placent pourtant sa biographie au cœur de leur compréhension de l'œuvre. Il y a là un aspect original et singulier, sans doute propre au lectorat de Nizan, et dont il faudra évaluer la transmission entre les générations.

Le troisième écueil que l'on rencontre est lié aux deux précédents. Peut-on parler de générations Nizan alors qu'elles ne se composeraient que de lecteurs, non de contemporains, et qu'elles ne s'appuieraient que sur un des aspects de sa vie, à savoir sa littérature ?

Paul Nizan n'était pas seulement un écrivain romancier. Pamphlétaire, polémiste, journaliste reconnu, militant actif et convaincu aussi, il incarna de façon exemplaire ce que l'on devait appeler un « intellectuel engagé ». À 35 ans, il ne restait plus au directeur du service Politique étrangère de *Ce Soir* que quelques mois à vivre, mais il avait déjà derrière lui plusieurs biographies possibles. Tout ceci est bien connu.

On sait aussi que l'articulation entre les différents aspects de son œuvre ne fut pas le fruit du hasard[3]. En bon marxiste, l'auteur du *Cheval de Troie* tissa son ouvrage littéraire avec autonomie certes, laissant à son génie la part de création qui lui revenait, mais toujours au sein d'une perspective plus large. Car son art était avant tout au service d'un combat, la révolution, qui était à la fois son but et son ressort.

Dès lors, il peut paraître artificiel de tenter une mise en perspective des générations Nizan à travers un seul des multiples aspects de sa vie – son entreprise littéraire –, *a fortiori* quand on connaît la faible notoriété dont jouirent à l'époque la plupart de ses livres[4].

On peut justifier ce choix en insistant sur le statut privilégié de l'écrit chez l'homme de formation toute littéraire qu'était cet ancien élève de la rue d'Ulm. On peut aussi, de façon plus subjective, évoquer la dimension irréductible et la valeur exemplaire de l'œuvre d'art, même si celle-ci est contrainte par son auteur de fonctionner à l'intérieur d'un cadre doctrinaire bien défini.

Mais il est plus simple de reconnaître que, pour les générations postérieures à la guerre, Nizan est d'abord l'auteur des livres que l'on peut se procurer en librairie ou chez les bouquinistes[5]. Les articles de journaux ont disparu, les témoins sont rares ou silencieux. Enfin, il n'existe aucun enregistrement radiophonique ou cinématographique connu qui ait été conservé. La postérité de Nizan se résume donc bien pour l'essentiel à ses livres, augmentés de quelques dizaines de lettres publiées progressivement et dont ses contemporains, en revanche, n'eurent pas connaissance.

C'est sur cette base que se forme, au moins depuis la guerre, l'esprit des générations Nizan. Mais, pour être tout à fait complet dans l'énumération des facteurs intervenant dans la formation du mythe, il faut encore ajouter aux livres *de* Nizan ceux écrits *sur* Nizan. Parce qu'ils contribuent également à la transmission d'une image codée de l'écrivain, ils posent un quatrième problème de méthode.

Parmi ces livres, il va de soi qu'une mention particulière doit être faite de la fameuse préface de Sartre à *Aden Arabie*. Non seulement parce qu'elle marque le retour de Nizan dans la culture littéraire et politique française après dix, vingt ans d'oubli[6], mais encore parce qu'elle émane de l'intellectuel le plus populaire de l'après-guerre, qui est, de surcroît, le camarade de jeunesse de Nizan[7].

QUI SONT LES LECTEURS DE NIZAN ?

Non seulement il n'existe pas de bonne méthode pour évaluer le phénomène des générations Nizan, mais encore la rareté des sources dans ce domaine contraint l'historien à des investigations aléatoires. Comment évaluer l'accueil critique de l'œuvre par les contemporains et par les générations ultérieures en l'absence de documents suffisamment nombreux ?

Certes, une recherche peut toujours être menée en direction des comptes rendus de lecture et des correspondances littéraires. On peut aussi faire le point des tirages, traductions, ventes et commentaires de l'œuvre. Mais si une telle enquête enrichirait effectivement notre connaissance de Nizan, elle nous renseignerait finalement fort peu sur l'identité de ses lecteurs et sur la nature de leurs motivations. L'historien est donc contraint de solliciter les sources, c'est-à-dire les lecteurs eux-mêmes.

Malheureusement, l'identification de ceux-ci s'avère impossible. À l'exception de ceux d'entre eux qui, particulièrement motivés, se sont manifestés par la publication de travaux de recherches. Cette fraction infime du lectorat est particulièrement intéressante, mais non représentative. À défaut, elle présente au moins le mérite d'être identifiée et relativement accessible.

Sur cette base, une pré-enquête, c'est-à-dire une enquête expérimentale menée sur une échelle réduite, a été conduite durant le printemps et l'été 1991. Un questionnaire a été adressé à deux reprises à une cinquantaine de personnes connues pour avoir publié au moins un article ou un livre sur Nizan, tant en France qu'à l'étranger.

Le but de l'enquête était de dresser un pré-portrait type du lecteur de Nizan, éventuellement décliné sur le mode générationnel. L'échantillon sélectionné, composé essentiellement d'intellectuels (professeurs d'université, militants politiques, écrivains et artistes), présentait à l'évidence des caractéristiques atypiques (la lecture critique et analytique doublant l'approche sentimentale et émotionnelle). D'emblée, il ne pouvait donc être représentatif que de lui-même. Mais l'historien n'a guère le choix, et ne peut travailler qu'à partir de ce type de sondage.

Quelles étaient les questions posées ? Formulé de la manière suivante, le questionnaire devait permettre de révéler plusieurs aspects du problème :

1. Dans quelles circonstances avez-vous découvert l'œuvre de Nizan (quel âge aviez-vous, quel était votre profil « socio-politique », comment en avez-vous eu connaissance, quelle fut votre première lecture, comment avez-vous réagi) ?

2. Pouvez-vous citer des sources indirectes qui auraient stimulé votre découverte ?

3. Avez-vous lu la totalité de l'œuvre, et, dans l'affirmative, dans quel ordre, à quel rythme, dans quel but, et quels furent alors vos textes préférés ?

4. Partagiez-vous cette découverte avec d'autres personnes de votre entourage (de quelle façon, quels furent leur rôle, leurs réactions) ?

5. La vie de l'auteur vous intéressait-elle, et, dans l'affirmative, pour quelles raisons ?

5. Par quel moyen avez-vous pris connaissance de la biographie de Nizan, et quel fut le texte qui vous parut le plus éloquent à ce propos ?

7. Pouvez-vous rappeler brièvement les travaux que vous avez consacrés entièrement ou partiellement à Paul Nizan ?

8. Qu'est-ce qui vous a décidé à conduire ces recherches ?

9. Avec qui étiez-vous en contact durant cette période ?

10. Quel écho eut la diffusion de votre(s) étude(s) ; pouvez-vous évoquer les réactions rencontrées, des correspondances ou des échanges suscités à cette occasion ?

11. Quelle est aujourd'hui votre opinion sur l'œuvre, l'auteur et sa postérité ?

12. Avec le recul, comment jugez-vous votre propre travail ?

13. Avez-vous un nouveau projet en cours de réalisation qui soit en rapport avec cet auteur ou son environnement ? À défaut, quels sont les thèmes qui vous paraissent être encore à défricher ?

14. Recommandez-vous parfois la lecture de Nizan à des personnes de votre entourage, et, dans l'affirmative, pour quelle(s) raison(s) et quel(s) texte(s) proposez-vous à la lecture ?

15. Autres suggestions et remarques.

Le taux de réponse à cette enquête fut relativement élevé[8], si l'on tient compte des pertes et des retards qui ont pu intervenir[9]. Le niveau de précision des réponses est inégal et leur aspect peu homogène ; ceci rend l'exploitation des données assez aléatoire. Il apparaît surtout que, si le canevas des questions s'avère à l'usage pertinent et permet de dégager les informations recherchées, il n'atteindra sa pleine efficacité que dans la mesure où l'on aura recours à l'entretien oral, et non écrit. En outre, un phénomène d'âge intervient qui provoque une sur-représentation de la génération des années soixante et soixante-dix.

La synthèse des réponses collectées fera elle-même l'objet d'une publication spécifique. Toutefois, on peut d'ores et déjà avancer quelques remarques.

Tout d'abord, il est frappant de constater que la quasi-totalité des personnes interrogées affirment avoir découvert Nizan entre dix-huit et vingt-cinq ans, le plus souvent à l'Université et par *Aden Arabie*. Seuls les étrangers découvrent Nizan à un âge plus avancé, après trente ans.

Socialement, les « chercheurs de Nizan » (tel pourrait être la définition de l'échantillon effectivement sondé) appartiennent à la classe moyenne et sont plutôt de gauche (issus de l'extrême gauche militante, et rangés dans une gauche plus conciliante). Plus précisément, la plupart sont issus des classes intermédiaires économiquement dominées mais accédant à la classe intellectuellement dominante, pour reprendre une classification célèbre. L'identification au parcours de Nizan, le thème de la transition-trahison de classe tel qu'il est relaté dans *Antoine Bloyé* est très consciemment exprimé.

Rares sont ceux qui ont lu à l'époque de leur découverte la totalité de l'œuvre de Nizan. Les livres les plus souvent cités sont, dans l'ordre de fréquence, *Aden Arabie, La Conspiration* et *Antoine Bloyé*. Les ouvrages publiés sur Nizan ont été peu lus à l'époque, à l'exception du recueil de lettres publié par Maspéro sous la direction de Jean-Jacques Brochier (*Paul Nizan, intellectuel communiste*).

Mais, c'est une autre caractéristique commune, presque tous ont relu Nizan au cours des années quatre-vingt, le plus souvent à la suite de la parution des biographies d'Annie Cohen-Solal et de Pascal Ory. La lecture est en général plus exhaustive, et le classement des livres par ordre de préférence et de recommandation s'établit d'une autre façon : *La Conspiration* est le livre préféré, et aussi le plus recommandé, mais il est suivi de très près par *Le Cheval de Troie*, puis par *Antoine Bloyé*. Sauf pour quelques inconditionnels, *Aden Arabie* régresse.

Dernière observation : très souvent cité, *Libres mémoires* d'Henriette Nizan et de Marie-José Jaubert est le récit qui rend le mieux compte de la période.

TYPOLOGIE DE HUIT GÉNÉRATIONS

En ajoutant les indices obtenus par cette pré-enquête aux informations déjà collectées par ailleurs (biographies, récits, mémoires), on peut tenter de dresser un premier tableau comprenant une typologie en huit générations. Plus exactement, huit strates successives peuvent être identifiées comme ayant chacune des caractéristiques propres et un comportement particulier.

La première strate se constitue au début des années vingt, et rassemble le cercle des intimes. Elle comprend les « petits camarades » de la rue d'Ulm (Raymond Aron, Maurice de Gandillac, Henri Guillemin, André Herbaud, Daniel Lagache, René Maheu, Alfred

Péron, Jean-Paul Sartre...), ainsi que les amis plus ou moins proches qui gravitent à l'époque dans le quartier latin (Henriette Alphen, Simone de Beauvoir, Emmanuel Mounier..., ou encore l'équipe de la revue *Bifur*).

Ce premier groupe est peu nombreux. En outre, il se constitue antérieurement à l'entreprise d'écriture de Nizan, principalement sur la base de critères d'ordre affectif et personnel. Il y a certes, au sein de ce groupe informe, une homogénéité intellectuelle minimale, mais elle est secondaire.

La seconde strate rassemble un nombre de personnes sensiblement plus important. Elle est aussi plus homogène, puisque constituée de la mouvance communiste d'avant-guerre. En son sein, il faut distinguer quatre sous-groupes, qui apparaissent successivement entre le milieu des années vingt et la fin des années cinquante.

Le premier réunit les communistes de la période étudiante, c'est-à-dire de Normale et de la Sorbonne (comme Georges Friedmann, Henri Lefebvre, Georges Politzer...). Le second correspond à l'épisode de Bourg-en-Bresse. Mais il ne nous reste presque aucune information sur ces militants dont Nizan affirmait pourtant avoir été si proche. Le troisième concerne les cercles intellectuels parisiens plus ou moins durablement liés au P.C.F. (avec Louis Aragon, Elsa Triolet... d'un côté, et Julien Benda, André Gide, André Malraux... de l'autre), au sein desquels les Nizan évoluent après leur retour d'URSS.

Le quatrième et dernier sous-groupe comprend la mouvance communiste qui, à la suite de Maurice Thorez, entreprend de discréditer Nizan dès sa démission du Parti. Émergeant donc dès 1939, il prend sa configuration maximale dans les années qui suivent la Libération (avec notamment Louis Aragon, Laurent Casanova et Henri Lefebvre), et ne disparaît jamais tout à fait, puisqu'aussi bien les calomniateurs d'hier ne sont jamais revenus sur leurs propos de façon explicite.

Les compagnons fidèles à la mémoire de Nizan en 1945-1947[10] constituent la troisième strate. Elle est très restreinte, mais très active également. Elle présente la particularité de rassembler des intellectuels d'origine très variée (Julien Benda, Pierre Bost, Jean Bruhat, Albert Camus, Louis Martin-Chauffier, Jean Paulhan, André Ulmann...), prélevés pour certains dans les trois strates précédentes (Raymond Aron, Jean-Paul Sartre...).

Durant les années cinquante, Nizan sombre dans l'oubli. Ses livres ne sont plus disponibles et ne sont pas réédités, faute de demande. Pourtant, à cette époque, les traductions étrangères d'*Antoine Bloyé*, du *Cheval de Troie* et de *La Conspiration* se multiplient[11]. A-t-il été lu dans les bibliothèques ? A-t-il inspiré des mouvements d'idées ? Il n'existe aucune information à ce propos. Toutefois, la rareté des publications dans la presse laisse entrevoir une véritable « traversée du désert ».

Puis, succédant à cette génération introuvable et sans identité, survient la cinquième génération. En 1960 est republié *Aden Arabie*, accompagné de la fameuse préface de Sartre : le succès est immédiat. Il répond aux attentes de la jeunesse étudiante, qui sont exigeantes et contradictoires. Nizan apparaît alors comme un héros au sens le plus fort du terme. Pacifiste internationaliste, il meurt cependant les armes à la main en défendant son pays ; communiste révolutionnaire, il ne se compromet pas avec le cynisme du Parti et demeure humaniste avant tout ; journaliste averti, il est aussi écrivain de talent ; de mœurs libérales, il est également père de famille, etc. Ce modèle l'emporte durant toute la décennie.

La génération suivante est directement issue de la précédente. Elle naît sur les barricades de 1968 et dure jusqu'au milieu des années 70 (Ariel Ginsbourg, Youssef Ishaghpour). Elle se singularise par son radicalisme : Jean-Pierre Barou et le groupe de la revue *Atoll*, qui consacre un numéro spécial à Nizan quelques jours avant que n'éclatent les événements de Mai, en expriment assez bien l'état d'esprit.

Cette génération voit dans Nizan un anarchiste maoïste avant l'heure, et surtout un rempart contre les méthodes staliniennes à l'époque où les chars de Moscou sont à Prague. Les anarchistes de Normale Sup, dont les agissements provoquent la fermeture de l'École à Pâques 1971, s'inspirent volontiers des textes de Nizan. C'est à cette époque d'ailleurs que sont publiées les premières études sur Nizan (recueils de textes, biographies), tandis que sont réalisés plusieurs films (Pierre Beuchot, Marcel Bluwal, Jacques Nahum), sans compter une adaptation au théâtre de l'Odéon du *Cheval de Troie* (Philippe Madral).

Enfin, durant ces quinze dernières années, il semble que deux approches différentes se soient succédé, marquant peut-être la frontière entre deux générations distinctes.

À la fin des années soixante-dix, la critique a beaucoup progressé dans deux directions complémentaires. D'un côté, des biographies beaucoup plus conséquentes que celles qui avaient été écrites jusque-là parurent (en France, P. Ory, A. Cohen-Solal...). De l'autre, l'image d'un Paul Nizan-homme du Parti s'est renforcée (Jean-Jacques Brochier, James Steel...).

Mais, depuis quelques années, c'est une nouvelle image qui tend à s'imposer, où la vie privée de Nizan occupe moins de place, tout comme d'ailleurs son action politique ; Nizan devient avant tout un écrivain. À cet égard, le colloque organisé en 1987 à Lille par le

Centre du roman des années 20-50 (Bernard Alluin et Jacques Deguy) marque un tournant : pour la première fois, c'est bien la littérature qui est au centre du débat, reprenant ainsi la piste inaugurée plus tôt par Jacqueline Leiner et Susan Suleiman.

Ce premier tableau des générations Nizan n'a évidemment qu'une valeur indicative. Par ailleurs, il ne prend de sens que s'il est étayé d'une lecture critique attentive de la chronologie des textes publiés. Il suppose aussi que l'on fasse ressortir ce qui relève de l'histoire des idées en général, et ce qui ne tient qu'à l'histoire de Nizan. Enfin, il demande à être confronté à une comparaison internationale.

CONCLUSION

Inédite, peut-être parce qu'elle est difficile à écrire, l'histoire des générations Nizan n'est pas sans intérêt. Elle suppose tout d'abord une définition rigoureuse de ce que sous-entend cette expression vague. Une génération Nizan, ce pourrait être un groupe de personnes qui partagent une même interprétation de son œuvre, indépendamment de son contenu. Ce groupe, plus ou moins nombreux et plus ou moins homogène, est toujours historiquement daté ; huit générations successives ont ainsi été repérées.

Identifiées, ces différentes générations peuvent ensuite être confrontées. Par l'accumulation des contrastes, la comparaison fait ressortir des éléments constants (la réflexion sur la condition humaine) et des éléments variables (la réflexion sur la condition faite à l'homme et les moyens d'en changer), selon une dichotomie qui ressemble étrangement à l'opposition traditionnelle entre le mythe et la réalité, entre l'œuvre et son interprétation.

Dès lors, on s'aperçoit que l'étude des périphéries (amis, électeurs, lecteurs, calomniateurs, admirateurs...) permet avant tout de mieux connaître le centre (Nizan lui-même), dont les multiples aspects d'ordinaire enchevêtrés sont ainsi tour à tour révélés.

Dans cette optique, on aboutit finalement à une vision à la fois plus exhaustive et plus sélective de l'écrivain. Ce qu'une génération met en exergue, la génération suivante le gomme, privilégiant un autre angle d'approche. Traversant ces différents filtres, qui vont au-delà du simple effet de mode, le socle de l'œuvre sort consolidé de l'épreuve et apparaît finalement dans toute sa puissance.

En dernière analyse, l'approfondissement de l'investigation dans ce champ de la recherche devrait faire apparaître une image globale de Nizan sensiblement différente de celle qui domine aujourd'hui, où le politique occuperait moins de place que le philosophe, où le chercheur d'absolu l'emporterait sur le critique social, où enfin le révolté compterait plus que le révolutionnaire.

Ainsi dégagée des contingences de son époque, la pérennité de l'œuvre serait renforcée, et l'écrivain apprécié à sa juste valeur. Il ne devrait donc pas disparaître avec le communisme, auquel il consacra pourtant son existence, mais au contraire en incarner une interprétation positive qu'illustre bien cette définition personnelle qu'il en donna : « Ce que dit Karl Marx dans *Le Manifeste*, si ce livre est bien lu : l'homme est amour, et il est empêché d'aimer[12]. »

Hervé DEGUINE

1. Ce colloque fut organisé par des étudiants de l'Institut d'Études Politiques de Paris à la Cité Internationale de l'Université de Paris (Maison Heinrich Heine) le 12 avril 1986. Une exposition de photographies, de lettres, de manuscrits divers et d'effets personnels accompagnait le colloque, au terme duquel fut projeté le film de Pierre Beuchot, *Paul Nizan, le prix d'une révolte* (1968).
2. En ce sens, la thèse de Doctorat de Maurice Arpin (*La fortune littéraire de Paul Nizan. Une analyse des deux réceptions critiques*, Saint Francis Xavier University, Canada, 1991) ouvre des perspectives stimulantes.
3. Voir à ce propos, outre *Pour une nouvelle culture,* l'article écrit par Susan Suleiman dans *Critique* en novembre 1974, « Pour une poétique du roman à thèse : l'exemple de Nizan », et sa reprise ultérieure dans *Le Roman à thèse ou l'autorité fictive*, Paris, PUF, 1983.
4. Selon les archives d'Henriette Nizan citées par Pascal Ory, *Aden Arabie* aurait été tiré en janvier 1931 à environ 2 500 exemplaires, tandis que 2 200 des 3 036 exemplaires des *Chiens de garde* (1932) étaient toujours invendus en 1935. En 1938, *Les Matérialistes de l'Antiquité* a été publié à 8 000 exemplaires, soit autant que *La Conspiration* (in Pascal Ory, *Nizan, destin d'un révolté*, Paris, Ramsay, 1980, 330 p., p. 104 et s.).
5. Ce qui, d'ailleurs, ne va pas de soi.
6. Ainsi que le rappelle Pascal Ory, *La Conspiration* est mis au pilon en 1954 et *Le Cheval de Troie* l'année suivante, faute d'acheteurs (*op. cit.*, p. 254-255).
7. « Il faut désensartrer Nizan » se plaît à répéter Annie Cohen-Solal, évoquant la façon dont le philosophe de Saint-Germain-des-Prés s'est emparé de sa mémoire.
8. De l'ordre de 50 % par écrit, à quoi viennent s'ajouter des commentaires oraux.
9. À cet égard, je tiens à remercier vivement les nombreuses personnes qui ont accepté de prendre sur leur temps pour répondre au questionnaire qui leur était adressé. Il va de soi que ce type d'expérience ne peut aboutir sans la coopération de chacun.
10. Sur cette affaire, la recherche la plus récente est celle de Michael Scriven, « *Sartre and the Nizan Affair 1947 : Moral Conscience versus Political Expediency* », colloque de la Maison Française d'Oxford, Oxford, 1991.
11. Pascal Ory évoque même une traduction serbo-croate durant l'année 1955 (*op. cit.*, p. 255).
12. In *Bifur*, cité par Jean-Jacques Brochier in *Paul Nizan, intellectuel communiste*, Paris, Maspero, tome 1, p. 39.

REPÈRES
CHRONOLOGIQUES

1905   7 février : Naissance de Paul-Yves Nizan à Tours.

1911   Octobre : Entre à l'école primaire de Tours.

1913   Son père Pierre Nizan est nommé ingénieur des ateliers des Chemins de fer de Périgueux.

1913-1917   Paul-Yves fréquente l'école primaire puis le lycée de Périgueux. Son père est limogé à la suite d'un sabotage dans ses ateliers affectés à l'armement. Il devient chef de dépôt aux Entrepôts de Choisy-le-Roi, dans la banlieue sud de Paris. Après la guerre, il sera nommé ingénieur des Chemins de fer d'Alsace-Lorraine et s'installera avec sa famille dans la banlieue de Strasbourg.

1917   Élève au lycée Henri-IV à Paris, Nizan fait la connaissance de Jean-Paul Sartre.

1922   Khâgne avec Sartre au lycée Louis-le-Grand.

1923   Novembre : Écrit « La Cathédrale » et « Grèves », poèmes qui seront publiés dans *Valeurs* en juillet 1945.

1923-1924   Bref essai critique sur Clément Vautel dans le n° 1 de la *Revue sans titre* et deux nouvelles : « Hécate ou la méprise sentimentale » (n° 2), « La Complainte du carabin qui disséqua sa petite amie en fumant deux paquets de Maryland » (n° 4).

1924   Rédacteur en chef de *Strasbourg universitaire*, revue estudiantine. Publie des notes critiques : « Giraudoux artiste », dans *Faisceaux* (n° 1, avril). En mai, parution de « Vacances » (nouvelle) dans *Fruits verts* (n° 1). En juin-juillet, essai sur *La Prisonnière* de Marcel Proust et un poème, « Méthode », dans *Fruits verts* (n°ˢ 2-3). En août, il est reçu à l'École normale supérieure de la rue d'Ulm.

1925   Février : Dépression nerveuse. Été : Précepteur à la Baronnie de Grandcourt. Adhère pendant quelques mois au *Faisceau* de Valois. Octobre : Voyage en Italie.

1926   *La Guerre civile*, projet de revue qui ne se réalise pas. Septembre : Départ pour Aden où il sera précepteur du fils du négociant Antoine Besse.

1926-1927   Séjour à Aden. Accident de voiture (tentative de suicide). Se consacre à son diplôme d'Études supérieures. Retour d'Aden en mai 1927. Fiançailles officielles avec Henriette Alphen, qu'il épouse en décembre. Jean-Paul Sartre et Raymond Aron sont ses témoins. Fin 1927, il s'inscrit au parti communiste.

1928   Le 4 juin, il obtient son diplôme d'Études supérieures : *Fonction du meaning ; mots, images et schèmes*. Échanges intellectuels avec Georges Friedmann, Norbert Guterman, Henri Lefebvre, Pierre Morhange et Georges Politzer qui s'apprêtent à publier *La Revue marxiste*. Naissance de sa fille Anne-Marie.

1929   Collabore à *La Revue marxiste* avec « La Rationalisation » (février et mars) et avec des comptes rendus divers (la revue cessera de paraître à l'automne, suite à des dissensions internes doublées d'un conflit avec le parti communiste). Mort soudaine de son père à Nantes. Paul est reçu à l'agrégation.

1929-1930   Service militaire à la caserne de Clignancourt.

1930   Fait partie de l'équipe de rédaction de *Bifur*. *Aden Arabie* paraît en feuilleton dans *Europe*. Naissance de son fils Patrick.

1931   Publication de *Aden Arabie* aux éditions Rieder. Nizan collabore à *Europe* (articles sur Georges Friedmann et Giorgio de Chirico) et publie son premier article dans *Monde*. Voyage en Grèce. En octobre, il est nommé professeur de philosophie au lycée Lalande, à Bourg-en-Bresse.

1932   Aux élections législatives, il est candidat communiste dans l'Ain. La presse locale fulmine contre ce « messie rouge » et le *Journal de l'Ain* réclame son déplacement. Participe à l'hommage rendu par *Europe* à Jacques Robertfrance. En mars est créée l'Association des écrivains et artistes révolutionnaires (AEAR). Avril : Publication des *Chiens de garde* aux éditions Rieder. Octobre : Il donne à la *Revue des vivants* un important article sur « La littérature révolutionnaire en France ». Décembre : Première collaboration à la *NRF* à l'occasion de son numéro spécial *Cahier de revendications* ; Nizan y publie « Les conséquences du refus », un texte aux allures de manifeste (« Tout est balayé dans le scandale permanent de la civilisation où nous sommes, dans la ruine générale où les hommes sont en train de s'abîmer [...]. Ce qui est en question, c'est une situation temporelle où soit possible le développement de l'homme, où il devienne "riche des riches besoins humains", où cessent sa division, sa mutilation, où il connaisse la satisfaction de tous les appétits de la nature humaine. [...] Une nouvelle Grèce où les brigadiers de choc remplaceront les héros pythiques naît de la Révolution prolétarienne : quiconque veut lutter aujourd'hui ne peut lutter que dans ses rangs »). Nizan se met en congé d'enseignement. Il rédige des notes de lecture pour *L'Humanité*.

1933   Dans *L'Humanité* du 10 février, il rend compte de la thèse de doctorat de Jacques Lacan, *De la psychose paranoïaque* : « Un livre comme celui-ci annonce un combat scientifique important ». Juillet : Avec Aragon, Nizan est secrétaire de rédaction de *Commune*, la revue de l'AEAR. Automne : Publication chez Grasset d'*Antoine Bloyé*. Ce roman a d'abord paru en feuilleton dans *Europe*, revue à laquelle Nizan collabore aussi par des notes critiques, en particulier sur *Un barbare en Asie* d'Henri Michaux.

1934 Janvier : Départ pour Moscou avec Henriette Nizan. Il travaille à l'Institut Marx-Engels, à l'Union internationale des Écrivains révolutionnaires, à *Littérature internationale* et au *Journal de Moscou*. Printemps : Voyage en Asie centrale avec Isaac Babel et d'autres écrivains. 17 août-1er septembre : Participe au Ier congrès de l'Union des écrivains soviétiques et est chargé de l'accueil des participants français (André Malraux, Jean-Richard Bloch, Vladimir Pozner, Aragon). Boris Pasternak est élu à la direction de l'Union des écrivains qui introduit dans ses statuts le terme de « réalisme socialiste », perçu alors « comme une formule "consensuelle", plus ouverte et plus souple que "la méthode de création du matérialisme dialectique" préconisée par les théoriciens du R.A.P.P. » (Cf. Michel Aucouturier, *in* Boris Pasternak, *Œuvres*, « La Pléiade », Gallimard, p. 1758). Avant de retourner en France, Nizan écrit « Présentation d'une ville », première esquisse du *Cheval de Troie*.

1935 Janvier : Retour à Paris. Nizan entame une tournée de conférences sur l'URSS. Il donne des cours à l'Université ouvrière et participe aux « Mardis » de la Maison de la Culture. Il collabore à diverses publications (*Clarté, Commune, Vendredi*, etc.) et assure le feuilleton littéraire de *Monde*. 21-25 juin : Participe à Paris au Congrès international des écrivains pour la défense de la culture ; son discours « Sur l'humanisme » sera publié cette année-là dans *Europe*, de même qu'un texte inspiré par son voyage au Tadjikistan, « Sindobod Toçikiston ». À partir du mois de juillet, aux côtés de Gabriel Péri il est chargé de la rubrique « Politique étrangère » à *L'Humanité*. Automne : Publication chez Gallimard de son deuxième roman, *Le Cheval de Troie*.

1936 À Londres, assiste aux funérailles de George V. L'événement lui inspire une chronique – « Funérailles anglaises » – publiée dans la *NRF*. Voyages en Espagne (printemps et été). Il donne à *La Correspondance internationale* une série de reportages sur l'Espagne avant et pendant la guerre civile. Dans *Europe* paraît « Sagesse d'Épicure ».

1937 Nizan entre à la rédaction du nouveau quotidien *Ce Soir*, où il est notamment chargé de la rubrique « Politique étrangère ». Adapte pour la scène *Les Acharniens* d'Aristophane. Novembre : Présentation à la presse, au Théâtre Pigalle, du film *Visages de la France* : Nizan et André Wurmser sont coauteurs du scénario. Le même mois, publication d'une nouvelle dans *Commune* : « Histoire de Thésée ».

1938   Dans les *Cahiers du bolchevisme*, il rend compte des *Grands cimetières sous la lune* de Georges Bernanos. Publication des *Matérialistes de l'Antiquité*, morceaux choisis de Démocrite, d'Épicure et de Lucrèce. Voyage en Europe centrale. Automne : Publication chez Gallimard de *La Conspiration*. Ce troisième roman, qui a d'abord paru en feuilleton dans *Europe*, reçoit le prix Interallié.

1939   Publication chez Gallimard de *Chronique de septembre*, livre dans lequel Nizan dévoile la mécanique des événements qui ont conduit à Munich. Septembre : Démissionne du parti communiste à la suite du pacte germano-soviétique. Mobilisé, il commence un roman, *La Soirée à Somosierra*. Dans les lettres à Henriette Nizan publiées sous le titre « Correspondance de guerre »[1], il commente ainsi les raisons de sa démission : « J'ai pris quelques décisions politiques : l'histoire de la Pologne [envahie par les troupes allemandes le 1er septembre puis par l'armée soviétique dans sa partie orientale] est simplement inacceptable et je n'ai pas de goût pour le panslavisme. Cette histoire est un peu trop dans le style de Dostoïevski » (21 septembre 1939) ; « Lu le texte complet de l'accord du Kremlin. Il me semble que je comprends le jeu de Iossif Vissarionovitch [Staline] : le moins que l'on en puisse dire est qu'il est double et cousu de fil rouge. Ce que je craignais [...] s'est finalement produit et on recourra prochainement pour saisir ce qui se passe à l'histoire de Charles XII plutôt qu'aux œuvres complètes de Marx. Tu comprendras pourquoi j'ai donné une certaine publicité à la position que j'avais dû prendre. Aucun doute que ce soit le seul moyen de garantir l'avenir et les dirigeants français se sont plutôt conduits comme des imbéciles en ne le comprenant pas. Ils auraient pu prendre ailleurs des leçons d'opportunisme et de stratégie. Ils avaient bien tort de ne pas lire Clausewitz. Ni même Ilitch » (30 septembre) ; « Sur le fond, je crois avoir raison : il n'y a que les événements qui me confirmeront ou m'infirmeront. Mais non les arguments du type moral. Ce n'est pas parce que je croyais "mal" de la part de l'URSS son accord avec Berlin que j'ai pris la position que j'ai prise. C'est précisément parce que j'ai pensé que les communistes français ont manqué du cynisme politique nécessaire et du pouvoir politique de mensonge qu'il eût fallu pour tirer les bénéfices les plus grands d'une opération diplomatique dangereuse. Que n'ont-ils eu l'audace des Russes ? Mais imiter fidèlement les Russes à la lettre était les méconnaître totalement dans l'esprit » (22 octobre) ; « Les Staliniens orthodoxes ont perdu quelques belles occasions d'être simplement honnêtes où plutôt comme ils le disaient à la Moussinac ou à la Viollis, "fidèles" : ils confondent la fidélité avec la muette adhésion à la hiérarchie. Un peu trop apostoliques et romains. J'ai l'impression qu'on en reparlera » (20 décembre).

1940   Le 23 mai, Nizan est tué d'une balle ennemie près d'Audruicq (Pas-de-Calais). Le manuscrit de son dernier roman, enterré dans un champ par un soldat anglais, ne sera jamais retrouvé.

John FLOWER

1. « Correspondance de guerre, septembre 1939-avril 1940 », in *Paul Nizan, intellectuel communiste*, tome II, Maspero, 1970.

CAHIER DE CRÉATION

VENEZUELA, UN FESTIVAL D'ÉCRITURES

En 1981, nous étions un groupe de jeunes écrivains à nous réunir religieusement tous les mardis sur les hauteurs d'une colline urbanisée qui domine Caracas, monstre au repos dans le soir. Et, là, nous lisions à haute voix des poèmes brefs ou interminables, solennels et aussi ironiques, nous imaginions une manière de dire qui ne fût ni transparente ni nocturne, ni aérienne ni moderne. Enthousiasmés par les vertus de la conversation nous voulûmes faire, alors, sans trop y réfléchir, une poésie avec ce pays urbain et hybride : le Venezuela.

Ces réunions furent, pour beaucoup d'entre nous, et dans un double sens, une manière de lecture de nous-mêmes : d'un côté nous lisions nos propres textes, et, de l'autre, nous interposions entre notre écriture et celle de ceux qui nous avaient précédés dans le métier d'écrire le tamis opaque de nos choix littéraires. Ainsi lisions-nous aussi, dans l'écriture des autres, le pays littéraire que nous commencions à habiter [1].

Vers la moitié du XXᵉ siècle, Vicente Gerbasi, poète de la Méditerranée réfractée en Amérique, lança, en évoquant son père l'immigrant, une ritournelle inépuisable : « Nous venons de la nuit et vers la nuit nous allons. » Fruit de l'ardeur irréfléchie et du goût pour le manifeste propre aux débutants, nos réunions nocturnes tournèrent autour d'une caricature monstrueuse de ce vers noble et beau : « Nous venons de la nuit et vers la rue nous allons. »

Peut-être est-ce là le destin de toute génération littéraire – et de toute généalogie –, transformer son propre antécédent, déformer sa propre mémoire pour se confronter de nouveau au besoin d'échapper à la nostalgie par *une autre* écriture. Ce n'est pas pour rien que rédiger ces lignes en guise d'introduction à certains des meilleurs écrivains de mon pays, à la lecture desquels j'ai moi-même appris à écrire, et dont beaucoup sont des amis au sens le plus noble du terme, constitue pour moi un plaisir et une difficulté. On trouvera ici certains de leurs poèmes et de leurs récits, dans une autre langue, peut-être plus aérienne, ou plus tacite, que le doux castillan de l'ancienne colonie hispanique que baptisèrent non sans nostalgie, les premiers qui la virent, Nouvelle Andalousie.

Bien des noms de la littérature de mon pays manquent ici et, comme toute sélection, celle-ci ne laisse pas d'être un acte de cruauté, une sorte de mutilation silencieuse. Je mentionnerai, en guise de cartographie absente, à l'intention de ceux qui s'intéresseront à cette présentation, outre les noms qui y apparaissent, quelques autres, dont ceux d'écrivains antérieurs à l'éminente personnalité que fut Vicente Gerbasi. C'est ainsi que ne figurent pas dans cette anthologie minimale, entre autres, José Antonio Ramos Sucre, un poète étrange aux illuminations érudites et dont l'écriture survient comme une transition entre un lyrisme moderniste décomposé (proche de l'Uruguayen Herrera y Reissig) et une forme pure, impersonnelle, de fiction préborgésienne ; Fernando Paz Castillo, le premier poète moderne et déjà post-moderniste, décantateur de la parole et ascète, un mystique agnostique dont les pages les plus réussies rappellent la sobriété du meilleur hermétisme lyrique ou la silencieuse allégresse d'un Ungaretti ; Enriqueta Arvelo Larriva, écrivain perdu dans les étendues infinies de la plaine vénézuélienne, dont l'écriture est « bois rustique et très dur ».

Autour de Vicente Gerbasi, fils d'immigrants, il y eut au Venezuela une génération de poètes néo-romantiques au souffle large qui découvrirent, tout à la fois, une sombre métaphysique et l'angoisse, l'élégie et la chanson sonore. Proches, à titre de comparaison, de leurs complices mexicains du groupe « Contemporáneos » (Gorostiza, Novo, Pellicer, Villaurrutia, Owen) ou de leurs parfaits homologues cubains du groupe « Orígenes » (Lezama Lima, Eliseo Diego, Cintio Vitier), on trouve, parmi d'autres, les Vénézuéliens suivants, sous les auspices de la revue littéraire *Viernes* : Pablo Rojas Guardia, Jacinto Fombona Pachano, Luis Fernando Alvarez, Otto de Sola. Toute une importante génération intermédiaire se retrouve également ici sans références, entre Gerbasi, premier poète moderne, et Juan Sánchez Peláez, lequel inaugure au Venezuela une poésie véritablement contemporaine. Entre les deux il conviendrait de nommer, sans prétendre à l'exhaustivité, deux figures populaires, dont l'œuvre doit être comparée à celle qu'ont menée à bien en Espagne les poètes de la génération de 1927 : Andrés Eloy Blanco, dont les meilleurs moments sont toutefois ultraïstes et vaguement futuristes, et Alberto Arvelo Torrealba ; sans oublier un poète à l'ambition « whitmanienne », Antonio Arráiz, et Juan Liscano, dont l'œuvre poétique, énorme et variée, n'a cessé de se métamorphoser de façon surprenante, depuis le « nouveau-mondisme » de ses débuts jusqu'à sa dernière poésie, retenue et métaphysique, en passant par le puissant érotisme néoclassique de son livre *Cármenes* (1966).

Juan Sánchez Peláez constitue une référence secrète parmi les plus grands noms de la littérature contemporaine de l'Amérique latine. Il en est qui ont eu le privilège d'entendre Octavio Paz réciter à haute voix, dans la chaude intimité de ses amis, les vers uniques de *Animal de costumbre* (*Animal d'habitude, 1959*). Poète réservé, continental, Sánchez Peláez n'a cessé de servir de référence aux différentes générations littéraires du pays pendant la seconde moitié du siècle. Entre lui et Rafael Cadenas, – poète d'un ascétisme désespéré et figure emblématique d'un lyrisme qui se conjugue constamment avec une ontologie de la perte, exilé intérieur et représentant parmi nous du meilleur héritage anglo-saxon, équivalent spirituel, peut-être, de poètes nord-américains comme Kérouac ou Creeley –, il conviendrait de ne pas oublier les noms de Ramón Palomares, dont l'œuvre change en splendeur verbale la riche complexité du parler familier et rural vénézuélien, ainsi que ces figures importantes que sont Francisco Pérez Perdomo, Juan Calzadilla et Alfredo Silva Estrada.

À partir de Eugenio Montejo, dont l'œuvre, d'une absolue transparence formelle et solidement enracinée dans le vécu a exercé une influence importante, la poésie vénézuélienne se conjugue dans le temps insaisissable du présent. À côté de Montejo – né en 1938 –, il faut mentionner l'œuvre poétique de Luis Alberto Crespo, dont l'élaboration lyrique du désert compte parmi les plus hautes réussites de notre poésie contemporaine, ou celle de Víctor Valera Mora, annonciateur d'une poétique conversationnelle qui va marquer de façon définitive les poètes de la dernière décennie, sans omettre la figure de Armando Rojas Guardia, un penseur lyrique de toute première importance pour les récentes générations d'écrivains vénézuéliens, dont l'œuvre poétique et de réflexion morale autobiographique conjugue religiosité et érotisme avec les meilleures formes classiques de la poésie castillane. Enfin, à côté des noms des tout derniers écrivains qui incarnent ce que la poésie vénézuélienne récente a de plus accompli, Miguel Márquez et Rafael Castillo Zapata, deux artistes aussi attentifs au langage parlé qu'à la réalisation d'un travail impeccable sur les formes, il conviendrait de lire les œuvres non moins importantes de Rafael Arráiz Lucca, Yolanda Pantín, María Auxiliadora Alvarez, Patricia Guzmán, Harry Almela, Leonardo Padrón, Verónica Jaffé, Alicia Torres et Lázaro Alvarez.

L'histoire du roman et de la nouvelle au Venezuela, plus connue que celle de sa poésie, est différente. Ici, trois noms peuvent servir d'emblèmes à trois générations littéraires : José Balza – dont le dernier roman a été récemment traduit et publié chez Gallimard –,

Ednodio Quintero et Antonio Lopez Ortega. Beaucoup d'autres manquent, qui rendraient compte d'une grande richesse narrative, fabulatrice et dramatique. Depuis Romulo Gallegos et Arturo Uslar Pietri, hérauts de la vénézolanité, jusqu'aux écrivains du pays urbain les plus récents – et les moins connus –, Julio Garmendia, Guillermo Meneses, Antonia Palacios, Oswaldo Trejo, Salvador Garmendia, Adriano González León, Francisco Massiani, Ana Teresa Torres.

Ayant quitté depuis longtemps la réflexion littéraire pour l'écriture, je ne sais pas très bien comment conclure ces lignes. Peut-être en rappelant la lumière subtile de Caracas, la peau sèche de Carora, l'océan fumant des Caraïbes, avec l'espoir que le passage difficile d'une langue dans une autre puisse encore révéler l'empreinte que ces éléments ont laissée dans les textes qu'on va lire. Rares sont ceux qui se soucient de faire connaître la littérature vénézuélienne à l'étranger. Pouvoir le faire est assurément une chance, et presque le fruit du hasard. La répartition des centres de pouvoir et de communication sur la planète est telle que personne, dans un pays comme le mien, ne peut croire, à moins de sombrer dans l'ivresse ou dans la démence, qu'il soit possible de réaliser quelque chose de vraiment important dans le domaine de l'invention poétique ou de l'écriture. L'illusion – ou la comédie – de la « grandeur littéraire » nous est interdite, et cela constitue peut-être une de nos plus grandes chances dans notre infortune. Cela explique, entre autres choses, que ces textes aient été écrits loin de l'ambition déformante du marché, dans la proximité exclusive du besoin. Il y subsiste, tout à la fois, l'humble lucidité de ce qui ne saurait être différé et cet éclat sourd caché derrière les « paupières d'une nation très peu aimée » – ou très peu connue.

Luis PEREZ ORAMAS

Traduit de l'espagnol par Juan Marey

1. Cette expérience, qui se traduisit par un dialogue et diverses polémiques auxquelles participèrent activement deux groupes littéraires – « Tráfico » et « Guaire » – eut pour conséquence une révision, peut-être insuffisante d'un point de vue théorique, de ce que l'on pourrait dénommer la tradition moderne de la littérature vénézuélienne. Elle se traduisit aussi par l'ouverture de l'écriture poétique de notre pays sur une forme « conversationnelle », mettant à contribution le langage parlé.

VICENTE GERBASI

MA TERRE

Dans l'herbe brûlée par le soleil, le rêve du cheval
nous entoure de fleurs, comme le dessin d'un enfant,
tandis que les fruits tombent de l'épais feuillage argenté,
qui tremble et brille dans les cigales d'une lumière solitaire.
Quel est l'âge où je vis, maintenant que je traverse cette solitude de feu,
cette tristesse où mugit le taureau dans le lointain, cette nostalgie
où le cactus pousse entre les collines et va jusqu'à l'horizon,
cette monotone mélancolie du pigeon ramier, caché,
ici près du fleuve, plus loin, on ne sait où, à côté de la mort,
sous le ciel limpide qui transporte quelque nuage ardent ?
Je vais au milieu de miroirs liquéfiés où la fleur se défigure,
où le miel glisse sur le corps difforme des arbres,
où l'oiseau passe comme un tremblement éphémère de l'iris.
La terre montre ses rouges blessures, ses rochers, ses cavernes,
ses grandes fourmis, ses feuilles épaisses, grasses, ses palmiers,
ses maisons de terre, où l'homme accroche sa guitare.
Les gens font sécher au vent du soleil des peaux de taureaux,
broient le maïs, fabriquent l'amidon, tissent la fibre dorée,
mais ils vont comme s'ils étaient invisibles, en silence, dans la douleur,
dans la fumée du tabac, cherchant des herbes médicinales.
J'interroge mais la réponse ne vient pas, quelque voix seulement
du seuil d'une porte obscure qui protège la pauvreté,
me dit : « Garde-toi de la mort dans ces champs de la solitude »,
et elle se cache de nouveau, pendant que le vent agite ses flammes,
et soulève la poussière entre les épis desséchés,
au milieu des vieillards qui restent assis à côté de la cendre.
Je n'ai rien fait, je perçois seulement le soleil, et le serpent qui siffle ;
Je n'ai rien dit encore, je ne sais qu'une chose,
j'aime ces gens somnambules,

qui du monde ne connaissent que cette terre rouge, ces collines rouges,
où pousse la végétation la plus amère, la plus assoiffée qui soit.
Je ne sais rien, j'entends seulement des pas, des voix
                                                    [et des chants plaintifs,
et le soir je vois que l'on porte un cercueil sur le chemin de la nuit.

PÈRE

Ton hameau sur la colline ronde sous le souffle des blés,
face à la mer avec des pêcheurs à l'aurore,
dressait des tours et des oliviers argentés.
Sur le gazon descendaient les amandiers du printemps,
le laboureur comme un prophète jeune,
et la petite bergère avec son visage au milieu d'un foulard.
Et elle montait la femme de la mer avec un frais panier de sardines.
C'était une pauvreté joyeuse sous l'azur éternel,
avec les petits vendeurs de cerises dans les placettes,
avec les jeunes filles autour des fontaines
bruyamment agitées par la brise des châtaigniers,
dans la pénombre étincelante du forgeron,
au milieu des chansons du menuisier,
entre les solides souliers cloutés,
et dans les ruelles aux pierres usées
où déambulent des ombres du purgatoire.
Ton hameau allait seul sous la lumière du jour,
avec de vieux noyers à l'ombre taciturne,
sur les rives du cerisier, de l'orme et du figuier.
Sur ses murs de pierre les heures immobilisaient
leurs reflets secrets, vespéraux,
et les flûtes du couchant s'approchaient de l'âme.
Entre le soleil et ses toits les colombes volaient.
Entre l'être et l'automne passait la tristesse.
Ton hameau était seul comme dans la lumière d'un conte,
avec des ponts, avec des gitans et des feux dans les nuits
de neige silencieuse.
Dans l'azur serein les étoiles appelaient,
et au feu familial, entouré de légendes,
les noëls venaient,
avec du pain et du miel et du vin,
avec de rudes montagnards, des chevriers, des bûcherons.
Ton hameau se rapprochait des chœurs célestes,

et ses carillons prenaient le chemin des solitudes
où gémissent les pins dans le vent de la glace,
et le train sifflait au loin, vers les tunnels,
vers les villes et leurs parfums de fruits, vers les ports,
tandis que la mer jetait ses reflets de lune
au-delà des mandolines,
là où commencent à se perdre les oiseaux migrateurs.
Et le monde palpitait dans ton cœur.
Tu venais d'une colline de la Bible,
des brebis, des vendanges,
toi, mon père, père du blé, père de la pauvreté.
Et de ma poésie.

RAISON D'ÊTRE

J'existe parce que l'espace a ses raisons.
M'attirent l'eau et ses branches de feu,
des visions d'astres,
le paradis terrestre
avec son décor de paons
chatoyants
comme des fleurs et des comètes,
quand le tigre bondit
parce qu'il a faim.

AUBE

Je m'apprêtais à voir l'aube et sa sorcellerie,
quand apparurent des femmes nues
au milieu de fougères primaires.

Des grillons sautèrent dans la lumière
en voyant des ombres bleues dans l'eau.

Les femmes étaient plus belles que les fruits
et que certaines fleurs.

Telle fut l'aube du monde.

ANA ENRIQUETA TERÁN

ZAZÁRIDA

Zazárida est une ville fréquentée par les pleurs.
Ville avec une taille et des manigances de rêve.
Ville comme un aigle, un instant, ensevelie dans la profondeur.
Ville avec des chiens aigus qui compissent l'air et des biens tragiques :
l'histoire comme des chapelets de corail sur le roulis des voyages.
Un peu d'humilité aussi, des paupières de nation bien peu aimée.
Et aussi un nouveau plaisir pour les grandes dames noires,
spécialement pour la vieille dame noire de mon amitié,
qui coud des collines en point arrière avec son bâton d'araguaney royal,
mettant en scène de vieilles négociations, des restitutions,
                              [de lugubres événements,
Zazárida, ville de grand langage, difficilement nôtre
dans son office de FUTUR.

NOUS AVONS MANGÉ

Femmes qui tissent, tisseuses de la bonne journée
qui lèchent la fibre bleue, qui reprisent des soies, manque de temps,
soies de nations couvrant des visages en fuite, des espaces en fuite.
Mais de la nourriture, oui, beaucoup de bonne nourriture.
Nous avons mangé.
Moi et les chiens. Nous et les chiens. Toujours les chiens.
Tournesols en signe de deuil. Une réelle habileté. Un vrai massacre.
Qui plume la volaille, qui la transperce
avec des épines d'oranger et la fait cuire ensuite pour tous.

ON DIT DU BIEN DE CETTE MAISON

On dit du bien de cette maison pleine de ressources séculaires :
on y fait le pain.
On fait des nappes, des draps. Le repas est servi. On dissimule des dates,
des heures funestes, certaines plantes, certaines plantes. Douleur :
l'âtre avec la braise des jours précédents : drapeaux, drapeaux.
On ausculte le ciel : des hommes qui devisent sous les arbres ;
on teint les bottes de l'aîné avec du jus d'acanthe.
On dit du bien de cette maison visitée par l'humilité
                    ET COURONNÉE DE BONNES INTENTIONS

JUAN SÁNCHEZ PELÁEZ

ELENA ET LES ÉLÉMENTS

En me déracinant du néant
Ma mère vit, quoi ? je ne m'en souviens pas.
Moi je sortais du froid, de l'incommunicable.

Un matin je découvris mon sexe, mes flancs brûlants,
mes rafales d'impossible printemps.

À l'ombre de l'arbre
de ma grande nostalgie ils allaient commencer à me dévorer,
ils allaient commencer.

Sache-le, toi, Ondine ondulante de la mer, algue éphémère de la terre.
Un homme de haute taille alla au cimetière
Il chassa un chien qui aboyait
Sa camisole de force l'étranglait
Il tomba étranglé.

Et moi j'ai révélé son destin à tous mes amis
À ceux que je connais sans les saluer,
à ceux que je salue sans les connaître.

J'ai donné la mort à l'étranglé
En dépit des signes de son indélébile fatigue.

Je frisais les cinq années de vie.
Une cigale m'engendra-t-elle dans l'été fuligineux ?

C'était un jour maudit.
Ma mère ne parvint pas à me reconnaître.

FILIATION OBSCURE

Ce n'est pas l'acte séculaire de faire jaillir le feu en frottant une pierre.
Non.

Pour commencer une histoire véridique il est nécessaire d'attirer
dans un ordre successif d'idées les âmes, le purgatoire et l'enfer.

Ensuite, l'ardent désir humain court la chance signalée.
Ensuite, on sait ce qui doit arriver ou on l'ignore.

Ensuite, si l'histoire est triste survient la nostalgie.
Nous parlons du cinéma muet.

Il n'y a ni avant ni après ; ni acte séculaire ni histoire véridique.

Une pierre avant un nom ou sans nom. C'est tout.

On sait ce que l'on poursuit. Si l'on feint on est serein.
Si l'on doute, pensif.

Le plus souvent, on ne sait rien.

Il y a des vivants qui épellent, il y a des vivants qui parlent en se tutoyant
et il y a des morts qui nous tutoient,
mais on ne sait rien.

Le plus souvent, on ne sait rien.

TERRE NOIRE

Je m'assois sur la terre noire
et sur l'herbe
humble si humble

    et j'écris
avec l'index
    et me corrige
avec les coudes de l'esprit.

Je file mes phrases d'amour
en plein air
sous les arbres à l'histoire muette.

Je célèbre les oublis éternels
de ma terre noire et recueillie.

Enfin finalement
ce jour je le rends plus limpide.

Et un cheval de soleil
*   qui se penche sur l'impossible*
comme une étoile de mer
filante
hennit à toutes les fenêtres.

RAFAEL CADENAS

SATORI

Voguons.

Il y a des trirèmes, des nuées d'insectes,
une plage avec un perroquet, proche.
Le trésor ne nous attend pas.
C'est le moment ou jamais.
Oui.
Éclair.

Voguons.

Sous n'importe quelle conjonction, penchés sur le bordage ou endormis.
Soudain un jour, le jour !
Un virage, un coup sec, une vague brillante nous lèche
et nous lance où elle est.

Voguons.

Nous arrivons, oui ou non ?
Odeurs, odeurs de terre cachée, de peinture fraîche, de moelle.
Encore un effort.
Hop ! Allons-y !

Voguons.

Où est la bouteille, la bouteille avec le message ?
Là, elle est là.

Accoster maintenant, amarrer maintenant.
En n'importe quel point (mais que ce soit un point).
Un rivage inventé.
Une grande oreille.

★

De maigres doigts
me ravagent.
Le ciel stagne
dans mon puits.
La magie
est blessée.
Je vis
comme la terre d'où je suis venu,
la terre que j'ai parcourue avec mon père.
Sous ces latitudes
les mots sont vains.

★

Fais-toi à ton néant,
à sa plénitude.
Laisse-le fleurir.
Accoutume-toi
au jeûne que tu es.

Ton néant que ton corps l'apprenne.

FLEUR

De quelle profondeur surgis-tu
comme une flamme
pour la cacher ?

EUGENIO MONTEJO

RETOUR

Un instant la chaise est retournée
à son arbre lointain
avec ses verts tatouages maintenant secs.

Ses oiseaux sont dispersés, morts,
et le troupeau du cuir rugueux
gît plié sous les broquettes.

Il n'y a plus que le silence nivelé
à la hauteur d'un feuillage éteint
où se tanne tout son mystère.

Fidèle à ses planches, elle n'accorde le repos
que les soirs où nous l'adossons
au mur, étouffant une mémoire
de jours qui ont poussé comme un arbre
et que la vie a coupée parce qu'elle était morte
cloutée avec de vieilles pensées.

À UNE PROMENEUSE

Je traversai le brouillard tant bien que mal
aveuglé par la blancheur, dans les feuilles errantes.
Les grumeaux d'arbres dissous
étaient des cygnes au toucher
et des bouffées vertes de cheval.

Janvier en se frottant contre les vitres
de fenêtres transies
unit mes yeux au léger nuage
d'une promeneuse.

Je ne distinguai pas dans le brouillard des arbres
son visage de mon âme,
sa chevelure des feuilles,
ses pas des ramures.
Marchant tant bien que mal dans la blancheur, à la dérive,
je la vis couler de mes mains
avec la clarté d'un arc-en-ciel
qui montait de l'enfance.

POUR LE TEMPS QUI PEUT RESTER

Pour le temps qui peut rester
apprenons à parler aux pierres.
Un peu de patience suffit, un peu de neige,
quelque sanglot moins réfractaire.
Bleues sont les voix de l'Atlantique
avec une rumeur de buccins ivres,
pourquoi nul ne le dit-il aux pierres ?
Elles resteront à notre place,
elles se laveront dans le déluge
profondes, poreuses, innocentes.
Un peu de patience suffit, un peu de neige,
un simple geste plus fraternel.
Elles pourront raconter toutes seules
la dernière histoire de la terre
et se souvenir de nous face à la mer
quand les vagues emporteront d'autres épaves.

ON DÉMOLIT LA VILLE

On démolit la ville
où j'ai tant vécu,
où à la fin, sans que je m'en doute,
mes yeux se sont unis à ses pierres.

Ils abattent sans trêve ses murs,
les camions dans la poussière
passent et on les charge,
ils emportent des fenêtres, des colonnes, des portes,
ils n'arrêtent pas,
rien ne peut éviter sa chute,
les amis ont grandi, ils ont déménagé, ils sont morts.
Elle tombe, elle est en train de tomber sans espace
et sans temps,
en moi et hors de moi, où que j'aille,
où que j'arrive,
ses rues font place à de nouvelles avenues,
les architectes mesurent l'avenir,
vérifient leurs plans,
ne s'interrompent pas.
Chaque coup de marteau me fait mal,
tout ce fracas,
maintenant que mes yeux sont les dernières pierres
qui lui restent
dans la maison sans personne que je suis
sur la rive du temps.

MIGUEL MÁRQUEZ

une pomme
précise
sur la ligne
de ses bords

un vase
inévitable
juste au centre

la nappe
à carreaux
comme un rendez-vous
oublié

quatre
ou cinq pétales
la fleur
les a perdus

le frôlement
léger de la lumière
quand je pense
le poème

et je suis heureux
ainsi
dans une telle
abondance

★

En désordre
les blancs nuages
nous enveloppent

Le ciel
devrait être
le cœur

Cette pièce
la voûte céleste

★

Quelque part dans l'âme,
sur les petits rochers
du rivage, un crabe
fixe en questions
sa marche
inquiète dans le monde.

L'âme
est vêtue de nuit et la lune
ronde est là-haut
et seule
        sans savoir
qu'un crabe la regarde,
suit sa course
pendant des heures.

L'âme
est mouillée
par la lune,
par les vagues.

Le crabe et la mer
maintenant reposent, on

n'entend plus qu'une rumeur,
un rythme monotone.

(Poèmes de Berne)

RAFAEL CASTILLO ZAPATA

LE PARTI PRIS DES CHOSES

S'entourer de tant d'objets
pour faire pièce au vide : il n'est rien
que tu ne puisses
payer de ton salaire
à crédit s'il le faut ; talismans
que la ruse et le caprice
ont mis à ta portée
pour ne pas te laisser asservir ; car la beauté,
le luxe, sont utiles, consolation
quand la vie est trop lourde et qu'il manque quelqu'un
à tes côtés et qu'une bouche
d'ombre trop obscure s'ouvre soudain
devant toi dans la brise claire de la nuit
qui moqueuse te sourit ; ainsi la lumière
de l'écran et le bruit de plusieurs
appareils électriques allumés en même temps
te réconfortent contre la peur ; ainsi le parfum
de l'acajou ; l'arbre
du Brésil avec le bois duquel un artisan
t'a fabriqué une petite boîte qu'on dirait de marbre
où tu ranges tes plumes ; ou ce livre
de 1900 et quelque avec des gardes pareilles au lapis-lazuli
et une reliure ancienne à dos brisé ; ou la déjà vieille
boîte de biscuits en fer blanc art-nouveau, ornée
de lis et d'iris que t'a léguée ta grand-mère ou que tu as volée
avant le partage de ses dépouilles ; des livres,
des livres, des livres, comme des cuirasses ; et des tableaux

et des photographies et des cartes postales ; le fauteuil
à oreilles qui a changé de tapisserie comme de peau au fil
des ans ; la lampe
à halogène ; le hamac
indigène ; les bouteilles vides
d'Antaeus, noires,
comme des statuettes d'ex-votos
sur les consoles de la salle de bains, autel glacé ; et, jaunes, les cartes
de poker qui accompagnent
tes réussites têtues
depuis la précoce adolescence, t'entourent,
toujours, avec des objets anciens
et des produits modernes encore enveloppés
dans l'élastique protection du plastique ;
comme si uniquement elles, les choses,
consentantes complaisantes
s'adaptaient ainsi au rythme
de tes chutes périodiques, infortunes funestes,
dépressions, mal d'amour, et soutenaient
ton cœur, arcs-boutants solides contre le dos
d'une cathédrale aux fragiles murailles, parapet
tout autour contre les rafales
du franc-tireur caché à l'intérieur
qui menace.

JOSÉ BALZA

LES AMANDIERS DE JANVIER

Il considéra tout cela comme un cadeau personnel : debout sur le quai il vit passer les rames, avec une joie enfantine ; il observa la foule étonnée et heureuse et, finalement, il fit lui aussi un voyage dépourvu de sens, du centre de la ville vers l'ouest. Des siècles qu'il n'avait connu une journée aussi agréable : parce qu'il recevait le grand jouet que la ville inaugurait : le métro, la possibilité d'un transport précis. Quand il quitta la station il était certain d'un changement pour les habitants : quelque chose qui allait réduire les interminables files de voitures, la mauvaise humeur, la violence mobile des rues.

Il chercha sa voiture, garée dans une contre-allée, et regagna les zones où la circulation connaît son excès normal. Il fonça lui aussi, jurant par moments, et se plaça sur une voie plus rapide de l'autoroute : mais il était toujours aussi content, rien ni personne ne pourrait lui ôter la satisfaction de ce cadeau extraordinaire : le métro pour une zone de la ville. Son exaltation se maintiendrait jusqu'au moment où il boirait une bière, plus tard, dans un bar proche de son domicile. Ce serait sa manière à lui de fêter la chose. Parce que depuis vingt ans la ville lui appartient. Il a dépassé la quarantaine, depuis plus de vingt ans il vit éloigné de la plaine, il est désormais d'ici et seulement d'ici.

Il quitta l'autoroute et voulut atteindre rapidement le bar souhaité. Un embouteillage abrupt le retint, et il décida de se calmer, de ne pas jurer. Quinze minutes pour parcourir les quelques centaines de mètres qui restaient. Et alors il se mit à gravir la colline couverte de vieilles résidences et d'édifices récents. Sa voiture, habituée à la route, répondit vaillamment. Six ans passés ensemble, la *Dart* s'était montrée fidèle. Ici, tout changeait : peu de gens, des arbres le long des trottoirs, une sensation de propreté. Il tourna légèrement et vit, lointaine, profonde, la montagne, et il sentit l'air de janvier, assez froid.

Justement, ayant tourné, il remarqua à main gauche, en haut de la rue, flottant dans la lumière limpide de midi, un manteau rouge, parsemé de points verts et sombres. Un tissu solaire, grandissant et placide. Il freina violemment, soudain amoureux de cette frondaison aérienne et dense ; et d'un coup d'œil il embrassa les feuilles, les individualisa, et le branchage tout entier, dense, rougeâtre, violacé dans la clarté. C'était un amandier, fermement campé sur son double tronc, dressé sur ses branches, comme sur des terrasses successives. Il fit rouler la voiture vers la gauche et s'arrêta sous l'arbre. À l'exaltation précédente – le grand jouet sur rails qui traversait la ville – venait de se joindre celle-ci, inattendue : l'arbre cuivré, l'air de midi, la montagne lointaine. Il voulut se dire, satisfait : « Tout ceci est à moi, ou je suis tout ceci. » Il descendit de l'auto, toucha une feuille, ramassa une amande sur le trottoir.

Son corps tout entier réclamait une image heureuse pour fêter la rencontre avec les nouvelles voies de la ville et l'arbre lointain couleur de vin. Il voulut reconnaître un autre bonheur passé (ou ardemment souhaité) ; quelque chose qui aurait pu associer ce feuillage aux choses de l'amour. Il attendit un moment, la tête vide. Il mordit le fruit. Mais rien de précis ne lui vint à l'esprit. Surpris, il pressentit seulement une question qui se frayait un passage : si nous sommes en janvier, si je viens de voir d'autres amandiers dans les rues voisines – quoique aucun comme celui-ci – qui changent de feuilles, cela signifie donc que dans les plaines aussi ils sont maintenant comme eux, rouges et beaux ? Cela signifie donc qu'à présent, justement, les amandiers de mon hameau sont devenus différents, comme dans mon enfance ? Non, là-bas les feuilles mûrissent en avril, ou en août. Et, troublé, il découvrit qu'il ne pouvait plus se rappeler à quel moment les amandiers de son village changent de feuilles.

Le voici à égale distance de son appartement et du bar, bien qu'ils soient à l'opposé l'un de l'autre. Il ferme sa voiture, prend le chemin du bar. Il va fêter le double événement : une bière pour le métro, et une bière pour l'amandier ; mais au plus profond de lui-même quelque chose a cédé. Sa femme doit l'attendre à la maison, avec un plat délicieux pour le déjeuner. Elle a dû préparer, dans le calme du jour férié, quelque surprise : du blanc de volaille au fromage, ou le poulet homérique. Des années passées ensemble, des années d'une liberté partagée en toute simplicité leur permettent ces surprises prévisibles. Ce n'est que sur le tard qu'il s'est décidé à vivre avec une femme, mais elle aussi a semblé attendre longtemps avant de s'unir à quelqu'un. Douze ans de vie commune en ont fait des complices facétieux. C'est pourquoi Marta María a préféré rester à la maison pour faire la cuisine, plutôt que l'accompagner à l'inauguration du métro. Après tout, elle est née dans cette ville et n'en est jamais sortie ; elle lui a dit en souriant que demain ou plus tard elle aurait bien le temps d'aller voir les trains. Il savait, au fond, que Marta María le dispensait ainsi de rester à la maison ou de gâcher la visite de la Station. Comme il lui en est reconnaissant !

Maintenant il arrive à *El Jardín* et s'installe au coin du comptoir qu'il affectionne tant. Gisela, la plus ancienne des serveuses, s'approche, volumineuse et de méchante humeur. Comme d'habitude, elle lui sert une bière. Il adore la froideur apparente de Gisela qui se transforme, à l'aube, en une aimable réceptivité. Il boit rapidement, et en demande une autre. Le bar est presque vide.

Marta María lui a accordé cette trêve, quelques heures de soleil et d'un abandon puéril aux choses ; mais le délai a expiré. Et à peine aura-t-il bu la deuxième bière qu'il rentrera chez lui, où il ne pourra rien éluder. La lente cérémonie qui maintenant l'enveloppe, lui, étranger, indépendant, dégagé de tout lien familial, lui, le citadin, a duré presque un an. Une telle distance par rapport aux siens, à ses vieux parents – mais surtout à *lui*, à son frère – peut-elle signifier son dernier effort pour obtenir une séparation radicale ? Un tel éloignement pourrait-il représenter la consécration d'une faute ? Voilà des semaines qu'il éprouve la sensation contradictoire d'être coupable et de ne pas l'être. Il y a un an, il a reçu le premier appel. Son frère allait avoir quarante ans, il le savait bien. Mais le motif de la conversation n'a pas été cet anniversaire ; le plus curieux c'est qu'il n'y avait pas de motif. Ces dix dernières années ils ne se sont vus que rarement : quand il a visité la plaine durant quelques jours seulement, à l'époque des foires. Parfois Marta María l'accompagnait, d'autres fois il voyageait seul. Il a apporté de l'argent et des cadeaux à ses vieux parents. Il s'est promené, a parcouru des quartiers neufs dans les villages. Et aussi bien au cours de ces visites que lors des années précédentes ses rapports avec son frère ont été neutres, aisés. Une telle fraternité lui semble à présent bien suspecte. Ils ont bu ensemble, ils ont couru les bals. Mais ils n'ont jamais abordé un sujet intime, ils n'ont même pas pris l'habitude d'utiliser le téléphone. Aussi l'appel distrait de son frère, en février, l'a-t-il beaucoup étonné. Quand il raccrocha il resta immobile, partageant avec Marta María la surprise de la communication. Cependant quelque chose d'étrange lui avait échappé : bien sûr, il ne connaissait pas la voix de son frère au téléphone, bien sûr, ils ne s'étaient dit rien que de très conventionnel, et pourtant un léger doute planait sur l'incident.

Ce doute gagna du terrain dans son esprit au cours des mois suivants. Il ne dit rien à son amie. Mais comment apprécier la voix de son frère, les phrases simples, cohérentes en apparence, bien qu'un peu détachées de leur réalité immédiate ? Quelque chose n'allait pas. Le téléphone lui apportait le bruit d'un animal lointain, une voix épaisse et sans inflexions ; des mots semblables, lourds. Le cri lent de quelque chose qui a été enfermé dans un lieu impossible. C'est ainsi que dans les zones incertaines de sa pensée, il plaça peu à peu cette conception nouvelle de son frère. Quelque chose ne collait pas. Son frère ne parlait pas à l'homme qu'il était devenu : il ne s'adressait pas à celui qui répondait au téléphone mais à l'autre, au compagnon de jadis, au garçon de cinq ans son aîné avec lequel il parcourait le village au début de l'adolescence.

Peut-être cela expliquait-il le côté indirect (et pourtant naturel) des phrases. Et à partir de ce détail il se mit à éprouver le sentiment de ce qu'il nomme aujourd'hui sa « faute » ; quoique, en vérité, de quoi pouvait-il être coupable ? D'une seule chose : de ne pas avoir été l'élu, et il ignore qui en fut responsable.

Oui, ils avaient sillonné ensemble l'aile tremblante des plaines : superbes, à cheval ou à pied, au milieu des palmiers ou des tiges de canne. Toujours unis, magnifiques. Il était l'aîné, farouche, solitaire ; son frère, plus fort, sensuel, sociable. De son frère il aimait la voix et son aisance à jouer de la harpe : il pouvait chanter pendant des heures et improviser dans les veillées funèbres, et c'était tout juste un enfant. Parfois il se hasardait à chanter, lui, et bien qu'il y réussît sans peine, il était à cent lieues de l'aisance de son frère. Jouait-il ? Jamais : il ne sut à aucun moment si son incompétence dérivait de la spontanéité avec laquelle l'autre jouait (l'autre, c'était lui-même, mais à un degré irréel). Il souffrit beaucoup, alors ? Lui arriva-t-il d'oublier cette richesse – la richesse d'être musicien – qui lui était inaccessible ? Ici, dans le bar, il rougit presque, maintenant, parce qu'il a insisté pour réaliser son désir : au fil des ans, il a souvent essayé d'apprendre : et rien. Comment lui était-il possible de chanter quelque chanson ou d'apprécier les vieux maîtres de la *bandola*[1] ou de la harpe, sans jamais parvenir pour autant à suivre un rythme ou des accords avec les mains ? Dans sa chambre, bien cachée, il y a aussi une guitare jamais touchée.

Peut-être les deux choses n'ont-elles rien à voir l'une avec l'autre, mais le fait est que son frère, des fêtes et de la harpe, passa rapidement aux femmes. Ses yeux fendus en amande, et verts, ne lui furent d'aucun secours contre les yeux sombres et tout à fait ordinaires de son frère. Alors qu'il disposait secrètement de quelques femmes (des femmes mariées surtout, et un peu mûres), son frère faisait moisson de jeunes filles. C'est lui qu'elles préféraient et, satisfait, il les exhibait effrontément : autant de brèves liaisons, de conquêtes que commentaient les autres jeunes gens et les hommes. Et il s'en trouva même une pour crier éperdument son amour sur les toits. Un peu avant ses dix-huit ans, son frère se maria. La famille fêta ce geste, défi juvénile, démonstration d'irrésistible virilité. À cette époque la jeune mariée était déjà enceinte, et lui avait déjà quitté les plaines. La première annonce du mariage lui était arrivée avec une demande d'aide, parce que les époux manquaient d'argent et qu'il travaillait ici, lui, à la ville. Il envoya sa contribution, un peu gêné, et s'efforça de se tenir dans toute la mesure du possible à l'écart de cette histoire.

Ce sentiment qui tourne maintenant à l'inquiétude prend-il sa source là-bas ? Il avait abandonné son frère : ses succès à la harpe, et aussi sa conversion en père de famille, l'ennuyaient. Quand il lui redemanda de l'aide (pas en argent : les parents voulaient que le cadet vienne travailler à la ville, lui-aussi), il ne répondit pas et changea de domicile. Plusieurs années devaient s'écouler avant qu'il ne se remette en rapport avec eux.

Il ne pouvait oublier en effet que son entente avec son frère – mis à part l'éclat des fêtes, les excès avec les femmes, le talent musical de l'autre, etc. – était fondée sur un secret : vers sa quinzième année ils avaient découvert que leur père était devenu fou. Il avait abandonné son travail, ses terres ; il s'était cloîtré et avait dépéri, harcelé d'images puissantes : une main qui l'agresse, une autre qui jette des clous dans sa nourriture : et personne autour de lui. Il s'enfermait des jours entiers, tranquille ; puis il s'insurgeait, agressif, contre tout le monde. Les enfants, intrigués et soucieux, écoutèrent les diagnostics de leur mère et des villageois : c'était un maléfice, un mauvais sort, une sorcellerie. Il y eut un défilé de guérisseurs et de sorciers. Seules de très lentes années pourraient apaiser cet homme, quand tout serait irrémédiable. Ce fut une des raisons pour lesquelles il alla chercher un travail fixe à la ville. Les deux frères découvrirent aussi en même temps que leur arrière-grand-père avait été fou, et que, du côté de leur père, chaque génération comptait un aliéné : la maladie épargnait les femmes.

Sous l'effet de cette révélation, un matin de blancheur, ils parlèrent, et reconnurent que l'un d'entre eux aussi pouvait devenir fou. Son frère avait la parole facile. Il ne cacha pas que la menace pesait sur sa propre personne, mais une certaine tournure qu'il sut imprimer à la conversation le mettait à l'abri : le stigmate lointain de la folie, le châtiment de la clarté, le changement qui faisait infailliblement d'un être humain la risée des gens, la chute dans un monde informe et absurde, la sinistre confusion du réel et de l'acceptable, la perspective de manger ses propres excréments, les nuits d'errance sur les routes, l'oubli progressif et le mépris de tous les êtres chers : voilà tout ce qui allait fondre sur lui, le vaincu, puisque d'une certaine façon son frère cadet avait respecté en temps voulu les lois biologiques et sociales. D'une certaine façon, il était maudit, lui. La fougue de son frère, bien que discrète, l'incita à s'appuyer, ce matin-là, sur le tronc de son amandier, l'arbre de la cour la plus proche de son domicile.

Installé à la ville, il se renseigna sur ce mal. Il voulut le prévenir. Il se rendit à la consultation externe d'un asile d'aliénés. Le médecin le rassura. Il apprit qu'il y avait, peut-être, une limite d'âge : la maladie frappait de préférence les hommes avant la maturité. Peut-être cela expliquait-il qu'il ait attendu si longtemps pour choisir une femme. Et sa vie de solitaire se serait prolongée bien davantage si Marta María ne s'était pas moquée de ses appréhensions. Peut-être n'avait-il pas fait preuve de toute la fierté souhaitable ; mais, en fuyant le hameau, il s'était juré que, si la maladie le lui permettait, dès qu'il aurait remarqué quelque chose d'étrange il se pendrait.

La deuxième bière tiédit sur le comptoir : il boit posément et sourit à Gisela, qui lui montre le verre. Il va être une heure ? Sur le téléviseur du patron il voit quelques images de l'inauguration du métro. Il voit l'engin métallique et luxueux où il s'est trouvé quelques instants plus tôt. Il s'efforce de sourire calmement. Qu'a-t-il à craindre ? Il n'a rien fait, lui, mais il est libre. Le sentiment de culpabilité provient-il de cette joie cachée et involontaire ? Peut-être. Il fallait bien que quelqu'un soit frappé. Comme cela fait mal d'y penser.

Il sort du bar et retourne vers sa voiture. Dans quelques minutes il sera chez lui, avec Marta María. Généreusement, elle a voulu lui donner la joie de sortir seul, et de reconnaître les stations du métro. Elle a ajouté qu'elle attendrait dans l'appartement, pour le cas où ils auraient de l'avance, quoique cela fût peu probable : les autocars de la plaine ont toujours du retard. Et par l'autocar d'aujourd'hui doit être arrivé (à la gare routière ou à son domicile, où peut-être il l'attend à cette heure) son frère. C'est leur mère, une vieille femme effarée, qui l'a emmené, ainsi que l'a annoncé hier un autre parent au téléphone. Cette fois ils viennent chercher une aide scientifique parce qu'aucun des guérisseurs n'a réussi. Au cours des derniers mois son frère avait commencé à donner des signes de démence : une agression lente et décidée contre lui-même, contre sa femme et ses neuf enfants, avait mis le village en émoi. Rien ne le soulage, son état ne s'améliore pas. Il y a peut-être ici une chance de salut.

Il ouvre sa voiture et s'attarde à l'ombre rougeâtre de l'amandier. Un ciel magenta prodigue sa douce caresse. Réellement, les feuilles, quand tombent-elles, là-bas, dans son village ? Quand les beaux amandiers se couvrent-ils de sang ? Cela, il l'a oublié. Et bien qu'il sache qu'une personne pourrait peut-être le lui dire, il admet soudain que son frère ne pourra plus lui répondre.

1. Petite guitare. (*N.d.T.*)

EDNODIO QUINTERO

UN CHEVAL JAUNE

Si je rêvais que je suis quelque chose de plus qu'un cheval jaune : dépouillé de mauvaises habitudes et de hennissements, réduit à la malheureuse condition de bipède pensant, je porterais tout droit mes pas vers la ville la plus proche, celle que l'on entrevoit là-bas, à l'extrémité sud de la plaine, et où affleurent de hautes et sombres cheminées qui souillent de suie le ciel sans nuages de cette matinée de septembre.

Je me mêle à la foule en sueur qui sort du stade. Poussant, jouant des coudes, je réussis à aborder un autobus délabré, bourré d'écoliers émaciés et de vieilles femmes édentées. À travers la fenêtre je contemple le défilé d'arbres rachitiques qui bordent l'avenue. Un inconnu au visage patibulaire s'approche de moi en souriant et me porte un coup de pied féroce au tibia. Je le maudis en silence tout en me tordant comme un ver foudroyé par un rayon de soleil.

Je descends au coin du marché et l'odeur de poisson pourri, mélangée à la vapeur qui monte du fond des égouts, m'enveloppe. Les mouches obscurcissent l'air, et un rat sort son museau de la poche de la veste d'un mendiant aveugle. Plus loin, assise sur le seuil d'une porte rose, une vieille prostituée chauffe ses genoux au soleil. J'ai faim, je fouille en vain dans mes poches, et je m'éloigne peu à peu sans m'apercevoir du rythme paisible de mes pas.

Pendant un moment je marche, égaré dans la fumée des usines, le bruit des voitures, l'agitation des enfants qui jouent au football, les jambes potelées d'une grande femme blonde qui tire un chien au poil sombre. Et un vieil ami qui me salue en pleurant. Je m'échappe de nouveau et crois me réfugier dans la silencieuse intimité d'une église. Je suis étourdi par la voix efféminée et irritante d'un jeune prêtre, yeux bleus et joues rasées de frais, qui agite un christ à l'air de chien battu et vocifère dans une langue étrange, mélange de latin, de sanscrit et d'arékuna. Je m'éclipse discrètement et vomis sur le trottoir.

Presque immédiatement, me voici sur un sofa, dans le salon de parents idiots. Ils fêtent ma visite avec des chuchotements et des sourires obliques. Ils m'offrent du café ou du thé ou de la citronnade. Ils battent des ailes autour de moi comme des pingouins. Ils parlent de la grand-mère assassinée pendant une fête de carnaval dans les années cinquante et de tante Margarita en proie à la gale de chien. Dégoûté, je prends congé de ce beau monde, la porte claque et ils commencent l'un après l'autre, maladroitement, à m'enfoncer dans le dos les poignards qu'ils dissimulaient dans leurs vêtements.

Dehors le soir est une fleur orangée qui se détache lentement. Les bouts de mes souliers abîmés désignent le chemin du retour. Je répugne à penser. Mon cerveau est une grotte blanchâtre, propre et désolée, dans laquelle, à de très brefs intervalles, une ombre se glisse. À peine une ombre et le tourbillon obstiné du vent entre les arbres. Je fredonne une mélodie triste, qui détonne, et je descends la ruelle en donnant des coups de pied dans une boîte de bière.

J'arrive chez moi, où m'attendent les cris de ma femme et les pleurs de nos enfants. Ma femme a maigri et ses seins pendent comme des lambeaux de peau sèche. Les enfants ont faim. Ils trépignent et me sautent dessus et grimpent de tous côtés comme des fourmis. Ils me renversent, hurlent et piétinent mon corps fatigué. C'est alors que je me réveille et, maintenant dispensé de cauchemars, je prends appui sur mes pattes de derrière, je me lève d'un bond, je hennis de bonheur, je galope et le vent agite ma crinière jaune.

ANTONIO LÓPEZ ORTEGA

LES LÈVRES DE LAURA

C'est entre la haie de roses de Chine à fleurs rouges qui longeait la piscine et le mur extérieur du terrain de squash que Laura se cachait pour nous apprendre à embrasser. Vêtue d'un deux-pièces à fleurs, elle nous faisait passer l'un après l'autre. Hernán – un craintif à la vue basse – se plaçait en tête de file. Daniel – prompt à s'amouracher – se réservait pour la fin. Certains – comme Angel – essayaient de l'étreindre et elle les gratifiait du coup de genou au bas-ventre qu'elle savait si bien porter. « Rien que des baisers », insistait-elle à notre grande surprise.

Le dimanche après-midi la file des aspirants augmentait et les disputes pour le bon ordre des passages étaient fréquentes. Plongés dans l'attente, nous arrachions des fleurs de rose de Chine et les écrasions lentement entre nos doigts. Pliant l'index et les yeux mi-clos, Laura appelait le candidat suivant, lui fermait les paupières de la paume de sa main gauche, lui murmurait à l'oreille *reste tranquille* et avançait ses lèvres jusqu'à toucher les nôtres et abandonner sa langue comme un poisson vivant pris au filet.

Il faut, donc, comprendre que, lorsque le club restait désert, nous finissions toujours par jeter les chaises-longues au fond de la piscine, bâtissant des châteaux sous-marins que nous traversions en faisant des pirouettes et en transformant nos poumons en bulles. Il faut, donc, comprendre que, à la tombée de la nuit, nous finissions toujours par attendre la réprimande de Reynaldo, le gardien, qui nous sortait de la piscine par les oreilles et qui, à cette heure, doit être encore en train de chercher l'insaisissable Laura chaque fois qu'il bute sur une rose de Chine.

UN RÊVE AUX CANARIES

Je suis à Santa Cruz de Tenerife. Ma mère nous y a emmenés en vacances pour la première fois de notre vie. Vieux républicain et lecteur de Cervantès, mon grand-père s'est révélé être en fin de compte un habile cultivateur : hier, d'un geste brusque de la main, il m'a fait connaître la fraise ; hier, en enfonçant l'ongle du pouce dans la pulpe charnue, il m'a montré comment une figue peut être habitée par des vers.

Au 84, rue Méndez Núñez, grand-mère nous a gâtés avec des frites et tante Olga a préparé des beignets espagnols au chocolat. Demain – c'est promis – nous descendrons sur la plage de Tabaida avec tous nos oncles et cousins.

Je me couche tard, un peu inquiet. Une brise légère agite les rideaux. Je me laisse emporter lourdement vers d'autres rivages tandis que la nuit se fait lente et visqueuse. Deux hommes masqués réussissent à pénétrer secrètement par la fenêtre et se dirigent vers la chambre de ma mère. Ma mère les voit entrer, étouffe un cri d'effroi et en reste paralysée. Les hommes se précipitent sur le lit : le premier lui ferme la bouche de sa main gantée pendant que l'autre appuie à plusieurs reprises un couteau contre son abdomen. Un regard qui doit être le mien la recueille au plafond de la pièce, dans les convulsions de l'agonie.

Soudain, je me dresse sur mon séant. Ma mère nous appelle pour le petit déjeuner. La voir dans la cuisine avec un tablier ne m'a pas semblé une image réelle. Les œufs frits refroidissent dans mon assiette tandis que je constate que je n'ai pas d'appétit.

Ce matin-là, à Tabaida, j'aurais pu faire connaissance avec le sable noir de la plage, j'aurais pu admirer oncle Arturo alors qu'il détachait avec force chacun des tentacules du poulpe subitement collé à son épaule, j'aurais pu accepter la longue baguette bourrée de sardines que me proposait grand-mère. J'ai préféré, toutefois, ne pas me séparer de ma mère, être pratiquement son ombre, retenir dans ma gorge tous les pleurs accumulés dans mon corps.

Poèmes et nouvelles traduits de l'espagnol
(Venezuela) par Juan Marey.

RÉPERTOIRE DES AUTEURS

Vicente Gerbasi : Diplomate, journaliste, ce fils d'immigré italien, né en 1913, est la voix la plus importante de la poésie vénézuelienne contemporaine. Le père, l'enfance, le village constituent les trois thèmes principaux de son œuvre. Une *Anthologie poétique* (1953), remise à jour à plusieurs reprises, rend compte de son abondante production.

Ana Enriqueta Terán : Née en 1919. D'abord attirée par les formes classiques, dont le sonnet, elle modifie peu à peu l'héritage hispanique pour amorcer une transition vers un langage fascinant, capable de remplir de mystère le monde domestique et quotidien.

Juan Sánchez Peláez : Né en 1922. Son premier livre, *Elena et les éléments* (1951), le rattache à certains égards au surréalisme, mais ses traits les plus caractéristiques sont le dépouillement, l'exploration du monde intérieur, le dénuement du moi lyrique et la solitude de l'homme dans le monde.

Rafael Cadenas : Né en 1930. Sa participation aux luttes des étudiants contre la dictature de Marcos Pérez Jimenez lui valut l'exil. Dès ses *Cahiers d'exil* (1960), il opte pour une poésie de la retenue, de la spiritualité et de l'investigation des profondeurs de l'être. Grand connaisseur de la poésie anglaise et universelle et de la mystique orientale. Exerce une forte influence sur la nouvelle littérature vénézuelienne.

Eugenio Montejo : Né en 1938. Dissimule son nom véritable et sa biographie. Seule compte son œuvre. Rejette toute esthétique « communautaire ». Tend sans faiblir à une économie dans l'expression et à un lyrisme méditatif consacré à une recherche attentive du cœur des choses.

Miguel Márquez : Né en 1955. Ennemi de toute dramatisation et de tout excès lyrique, ce poète privilégie le texte bref, le trait descriptif et la réflexion sereine. Par son optimisme, son amour du quotidien, il se rattache à William Carlos Williams et à la meilleure tradition de la poésie objectiviste.

Rafael Castillo Zapata : Né en 1958. Poète du voyage et de l'amour, ses textes constituent autant de méditations lyriques non dénuées d'ironie et de mélancolie.

José Balza : Né en 1939. Écrivain et essayiste de première importance dans le renouvellement de la littérature vénézuelienne de la deuxième moitié du XXe siècle. Son œuvre, dans laquelle l'essai acquiert une portée narrative et la narration une densité spéculative, est centrée sur des formes spécifiques – récits et romans que l'auteur dénomme « exercices narratifs ». L'écriture de José Balza est une recherche textuelle – un texte-trame – sur la multiplicité psychique de l'individu et ses rapports avec le tissu anthropologique de son être social.

Ednodio Quintero : Né en 1947. Écrivain et ingénieur des eaux et forêts. Auteur d'une œuvre exclusivement narrative dont l'axe est constitué par la tension entre le désir et le désenchantement, sentiments qu'une écriture brillante met en rapport avec leurs origines existentielles : l'enfance (comme paradis) et la mort (comme volonté d'en finir ou suicide).

Antonio López Ortega : Né en 1957. Écrivain et théoricien de la littérature. Son écriture dense et précise, soucieuse de sa propre transparence, hisse la forme circonstantielle de l'annotation au rang d'un genre majeur. Dans chacune de ses œuvres, l'intuition poétique confère aux textes pris dans leur ensemble une forme d'unité complexe, alors même que chacun d'entre eux constitue une unité autonome.

CHRONIQUES

MAX JACOB À DRANCY

ou l'ultime vision du poète

> *Allons ! Découpez-moi un bon morceau de marbre*
> *Avec dessus mon nom en lettres d'or ;*
> *Vous planterez auprès tel ou tel arbre*
> *N'oubliez pas la date de ma mort.*
>
> Le Laboratoire central, 1921.

Avant de partir pour Auschwitz, ou avant de mourir sur place, ils ne devaient voir que les gratte-ciel, les premiers de France : cinq tours de quatorze étages chacune, qui se dressaient au-dessus d'une vaste étendue chaotique constituée de bric et de broc.

Max Jacob n'en a rien dit et n'a rien laissé, aucun écrit, aucun croquis, sur le dernier paysage qu'il put distinguer de son lit de mourant, frappé de la fiche numéro 15 872, à l'infirmerie de Drancy. Ultime et sinistre vision pour le poète qui refusa de la subir. Pas au-delà d'une semaine. Car tel fut le temps de son passage au camp. Sept jours lui suffirent... Juste avant le printemps de l'année libératrice, entre le 28 février 1944 au matin et le 5 mars au soir.

« J'ai prévu des faits ; je n'en ai pas pressenti l'horreur. » Cette phrase conclut l'avis – l'avis à la population, l'avis à l'humanité ! – que Max Jacob plaça en tête, en 1917, de son *Cornet à dés*. Et le second des poèmes en prose du célèbre recueil de se terminer ainsi : « Je suis surveillé par la police », et plus loin : « Ô vision sinistre de la mort allemande. »

Est-ce pour nous étonner ? Sûrement pas. Le poète savait tout à l'avance. Bien avant les premières visites de la Gestapo qui elles, remontent à juin et octobre 1940. Mais pressentant son sort, connaissant la mort qui l'attendait, l'instant fatal venu, il ne voulut plus en parler. Il tira un trait dessus. Comme si ce qui était écrit au bout de toute vie ne se décrivait pas. Et cela, il l'avait dit et répété. Alors, « si je dois subir le même sort que mon frère [Gaston] et ma sœur [Myrté-Léa], eh bien, qu'il en soit ainsi... » Point final. Point de non retour.

Avant, s'incruste malgré tout la vision des gratte-ciel de Drancy, impossible d'y échapper : les cinq hautes tours de béton armé zèbrent la vue à l'horizon. Aucun autre panorama ne peut attendre le nouvel arrivant qui descend du 51, l'autobus de la ligne de banlieue qui sert de desserte au camp et qui y fait son entrée, encadré de policiers en civil et de gendarmes en tenue. Dernière image du pays, emportée avec soi dans le wagon de marchandises ou de préférence à bestiaux, vite plombé dès lors qu'il est rempli au maximum et où s'entassent successivement les cargaisons de déportés, tous les internés de Drancy, tous destinés, promis à Auschwitz. Car c'est bien la « solution finale » qui attend Max Jacob, immédiatement conduit dans la zone du prochain départ fixé au 7 mars. 7 mars ! Deux jours auparavant, à sa façon, Max Jacob échappera à ce convoi. On ne tue pas un poète. C'est lui qui se laisse mourir, qui choisit sa mort, son moment. Max Jacob meurt malade, exténué, enfermé mais libre.

Mais il emporte avec lui la vision de Drancy ! Ses ultimes *Visions infernales*... Celle de Drancy-la-Juive, d'où sont déjà partis pour toujours les quatre cinquièmes des 67 000 israélites déportés de France pour cette destination inconnue, quelque peu mythique, que les enfants des rafles du Vel d'Hiv, d'Izieu et d'ailleurs ont surnommé, parfois en en rêvant, « Pitchipoï ». La vision également de cette « banlieue-paillasson » décrite – dénoncée ! – par un Céline dans *Le Voyage au bout de la nuit*. Effectivement, c'est sur une paillasse crevée, rongée par les urines et la vermine, ayant déjà supporté ô combien de corps mourants, que Max Jacob se retrouve les deux premiers jours et premières nuits. À la baraque de fouille, il a été dépouillé de son argent (5 500 francs) et de sa montre en or. Un officier de police français lui a remis un reçu (enregistrement relevé sur le carnet de fouille numéro 98), puis on l'a fait grimper au quatrième étage de l'escalier 19 où on lui a désigné la partie inférieure d'un châlit en bois, vrai grabat. Là, un ami, Georges Dreyfus, arrêté en même temps que lui à Saint-Benoît, désigné comme chef d'escalier, s'est vu contraint de lui remettre l'étiquette verte : celle qui signifie le grand départ. Comme tout se sait tout de suite, comme tous ses compagnons de chambrée, Max Jacob comprend.

De toute façon, il savait. Depuis son arrestation... Dès le 24 février, il sait qu'il n'est plus « le vieux rempart qui chante à marée haute l'éternel rescapé ». « Excusez cette lettre de naufragé... » écrit-il au curé de Saint-Benoît. Mais le naufragé n'a aucune révolte en lui ;

il ne s'est pas échappé par la porte de derrière donnant sur le jardin comme il en aurait eu le temps, juste avant l'arrivée des gendarmes et des gestapistes. « Tout cela n'a aucune importance » s'est-il même contenté de dire au docteur Castelbon de Saint-Benoît venu le réconforter. Résigné, il a remercié Dieu « du martyre qui commence » et n'a oublié personne dans ses prières « continuelles ». Parce qu'ils le laissent écrire ses dernières volontés, il va jusqu'à trouver les gendarmes qui l'escortent « complaisants » ou « charmants ». Par trois fois, en s'adressant à son curé, à Jean Cocteau et à son vieil ami astrologue Conrad Moricand, il le note. Comme si cela lui faisait du bien !

Mais en cette fin février, en ce dernier hiver de la guerre, aussi rigoureux que les trois précédents, le premier ennemi est le froid. « Un froid terrible » écrira le responsable allemand du service de contrôle de la littérature à Paris, Gerhard Heller. Implacable comme l'ennemi, c'est le froid qui commence à s'abattre sur le poète incarcéré avant Drancy, rue Eugène-Vignat à Orléans. Le voici, trois jours durant, dans une pièce de dix mètres carrés, sans le moindre chauffage, avec pour toute nourriture une soupe le midi et le soir, une infime portion de fromage à se partager avec les soixante-quatre autres détenus de la chambrée. L'antichambre de Drancy.

Drancy, « ce camp abominable » soupira Gerhard Heller, cet « Allemand à Paris » qui vainement tenta de s'opposer aux décisions de ses autorités supérieures. Drancy, la banlieue aux gratte-ciel, le premier essai de cité-jardin de France ! « Mais l'utopie parfois permet l'horreur » et la Cité dite de la Muette sert depuis trois ans d'avant-poste aux camps nazis. Cité de la Muerte à venir, lieu de transit, principal réservoir de France pour Auschwitz, c'est là au pied des tours d'un béton presque vert-de-gris que s'amasse le « matériel humain » saisi aux quatre coins du pays, un petit matin de juillet 42, comme de février 44.

Max Jacob refuse pratiquement de voir les gratte-ciel. Seuls les arbres retiennent son regard. Ils sont pourtant fort squelettiques dans cette cité qui se désirait feuillue et fleurie – sur les plans des architectes, tout au moins. Il n'y a que deux minces rideaux d'arbres, très espacés, qui s'élèvent petitement, l'un à la droite de la salle 19, en bordure du chemin de la Muette, parallèle à la rue alors appelée route des Petits-Ponts (aujourd'hui rue Arthur-Fontaine, parallèle à l'avenue Henri-Barbusse, plus à l'ouest), l'autre, avenue Jean-Jaurès, côté sud-sud est.

« Oh ! mes arbres ! » a chanté le Quimpérois converti dans son *Cornet à dés* : « Mon enfance a tracé mon nom dans l'écorce des châtaigniers et des hêtres ! hélas ! mes arbres ne sont plus... » Qu'en reste-t-il dans son souvenir à Drancy ? Julien J. London qui partagea les derniers jours de Max Jacob a écrit que « des arbres défilaient devant ses yeux » et qu'il lançait les mains en avant pour essayer de les saisir... » Saisir les arbres, saisir la liberté. La liberté des feuilles dont rêvait cet autre poète réfugié en ces temps nauséabonds sous les cieux ligériens, René-Guy Cadou. Max Jacob pour sa part, avait déjà lancé son « Douloureux appel final aux fantômes inspirateurs du passé ».

Les inspirateurs de la Cité de la Muette auraient-ils pu imaginer le si funèbre avenir des lieux et le silence de l'oubli qui allait trop souvent suivre celui de la mort ? Comment, en réalité, une utopie peut-elle déboucher sur une horreur ? Autre question : est-il juste qu'un destin sinistre fasse oublier les promesses d'une opération au départ pilote et de surcroît noircisse à jamais le visage d'une ville ? Il suffit de dire « Drancy » pour qu'aussitôt l'image de la honte française du siècle monte au front du pays. Est-ce totalement juste ? Est-ce juste, alors que l'histoire du lieu remonte à l'an 51 avant Jésus-Christ (ironie de l'histoire : le numéro 51 est celui des bus qui desservirent le camp !)

L'on dit qu'un colon romain, du nom de Terentius s'installa sur ce plat pays (la partie la plus plate de « la plaine de France ») « au nord-est et à environ trois heures de marche de Lutèce ». Et l'on sait, phénomène courant de l'évolution des langues, que la dentale D se substitua au T et que Terentiacum (propriété de Terentius) devenu Derentiacum perdit sa terminaison *acum* pour donner Derenti, puis sous les effets des diverses prononciations, Drancy.

L'histoire est ainsi faite que, d'une villa romaine, d'un village médiéval, d'un fief de plus ou moins petits ou grands seigneurs, s'ébaucha à peu près au cœur des fortifications du nord-est de la capitale, une sorte de « réduit » par où les Prussiens s'engouffrèrent en 1870, criblant au passage de 28 000 trous de balles l'église Saint-Germain. Et l'histoire et la littérature veulent aussi que ce bourg rural typique de l'Ile-de-France au XIXᵉ siècle, prenne l'allure d'un *no man's land* qui fait écrire à Victor Hugo, dans *Les Misérables*, qu'« à deux lieues des barrières, il n'y a plus rien » et qu'avec Drancy (et Gonesse) « là, finit l'univers ». Le XXᵉ siècle survenant, voilà que le village de maraîchers se transforme peu à peu en ville-champignon ouvrière et qu'une première cité, la « Cité du Nord » donne naissance au « Drancy des Cheminots », ensemble situé à peu près au centre de la ceinture parisienne, la fameuse banlieue rouge (Drancy, Bobigny, Pantin, Aubervilliers, Dugny, Saint-Ouen, Clichy, Genevilliers...) ou comme la dépeint Blaise Cendrars « la banlieue noire qui ne connaît qu'un jour de liberté ensoleillée, le dimanche des jonquilles fin avril ou début mai ». Enfin, les années terribles en place, c'est Aragon qui dans son *Homme communiste* maugrée : « Quand je pense à Drancy, avec ses grands immeubles, ses gratte-ciel à bon marché où l'eau gelait la nuit dans les conduites et tout autour, ce bled désolé avec de petits jardins et des cahutes... »

Bled désolé... décidément, Drancy a déjà mauvaise réputation. Avant même l'histoire du camp, peut-être à cause de sa caserne, de ses gratte-ciel... Tout se joue durant les quelques années qui précèdent celles de la nuit et du brouillard. Jusque-là, Drancy n'est qu'une étendue informe, un fouillis d'habitations hétéroclites, bicoques et cahutes effectivement, piètres pavillons dits « Loucheur » (la Loi Loucheur), faux cottages aux façades délavées, jardinets clôturés de haies et palissades diversement plantées mais uniformément laides. Un territoire au milieu duquel doit s'édifier la cité de demain, avec des gratte-ciel à l'américaine. Dans ces années trente, Drancy-la-Rouge ose prêter son espace à la modernité. Des constructeurs, dans le style de ceux que peignit Fernand Léger, offrent sinon leurs couleurs du moins leurs formes, leur géométrie. Banc d'essai, pari sur l'avenir ! Architectes fonctionnalistes choisis par l'Office public des habitations à bon marché (les H.L.M. de l'époque) du département de la Seine, Marcel Lods et Eugène Beaudouin ont la tâche de bâtir une cité de 1 250 logements collectifs sur un terrain d'une dizaine d'hectares de la commune où, dans une cabane, selon une légende, vécut une femme muette.

En trois ans, de 1932 à 1935, le plan d'ensemble des deux hommes de l'art se dessine entre ciel et terre. Au-dessus de la plate banlieue, encore écrasée au sol, prennent leur envol dix barres parallèles en peigne à trois étages reliées entre elles, par groupe de deux, par cinq gratte-ciel de quatorze étages chacun. En arrière d'eux, se détache une seconde masse de logements en redan, de un à six étages sous forme de plots et, en ouverture, sur le côté ouest, pièce unique de son espèce, ce qui va devenir un symbole de malheur, trois barres reliées l'une à l'autre, en forme de fer à cheval.

Mais la ville nouvelle, la première cité verticale du pays oublie ses assises. L'insolite construction tranche avec l'environnement faubourien dont la norme reste l'habitat individuel. Les regards ne s'habituent pas à cette percée d'armatures bétonnées, aussi rigides que grises. D'autant que structures et verdure promises ne suivent pas. Aucun des équipements projetés pour l'agrémenter n'est réalisé. École, dispensaire, crèche, commerces, salle de réunions, église, piscine, usine d'incinération ménagère, tout le modernisme assuré fait défaut. De même que ne sont pas aménagés les espaces dits libres et boisés (on ne parle pas alors d'espaces verts). Seule fonctionne, au départ, la chaufferie collective.

Ce n'est pas tout. Des malfaçons s'ajoutent aux oublis. Défaut d'insonorisation, absence d'étanchéité sont d'autant plus mal perçus que les premiers locataires payent cher l'expérience. Cheminots, employés de la T.C.R.P. (la future R.A.T.P.) et ouvriers de La Courneuve refusent vite de servir de cobayes. Ils abandonnent leurs logements et ceux-ci, tours et « peignes », restent près de deux ans inoccupés. À qui peuvent-ils donc alors convenir sinon à des militaires habitués à vivre en caserne et à « l'obéissance sans murmure » ? L'État est justement en train de réorganiser ses forces de sécurité et il loue la Cité à la « Mobile ». En fait, il s'agit d'une bonne part de la Garde Républicaine de Paris (G.R.P.) qui est virée dans la Garde Républicaine Mobile (G.R.M.) dont la création remonte au début de la décennie. C'est la 22ᵉ Légion de Gendarmerie (2 escadrons, 6 compagnies, 800 hommes) que Drancy accueille au cours de l'hiver 1938-1939, répartissant les effectifs dans les tours et peignes. Le restant de la Cité n'est en effet toujours pas terminé, ni la « Cour d'entrée » ni l'ensemble en redan destiné aux officiers.

Voici venu le temps de Drancy-Caserne, étape préparatoire au camp de Drancy. Ainsi se confirme une réputation et s'esquisse le tragique à venir. Premier transit.

Les nouveaux occupants, trop souvent en tenue noire, celle du « combat intérieur », maintes fois appelés à l'extérieur, s'adaptent tant bien que mal aux conditions d'une cité à demi édifiée, plaquée artificiellement comme un corps étranger au milieu d'une nature forcément hostile. Un *no man's land* semble séparer la caserne du restant de la cité et, à l'école communale de l'avenue Jean-Jaurès, enfants des « mobiles » et des ouvriers drancéens ont bien du mal à jouer entre eux aux gendarmes et voleurs...

Les éléments naturels aussi se font hostiles. Dès qu'il vente, des tourbillons de poussière s'élèvent entre les bâtiments au-dessus du sol en mâchefer et un air glacial pénètre à travers des cloisons en un rien de temps lézardées. L'hiver de la « drôle de guerre » augure mal de l'avenir. Les constructions ne peuvent plus tromper et annoncent le proche désastre... Une nuit de décembre 1939, le froid, tout de suite terrible, gèle les conduites d'eau des gratte-ciel. Un sourd éclatement, tel celui d'une grosse bombe – « mais c'est la Bertha ! » crient quelques anciens de 14 – parcourt la caserne de long en large. Signe avant-coureur de la débâcle... Et c'est un semblant de fête que le casernement arbore quand peu après, l'archevêque de Paris s'en vient le visiter et lui apporter sa bénédiction. Ce bon hôte de Drancy, Mgr Verdier, fort de son bel accent du Rouergue – tel, plus récemment le cardinal Marty – est ce prélat que précédait une réputation d'« évêque rouge » parce que bâtisseur d'églises dans toutes les banlieues de la capitale mais qui allait disparaître au printemps suivant alors qu'une autre rumeur voyait en lui un possible *papabile*.

Et l'an quarante surgit et le pays se brise en juin, avant de se laisser enchaîner. Ordres et contre-ordres s'abattent sur les dernières troupes cantonnées dans l'agglomération parisienne, la capitale étant *in extremis* déclarée « ville ouverte ». Une Brigade mixte de Gendarmerie est chargée des interventions d'urgence mais de quoi s'agit-il : de résistance à l'ennemi ou de maintien de l'ordre public ? Parmi les trois légions de Mobiles sur le qui-vive, la 22ᵉ de Drancy est expédiée le 12 juin « en poste de surveillance » sur les routes du nord de Paris et la ligne générale de la rivière de la Morée. La position est dite « Défense de Paris » et signifie « prêt pour le combat » ! Position maintenue toute la journée alors que dans l'après-midi, le généralissime Weygand décrète la retraite générale. Le lendemain matin, l'ordre est de revêtir la tenue noire, soit celle du combat intérieur... Repliés sur leur caserne, les 800 hommes sont appelés dans l'après-midi à l'abandonner et à décrocher sur le quartier militaire de Clignancourt. Toutes les autres forces ont droit au même va-et-vient. Le 14 juin, la Wehrmacht a tout loisir de faire son entrée dans Paris et au-delà de ses portes, d'occuper, entre autres casernes vidées de leurs effectifs, celle de Drancy. Drancy, où quatre régiments allemands (de cavalerie et de blindés) installent leurs cantonnements, se répartissant entre la Cité de la Muette, les écoles, la ferme dite du « Petit Drancy » et le parc du château.

Désarmés par les troupes ennemies, les Mobiles de la 22ᵉ Légion concentrés à Clignancourt (d'autres échouent à Montrouge, à Vincennes et aux Célestins) attendent néanmoins leur réintégration dans leurs quartiers. Mais Drancy plaît à l'envahisseur. L'espace ne manque pas et le grand ensemble en U, bien que manifestement inachevé, mais inhabité, semble parfaitement apte à recevoir des occupants. Et à les y enfermer ! Alors que les soldats de la Wehrmacht ont fait irruption dans les logements des gardes des deux premières tours et de quatre peignes, la cité de la Muette commence à se remplir de ses premiers prisonniers : soldats français mais également, pour un bref temps au début, civils britanniques et enrôlés de force alsaciens-lorrains encadrés de *feldgrau*. Sous l'appellation de « Front Stalag III », le camp de Drancy est né.

Ce n'est pas le premier de France, loin de là. Des dizaines ont été ouverts – et souvent désignés comme camps de concentration – un an et demi auparavant, d'abord pour « accueillir » les réfugiés républicains espagnols, ensuite pour garder les anti-fascistes et juifs d'Allemagne et d'Europe centrale, sans oublier les communistes français mis hors-la-loi. Quelques-uns d'entre eux ont d'ailleurs eu droit, avant l'arrivée des Allemands, à un passage par Drancy.

À quelques kilomètres de Paris, à trois heures de marche du cœur du vieux Lutèce, voici donc que se dressent au-dessus de la morne plaine et à l'ombre des gratte-ciel, comme de durs épis, les premiers barbelés de l'Occupation et de l'État dit français. Voici Drancy sous le signe de Vichy et de son régime épurateur. Drancy, avec sa caserne sectionnée en deux, comme l'est le pays, avec une partie pour des prisonniers de guerre et leurs gardiens, l'autre pour une Garde Mobile en cette heure non encore utilisée, démantelée et brinqueballée d'un lieu à l'autre de la capitale et des environs. Ce n'est qu'au-delà du 14 juillet que les hommes de la 22ᵉ Légion regagnent Drancy et une moitié de caserne laissée libre, trois tours et six peignes. Eux-mêmes sont entourés de barbelés et les Allemands n'ont pas perdu leur temps. Du jour au lendemain, la cité s'est faite prison. Tout autour, une double ceinture de ronces artificielles avec chemin de ronde au milieu et un mirador à chacun des quatre coins tracent le nouveau paysage lugubrement balayé de nuit par dix-neuf projecteurs. Le front de la honte s'ouvre dorénavant sur cette masse de pierre ceinturée d'épines de fer. Lourde bâtisse de 200 mètres de long sur 40 de large avec en son centre une cour en mâchefer encadrant deux pelouses garnies de quelques pauvres arbustes. Avec en plus maintenant le baraquement de fouille et deux étroites bandes de cabanes de brique rouge, les latrines surnommées « Le Château Rouge », installées en bordure, à l'entrée de la cité.

Vingt-deux escaliers montent aux quatre étages et donnent sur des dortoirs (prévus pour cinquante personnes au maximum mais leur chiffre ira jusqu'à doubler !), salles en longueur, aux murs sombres (un ciment gris foncé, sans revêtement), aux canalisations électriques non recouvertes, avec un lavabo en zinc plaqué dans un coin, un autre maintenu par des montants en bois et, pour tout mobilier, des petites tables de jardin en fer, toutes rouillées, des châlits en bois ou en fer, des sceaux, une poubelle...

Au rez-de-chaussée, les divers bureaux : de garde, des effectifs, des... Chancelleries allemande et française, du Commandement, du Préfet de police. Et les cuisines, les dépôts de matériel, la buanderie, le dispensaire, l'infirmerie, la serrurerie, la prison, la morgue...

La première année, et jusqu'à l'ouverture du camp aux israélites en août 1941, les prisonniers de guerre retenus à Drancy se comptent quelques milliers. Un certain nombre d'officiers, privilégiés, se partagent avec des secondes classes allemandes, des logements de mobiles dans les deux premiers peignes. À l'intérieur même de la caserne, les gardes de Paris revenus sur place, occupent les bâtiments laissés libres et sont amenés à se joindre aux Allemands dans la surveillance des P.G.

De ce rôle et de cette proximité, l'un des deux chefs d'escadron de la Légion tire profit en organisant un réseau d'évasion. Tout l'été, des prisonniers se font la belle régulièrement, généralement par deux, revêtus de tenues de gendarmes et munis de cartes de démobilisation.

Une fois, ils ne sont pas moins de douze à quitter ainsi le bureau du commandant et à gagner le dépôt de cheminots le plus proche, à Bobigny, où des vêtements civils les attendent. Puis, les tenues réintègrent la caserne et le manège reprend !

Mais Vichy refond les services de police et désagrège début novembre la Garde Républicaine Mobile. Les trois quarts des effectifs de Drancy sont dispersés dans le pays, reversés dans la « Territoriale », les deux zones (Nord et Sud) confondues. Beaucoup d'entre eux s'en vont garder les camps dits de réfugiés, de Compiègne, de Pithiviers, de Beaune-la-Rolande... Le colonel est mis en retraite anticipée, les deux chefs d'escadron sont mutés dans des départements de l'Atlantique. Seuls subsistent quelques pelotons placés sous les ordres d'un commandant vichyssois. Plus question d'évasions ! Débute une bien peu reluisante collaboration couverte en haut-lieu par la Gendarmerie de Paris et la Préfecture de la Seine. Les prisonniers de guerre progressivement partis pour les stalags et oflags d'Allemagne, quand vient le tour des juifs raflés, la cité de la Muette peut se faire réserve permanente pour Auschwitz, sorte de salle d'attente pour l'étape finale. Mais les premiers geôliers sont des compatriotes ! Qui signe le réglement intérieur ? Conjointement, les autorités allemandes et françaises. Qui gère le camp ? L'administration française. Précisément, la direction des Affaires juives qui dispose d'une équipe d'inspecteurs de la police judiciaire et de ce qui reste de la 22ᵉ Légion. Quelle surveillance ces forces exercent-elles ? Très exactement, elles veillent à la sécurité extérieure et à l'exécution du réglement intérieur qui, selon ses propres termes, impose une « discipline de prison militaire », voire de « pénitencier », reconnaîtront quelques gardes bienveillants. Du 27 août 1941 au 27 mars 1942 ce ne sont pas moins de 950 décès que Drancy enregistre, faute de soins et de nourriture, mais non de brutalités. Le cimetière n'est guère loin, tout comme la gare du Bourget-Drancy. Le 27 mars est la date de départ du premier convoi : 1 112 partants transportés – cas unique – en wagons de voyageurs de 3ᵉ classe. Soixante-dix-neuf cargaisons humaines suivront jusqu'au 31 juillet 1944, en wagons à bestiaux ou de marchandises, tous les frais de transports étant payés par les Français !

L'occupant nazi couvre, et commandite évidemment l'ensemble des opérations. Sous la direction successive des Hauptsturmführer Dannecker, Röthke et Aloïs Brunner. Il faut attendre ce dernier, soit le mois de juin 1943, pour que l'administration française perde la gestion du camp, ses droits en quelque sorte et autrement dit, la responsabilité des conditions d'existence du camp. Mais jusqu'à l'entrée en exercice de cet ancien adjoint d'Eichmann (mort peut-être il y a un an en Syrie), Drancy vit sous la coupe du régime de Vichy, de ses serviteurs et de gendarmes dont on tentera ultérieurement de camoufler la présence. Ensuite, la dernière année de l'Occupation, la police française à Drancy – à l'image de la Milice – se transforme en force supplétive. Elle est présente lors de toutes les arrestations, de tous les embarquements, pour tous les transports. Elle est là à Saint-Benoît-sur-Loire le 24 février et à Drancy le 28. C'est elle qui conduit Max Jacob, comme tant d'autres victimes, dans ce camp dit par l'occupant « camp de rassemblement », au pied d'une rangée de gratte-ciel qui paraissent tout écraser aux alentours.

Dès son arrivée, le poète est envoyé au quatrième étage, le secteur réservé au grand départ. Max Jacob est vite pris de vomissements et de fortes douleurs au dos. Il respire de plus en plus mal et tousse sans discontinuer. On le descend à l'infirmerie disposée au pied de l'escalier 17, donc toujours dans la même aile ouest d'où le regard peut encore embrasser la ligne d'arbres de la route des Petits Ponts. Mais Max Jacob peut-il l'entrevoir ? Les médecins, plusieurs docteurs israélites internés qui se dévouent sans compter pour lui, diagnostiquent une pneumonie double. Ils l'entourent de tous les soins possibles. Il a droit à des draps blancs et à un meilleur régime alimentaire. Mais c'est fini, il n'en peut plus. S'il faisait encore entendre sa voix là-haut, si certains souvenirs lui revenaient en mémoire, s'il livrait à son entourage quelques anecdotes et ponctuait de prières ses derniers mots, ici, en bas, l'heure a sonné. Il n'a plus rien à dire, à demander, seulement à murmurer « Je suis avec Dieu ». Cela suffit. « Il avait dépassé toute lutte » écrira l'un des médecins qui, se penchant vers lui, percevra ses toutes dernières paroles : « Vous avez un visage d'ange... » Au-delà, il a cessé de voir et son âme s'envole, son propre visage aux anges.

À la tête de son lit, sa fiche porte les inscriptions d'identité d'usage, le numéro 5 et en gros, la lettre B, celle des déportables. Parmi 1 500 noms, dont ceux de 170 enfants, il était inscrit pour le soixante-neuvième convoi, le 7 mars. Il s'éteint le 5 mars. Il est 21 h 30.

★

« Le Juif ne peut trouver qu'une solution en son cerveau tourmenté et son corps persécuté : la mort ! » Cette remarque d'un professeur de philosophie inconnu est rapportée par un autre détenu de Drancy, Nissim Calef qui, rescapé, allait plus tard se faire connaître sous le nom de Noël Calef. Et l'auteur de polars et de scénarios de films, d'ajouter dans ses souvenirs : « Tout est inutile à Drancy. »

Les démarches pour en échapper furent effectivement inutiles.

Max Jacob le sut à ses dépens. Peut-être crut-il au début à une libération possible ? Il écrit en effet à Jean Cocteau – mais c'est le 28 février –, avant d'arriver à Drancy, dans le train qui le conduit d'Orléans à la gare d'Austerlitz : « Sacha, quand on lui a parlé de ma sœur, a dit : "Si c'était lui, je pourrais quelque chose !" Eh bien, c'est moi. »

Sacha Guitry, prévenu par Cocteau (comme Picasso mais celui-ci, avec une cruelle désinvolture s'écriera : « C'est un poète ! Il s'envolera bien tout seul ! »), tenta bien quelque chose et on sait que ses relations l'aidèrent à faire sortir vivant Tristan Bernard. Max Jacob était en droit d'espérer. Il devait se souvenir de sa propre démarche écrivant à Paul Claudel en 1926 pour intervenir auprès de Mussolini en faveur de la libération de l'écrivain « italo-levantin » Charles-Albert Cingria, condamné à neuf mois de prison « pour avoir mal parlé du dictateur ». Lequel dictateur, deux mois plus tard, céda aux instances des poètes français.

Mais la machine nazie est en marche. Dans sa phase finale. Max Jacob sait d'ailleurs, depuis avril 1942, que même Cocteau « est sous l'œil des barbares ». Il ne plaisante plus. Il prie pour lui. Il ne peut plus lui dire comme en 1926 : « Écris-moi des choses drôles : la gaieté serait ma santé. » « La gaieté, surtout la triste... », tel était (aussi) le goût du poète et c'est le préfacier de Morven le Gaélique, Julien Lanoë, qui le souligne : « Les chants de Morven préludent à la fin de Max. » Comment n'aurait-il pas perdu la santé ?

En 1943 avait succombé sous les coups et les tortures du nazisme un certain « Max ». Le grand Jean Moulin qui dit-on, avait été fortement impressionné par le « piéton de Quimper » rencontré au début des années trente alors qu'il exerçait les fonctions de sous-préfet à Châteaulin, ne portait peut-être pas par hasard, entre autres pseudonymes de résistance, celui de Max. Du grand Max Jacob tué à petit feu sous les gratte-ciel de Drancy.

Six mois après la disparition de Max Jacob, les derniers internés juifs libérés le 21 août (ils se comptent 1541), c'est Sacha Guitry qui fait connaissance avec Drancy en même temps que 6 000 autres représentants d'une collaboration plus ou moins nette, collaboration « parisienne », souvent lamentable, parfois dérisoire, voire dite horizontale. Leurs gardiens sont des F.F.I. mais ce sont aussi les gendarmes qui n'ont pas quitté leur poste. Ils continuent à encadrer des prisonniers et leurs méthodes ne changent pas toujours... Certains des nouveaux détenus vont jusqu'à affirmer que « Drancy fonctionne comme du temps des Boches ! » Mais, si dans cette atmosphère, Arletty ne se sent guère « résistante », si d'un autre côté Drancy est certes loin de ressembler au « Capoue » que dénonce le journal L'Humanité, Sacha Guitry peut tenir « salon » au pied de l'ex-escalier de départ que des jeunes porteurs d'étoiles surnommè-rent non sans humour «l'escalier swing»... Il est sûr que Drancy 44-45 n'a plus rien à voir avec le Drancy des quatre années d'occupation allemande et d'épuration vichyssoise.

L'année suivante, le camp ferme ses portes. On remet en état la Cité de la Muette. Des logements loués succèdent depuis 1948 aux chambres-dortoirs-mouroirs. Vingt ans après, peignes et gratte-ciel sont abattus. Depuis, s'élève un Mémorial et l'on expose un wagon de marchandises, symbole du dernier voyage. À côté, une nouvelle caserne a pris la place des cinq tours qui barrèrent l'ultime horizon de Max Jacob.

Pierre FAVRE

ACHILLE CHAVÉE, ENTRE NÉANT ET ABSOLU

Une forte tête et un cœur aux dimensions de l'univers. Tel fut Achille Chavée. Habitant de La Louvière dans le Hainaut, en Belgique, jamais il ne chercha à se mêler aux milieux littéraires parisiens. Il lui suffisait de tonner dans son coin. Le grand large, il l'avait en lui. Dans un numéro de la revue *Daily-Bul* où on lui demandait « Qui êtes-vous ? », il avait répondu plaisamment : « Je suis le plus grand poète de la rue Ferrer à La Louvière. »

Né en 1906, il se révolte très tôt contre la société bourgeoise. Élève d'une institution religieuse, il se fait renvoyer pour avoir tenu des propos peu orthodoxes. Il fréquente plus tard l'Université Libre de Bruxelles où il étudie le Droit et devient avocat en 1930. La crise économique mondiale de 1929 l'amène à s'intéresser au sort de la classe ouvrière. À La Louvière, zone très industrialisée, le chômage sévissait durement. En 1932 éclatent des grèves insurrectionnelles qui se propagent dans tout le Hainaut. La lente dégradation du climat politique débouche en 1934-1935 sur la montée du fascisme. Achille Chavée avait choisi son camp et il s'y tint.

Il fut séduit par le surréalisme où il vit un instrument de libération de l'homme et de protestation contre les valeurs établies. Il collabora à de nombreuses revues et publia plus d'une vingtaine de recueils de poèmes. Ses *Décoctions* réunissent de savoureux aphorismes. Il mourut en 1969.

★

« J'aurai été l'homme / Au rigoureux engrenage / D'amour / L'inflexible dépositaire / De quelques grands désespoirs. » Dès 1935, Achille Chavée dresse de lui-même ce portrait saisissant qui a un avant-goût testamentaire. Trente ans plus tard, la voix demeure inchangée, l'apaisement n'est pas venu et il constate navré qu'il est encore « aussi ouvert qu'une plaie ».

Dire son déchirement, le traduire en mots, exacerbe celui-ci plus qu'il ne l'atténue, mais a également pour effet de l'exalter et de le purifier. « Je souffre et je me souffre mais je dure / je dure et je perdure / je suis / je suis à ma terrible et secrète façon / d'être moi / de ne plus être moi / d'être au-delà d'être moi. »

L'indifférence, l'éloignement, les tentatives sabordées de communication, mettent en échec le désir éperdu de fraternité, de solidarité. Et c'est pourquoi toute sa vie Achille Chavée écrira des « poèmes criés » : il est en effet animé par la volonté de « tendre la main aux âmes incurables » et de prendre sur ses épaules une partie de leur colossal fardeau. Il est de ceux « qui ont donné leur ombre / au passant inconnu » par quelque subtile et magique opération.

Achille l'écartelé, Achille-la-tendresse, enrage de son impuissance et, pathétique, avoue son désarroi : « J'aurais voulu / être mangé comme un fruit de lumière / être bu comme une tisane de bonté. / J'aurais voulu vous présenter / le merveilleux bouquet de roses sans épines / que je n'ai pas trouvé. »

Homme dressé, rebelle, toujours sur la brèche, homme de conviction profondément ancré dans l'histoire houleuse de son siècle, il aura été de tous les combats, depuis l'engagement dans les Brigades internationales en Espagne jusqu'à la lutte clandestine sous l'occupation allemande. Communiste anarchisant, esprit non conformiste, il se débarrasse très tôt de l'emprise de la société bourgeoise, du carcan des conventions et des simagrées : « Je suis un vieux peau-rouge qui ne marchera jamais dans une file indienne. » Il est prêt à toutes les transgressions, à toutes les profanations, pour mieux affirmer sa présence au monde :

> *J'étais venu pour planter ma présence*
> *comme un stylet*
> *dans la poitrine du malheur.*
>
> *Forcément on avance j'avance*
> *avec ou sans regrets*
> *avec ou sans étoiles*
> *avec ou sans coups de chapeau*
> *pour crier malgré tout présence.*

Mais cette présence se double d'une absence, celle de la vie qui, trop souvent, se refuse à l'être de passion dont la haute exigence ne saurait trouver d'assouvissement. Ô déambulation sans fin dans le royaume « impénétrable » de l'absence !

Pareil à une flamme tourbillonnante, il s'élance hors du quotidien pour atteindre les sommets impérieux du rêve, échapper au chaos, traquer l'invisible, abolir le temps et l'espace, se plonger dans l'immensité du cosmos et, ultime récompense, savourer avec délice le précieux nectar enfoui au cœur intime des choses. Là il est seul, en proie à la jouissance de la dépossession, de la démesure, en parfait état d'apesanteur. Après avoir longtemps cheminé dans le « pourpre silence » de la nuit, il a la tête dans les nues, frappé de stupeur et d'éblouissement.

Tirant orgueil de la malédiction qui semble peser sur lui, il s'exclame dans un élan de superbe lyrisme :

> *Je suis un grand seigneur du domaine maudit*
> *le magicien parfait de l'innocence noire*
> *le magistrat secret des hautes hérésies*
> *pour cette époque où Dieu lissait ses plumes d'or...*

Dieu ? Parlons-en !

Immergé dans l'océan des contingences, le vagabond qui s'aventure dans des contrées interdites ne peut manquer de buter contre l'opacité du Mystère, contre l'intolérable Énigme. Et c'est autre douleur : « Maintenant, je suis un grand animal blessé / dans la jungle du temps / et je m'avance comme un tigre vers Dieu / en déniant son existence. »

Toujours récalcitrant, Achille Chavée se dit « chrétien/athée » et adopte une attitude quelque peu sacrilège et provocatrice à l'égard de Dieu mais, loin de se raidir dans le défi, il s'épuise à s'interroger tout en sachant qu'aucune réponse ne lui sera donnée. Il essaie bien de faire le flambard : « Dieu est un rêve qui nous laisse rêveur » et, si Jésus-Christ est Dieu, autant lui qu'un autre « crocodile spirituel », ce qui ne l'empêche pas de se considérer comme « un tout petit lambeau du Christ ». Comment ne se sentirait-il pas proche de celui qui prit en compassion et en charge la Création tout entière et s'offrit pour sa rédemption au supplice de la Croix ?

> *Avec une seule larme de ma peine*
> *comme un torrent*
> *j'aurais lavé les pieds du Christ.*

Allons ! Ne dramatisons pas et revenons à un ton plus badin pour exorciser le tourment qui le lamine et le broie :

> *Je fréquente le Christ dans la lumière blanche*
> *il est si mal noté par ses mauvais apôtres*
> *par ses ennemis par tous les autres*

que je n'ose sortir avec lui le dimanche.

Il n'est pas excessif de dire qu'il y a chez Chavée un sens du religieux, du sacré :

> *Écrire le poème unique*
> *intraduisible*
> *de survie*
> *l'ayant porté en soi*
> *humainement*
> *comme a porté Marie.*

Contre la panique qui le tenaille, contre « les dures intempéries de la pensée », il est un remède souverain : la dérision qui remet les choses à leur juste place en les faisant apparaître précisément *dérisoires*. Pour conjurer le tourment métaphysique, le sentiment tragique de l'éphémère, il suffit d'un petit quatrain goguenard :

> *Puis quelqu'un m'aborde dans la rue*
> *me dit bonjour vieille branche de poète*
> *où en es-tu vraiment où en sommes-nous*
> *avec le vieux problème de l'éternité ?*

Au fameux questionnaire des surréalistes « Qui êtes-vous ? », le poète avait répondu : « Je suis celui qui titube entre l'absolu et le néant. » Et c'est en effet entre ces deux pôles antagonistes qu'il faut le situer. Perpétuel tiraillement qui finira par avoir raison de lui : devenu « le grand cardiaque », pour reprendre le titre de son avant-dernier recueil, il ne se départira toutefois pas de son humour et de son ironie : « Je me cache sous les couvertures / je transpire d'angoisse / je vais crever madame la marquise. »

Il convient de tout ramener à son exacte proportion : « On a beau en avoir vu de toutes les couleurs, on n'en devient pas nécessairement un arc-en-ciel. »

D'une générosité folle, d'une émotivité extrême, Chavée est obsédé par l'envie de partager avec les autres le meilleur et le pire, de se fondre dans la grouillante multitude. Rien de ce qui l'entoure ne lui est étranger et il ne cherche pas à esquiver les coups : « Tout nous assaille / tout nous meurtrit / nous circonscrit / tout nous concerne / nous cerne / nous emprisonne / nous désavoue. » Malgré cet irrésistible élan, le poète se sait inexorablement « en marge » et il connaît, affamé d'amour, la rude expérience de la solitude :

Je crois que je suis seul à veiller
à veiller quoi
à veiller qui
à veiller
Personne ne m'attend
Personne ne m'entend
....
Cependant
si quelqu'un venait frapper à la porte
je le suivrais au bout du monde.

Luce-Claude MAITRE

N.B. Les Éditions Labor, à Bruxelles, ont publié en 1985 une anthologie des poèmes d'Achille Chavée sous le titre *A cor et à cri*. Les « Amis d'Achille Chavée » ont réuni les écrits du poète sous le titre *Œuvre* (six volumes).

LA MACHINE À ÉCRIRE

VOYAGES ET VOYAGEURS

Le voyage est une vieille affaire humaine. Il y a une découverte de l'extérieur, du monde, qui commence très tôt – les pédagogues le savent bien – et ne cessera qu'avec une certaine immobilité, une certaine sclérose, un dégoût ou un refus du mouvement, c'est-à-dire du *jeu*. Il est vrai que Pascal nous dit que « tout le malheur des hommes vient d'une seule chose, qui est de ne savoir pas demeurer au repos dans une chambre ». Pascal ne saurait avoir constamment raison même si le malheur rejoint ou accompagne souvent les pérégrins.

Mais c'est dire déjà que le voyage est rarement tranquille, paisible, assuré. Cela s'entend clairement dès qu'on parle aujourd'hui des « gens du voyage » ou des pauvres comédiens du chariot de Thespis. D'où, depuis longtemps, des attitudes diverses : si les Grecs de l'Antiquité répondirent constamment aux appels du large, les Latins mirent plus de temps à échapper à l'« italocentrisme » et, d'abord, Rome transporta plus qu'elle ne découvrit et adopta. Par la suite, le voyage revêtit plusieurs aspects : religieux, conquérant, diplomatique, commercial. Il semble que les temples, les comptoirs, les lieux stratégiques préoccupèrent d'abord les voyageurs. Historiens et géographes vinrent ensuite et aussi les reporters, les transcripteurs de *choses vues*, les touristes plus ou moins attentifs et sincères. Dans la plupart des littératures nationales, cet art du voyage ou plutôt, cet art de revivre et faire revivre un voyage occupe une place importante.

Trois livres traduits de l'italien me fournissent des exemples particulièrement intéressants. Dans la mesure même où ils s'éloignent – paraissent s'éloigner – du récit habituel des voyageurs qui nous *transportent* ailleurs, pour nous faire sentir avec force une vérité humaine, présente ou ancienne. Dans *Guerres politiques* (L'Arpenteur) traduit de l'italien par Alix Tardieu, Goffredo Parise rassemble un certain nombre de reportages écrits de 1967 à 1973 et consacrés au

Vietnam, au Biafra, au Laos, au Chili. Les seuls noms de ces pays sont pour nous aujourd'hui terriblement éloquents. L'écrivain ne souhaite aucunement nous offrir une description historique ou sociologique. Il se méfie des formules toutes faites et des idéologies. Il regarde et il écoute, il note pour ainsi dire à ras de terre des scènes fugaces, des détails, des phrases jetées, tout ce que l'Histoire oubliera, ne comptabilisera jamais, ne jugera jamais. C'est tantôt l'horreur, tantôt l'inconvenante tranquillité d'un surprenant confort.

> *En plein centre des Hauts Plateaux, une immense base américaine... Ici on prend l'hélicoptère comme si c'était un taxi, les officiers logent dans des cottages élégants, l'Air Force possède un club spacieux... Au milieu du pré à l'anglaise trône un barbecue...*

Goffredo Parise formule peu de jugements. Il rassemble des faits, compare et interroge. Qu'il parle du Chili ou du Laos, ce n'est jamais l'exotisme ou le dépaysement qui nous surprennent dans ses pages, mais au contraire une impression de proximité, de connaissance intime qui multiplie et renforce les effets. On s'aperçoit ici que l'art de l'écrivain, son esthétique particulière, sont fort utiles à l'art et à l'action pratique du journaliste : dans les *Choses vues* de Hugo une extraordinaire précision du trait, la brièveté de la scène, du dialogue, la « chute » toujours saisissante... Dans *Guerres politiques*, une apparente objectivité qui n'est jamais sécheresse précède une émotion constante ; nous sommes au cœur de ces femmes et de ces hommes emportés dans les tourmentes effroyables de notre époque. Il y a donc là des témoignages que le lecteur et l'historien retrouveront comme de modestes mais nécessaires révélations.

Nous en dirons tout autant d'un autre livre de Goffredo Parise : *Odeur d'Amérique* (L'Arpenteur) dans une traduction de Sibylle Tibertelli. Des pages moins constamment dramatiques mais où abondent des portraits et des tableaux très exactement inoubliables.

> *La ville de New York, belle grâce à son ventre jamais rassasié et toujours plein, paraît à certains jours et à certaines heures de la nuit, une immense poubelle fouettée par le vent, dans laquelle les déchets et les hommes se confondent, préfigurant l'image de toutes les villes futures.*

Ou encore cette arrivée à La Nouvelle-Orléans que je ne résiste pas à citer pour sa vérité géographique et historique exprimée en quelques mots sensuels :

> *Une intense odeur de mer, de magnolias, de canophiles et d'épices nous accueille à la descente de l'avion ; un vent froid agite cheveux et pensées. Et ma gorge se serre comme un sac à l'idée de cette ville à*

moitié folle et tant rêvée, où le vieux Sud croupit dans une douce grangrène de mets succulents, de sensualité et de magie extravagante.

Des pages rapides de *reporter* sans doute et qu'on lit avec un vif plaisir. C'est là certes le premier résultat à atteindre. Mais au-delà de la réussite journalistique, c'est une vaste et profonde substance humaine que nous découvrirons. Celle du monde américain avec ses faiblesses et ses puissances, ses ignominies mais aussi la grandeur d'un pays qui a su accueillir et rassembler tant de voyageurs, d'errants et de déracinés.

★

Avec *Terres du mythe* de Giuseppe Conte (Arcane 17), dans une traduction de Nathalie Campodonico, c'est un autre art du voyage que nous allons découvrir. Le livre est publié dans la collection « L'Hippogriffe » où ont déjà paru une demi-douzaine de volumes de Giorgio Manganelli, d'Alberto Savinio, d'Andrea Zanzotto et aussi de Giuseppe Conte (*L'Océan et l'enfant*, préfacé par Italo Calvino).

Terres du mythe rassemble une série de voyages : à Galway, en Irlande ; aux îles Orcades ; à Chypre ; à Assouan, en Haute Égypte ; à Kanchipuram, dans l'Inde du Sud ; à Taos, au Nouveau-Mexique...

Le poète-voyageur n'est aucunement ici un reporter, au sens strict. Ces voyages sont les siens ; les notations qu'il en ramène, la rêverie qu'il y a poursuivie, sont les siennes. Il n'a pas tellement cherché à la façon d'un journaliste à nous transmettre descriptions et portraits, à nous renseigner sur des lieux et des habitants rencontrés dans un présent plus ou moins fugitif. La quête qui se déroule dans ces pages est celle du ou des mythes, non point dans un passé aboli ou périmé mais dans un quotidien d'aujourd'hui encore nourri et traversé par les lointaines et proches histoires, les figures disparues et réapparues, les émotions et les terreurs d'un autrefois retrouvé.

Je n'ai jamais vu une ville plus lugubre que la capitale de Chypre, ni un plus violent contraste entre mythe et histoire. Le charme marin, rupestre, stellaire de Petra tou Romiou, et la désolation rigoureuse, sombre et retranchée de Nicosie à si peu de kilomètres. Contrairement à ce que pense la majorité, le mythe est la vérité. Et si nous habitons et alimentons la fiction de l'histoire, c'est parce que la vérité, tout comme l'éternité, nous effraye plus qu'elle nous attire, et nous apparaît vaine, inépuisable.

Cela commence pour l'écrivain par la fascination de la Grèce : « Comme tous les occidentaux, je suis né au cœur du mythe grec. Il

a accompagné mes premiers pas dans le monde de l'imaginaire... »
Cette présence des mythes par la culture, par les contes et les livres,
les détache du passé et les ramène au quotidien. Le voyage n'est plus
ici la découverte des mythes mais un moyen efficace de les raviver, de
les rapprocher du vivant et de sa vérité. Ce cheminement du mythe
vers la vérité, s'accompagne d'une critique de ce qu'on croit ou
prétend la réalité : « Il faut se méfier de la pudeur, de la virginité et
autres semblables et tragiques hypocrisies. Je soupçonne toujours en
qui me parle de pureté, un peureux ou un orgueilleux ; tout comme
en qui se présente fragile, avide, tombé dans une sensualité corrompue je ne peux m'empêcher de lire le regret, le souvenir du temps où
nous étions des anges. »

L'intérêt, l'habileté des pages de Giuseppe Conte, c'est qu'elles
échappent à toute abstraction ennuyeuse. Il ne s'agit pas d'un traité
plus ou moins savant sur les mythes, leur origine et leur évolution.
Nous sommes avant tout sur les lieux de naissance, sous les pluies et
les souffles d'Irlande ou des Orcades, au soleil de l'Égypte ou de
l'Inde. Tout est concret, précis, savoureux. Et c'est la réalité même
de ce détail du voyage qui va nous conduire peu à peu non point
jusqu'au passé mais jusqu'au présent du mythe. Il s'agit là, obser-
vons-le, d'une démarche en fait peu fréquente. Les pays et les
paysages que parcourt l'écrivain sont plus souvent réservés à l'archéo-
logie, à la recherche historique qu'à la méditation et à la recherche
poétiques.

Le livre est fort plaisant. On y goûtera une souplesse et une
couleur d'écriture parfaitement adaptées à ce glissement intelligent et
sensible qui nous mène à découvrir sous la surface du présent, une
saveur qui le ravive et l'agrandit. Après tout, à une époque où l'on
parle de « tourisme de masse », il est bon de rappeler la nécessité d'une
alphabétisation inconnue ou oubliée : celle qui se rapporte à l'image
et au paysage. Combien de touristes qui, au lieu de *lire* un paysage,
de le comprendre en profondeur, glissent et s'éloignent après un
déchiffrage sommaire. Après tout, les mythes ne sont-ils pas ces
racines, ces étymologies, ces variations qu'un bon lecteur doit saisir
dans la lecture au présent ? Ainsi, le livre de Giuseppe Conte pour
une méditation poétique, ceux de Goffredo Parise pour une réflexion
plus sociale et historique, nous apprennent à découvrir ces vérités
fondamentales de la géographie délaissées par le voyageur hâtif. On
se souviendra en cette année anniversaire du Débarquement d'une
boutade féconde de Charles de Gaulle : ce qu'il y a de plus important
en Histoire, c'est la géographie !

Pierre GAMARRA

LE THÉÂTRE

DEUX FEMMES REMARQUABLES

La Ville parjure[1], pièce créée en juin par le Théâtre du Soleil et reprise en septembre, résulte de la conjonction des savoir-faire complémentaires de deux femmes remarquables : à l'une Hélène Cixous le don de l'écriture, à l'autre, Ariane Mnouchkine, l'autorité du chef de troupe et le sens de la scène. Elles collaborent pour la quatrième fois, et il leur fallait se rencontrer pour que le Théâtre du Soleil s'accomplisse pleinement et mette sa force et la beauté d'un spectacle au service du parler vrai et de la condamnation des lâchetés.

RAPPEL D'UN PASSÉ

Le Théâtre du Soleil a sans doute son origine dans un théâtre universitaire créé par Ariane Mnouchkine, mais l'existence de l'« Association théâtrale des étudiants de Paris » que c'était alors, fut éphémère : un seul spectacle, en 1962, *Gengis Khan* écrit par un ami, le poète Henri Bauchau. Puis la troupe se dispersa pour des raisons personnelles diverses, mais ses membres s'étaient promis de se retrouver dans deux ans pour se consacrer professionnellement au théâtre. Quel pari ! Mais tenu. En 1964, ils sont tous au rendez-vous et le Théâtre du Soleil, société coopérative ouvrière de production (SCOP), est créé. Première pièce, jouée dans le vieux théâtre Mouffetard aux murs étayés par des madriers : *Les Petits-Bourgeois* de Gorki. On vit ensuite au Théâtre Récamier *Capitaine Fracasse*, adaptation du roman de Théophile Gautier par Philippe Léotard, un des co-fondateurs. Et on revint aux auteurs avec *La Cuisine* d'Arnold Wesker. En somme, le Théâtre du Soleil, tout comme les autres, jouait des pièces ou adaptait, mais quand même, dès sa troisième création, il présentait un contemporain ignoré en France et, qui plus est, pratiquant un théâtre social et politique engagé. On en était là quand survinrent ce qu'on continue à appeler pudiquement « les événements » de mai 68. Grève générale. Donc les théâtres, donc les usines ; aussi, par solidarité, certains théâtres décidèrent-ils d'aller donner des représentations dans les usines. Le Théâtre du Soleil en fut naturellement. L'accueil fait à *La Cuisine* par un public très populaire et même ne fréquentant pas les théâtres, lui donna à réfléchir. Ce nouveau succès de la pièce – après celui qu'elle avait rencontré au Cirque Montmartre (ex-Cirque Médrano), autre public, plus diversifié, plus averti – lui révéla sa voie. Pour gagner au théâtre le plus grand nombre de spectateurs, et cela sans complaisance, il fallait tout d'abord sortir des édifices-théâtres, trop chargés de traditions pour ne pas faire penser que c'étaient des lieux pour initiés. Dans les années 60, ils intimidaient encore, en dépit de tout ce qu'avait fait Vilar pour rendre accueillant celui qu'il avait pris en charge. Son TNP, soit, mais les autres, les rouge-et-or aux places hiérarchisées ?

Les Halles boutées hors de Paris, les pavillons Baltard étaient condamnés à disparaître. Ronconi venait de donner en l'un d'eux un dynamique et inventif *Orlando furioso*. Ariane Mnouchkine demanda que, sauvé, ce pavillon fût attribué au Théâtre du Soleil. Il n'en fut rien. Indésirable à Paris, il fut acheté par la ville de Nogent-sur-Marne et perdu pour le théâtre. Voilà comment le Théâtre du Soleil, en quête d'un lieu, finit par découvrir, abandonnée par les militaires, la Cartoucherie aux hangars en ruine. En fait, doué d'imagination et pourvu de courage, pouvait-on trouver mieux ?

Autre impératif, parler du présent comme l'avait fait Wesker. Les pièces manquant, les écrire. Jusqu'à ce que le Théâtre du Soleil rencontre son auteur, elles résultèrent de créations collectives, toute la troupe mise à contribution pour la collecte des matériaux et des propositions de jeu. Mais, ce dont on ne se rendit pas compte tout de suite peut-être, c'est que la création collective mise là en œuvre était impulsée et contrôlée par Mnouchkine, qui ne s'avoua que tardivement le metteur en scène sans avoir jamais cessé de l'être. Et c'est ce qui sauva cette troupe du naufrage où disparurent beaucoup des compagnies nées alors. Dès 1970, l'objectif d'Ariane Mnouchkine fut le « ici et maintenant ». Or, rien n'est plus difficile, et l'on constate les faiblesses et le peu de portée de pièces qui exploitent hâtivement l'événement politique ou la préoccupation sociale à l'ordre du jour. Entre 1970 et 1994 où le Théâtre du Soleil réalise enfin son ambition, il ne cessa de se préparer. D'où l'élaboration d'un spectacle de clowns inspiré de la commedia dell'arte, technique de base du comédien. La forme parut trouvée, mais prendre un recul historique sembla de bonne méthode pour en venir au temps présent, et ce furent *1789* et *1793*. Une pièce sur la Commune devait servir d'étape, on passa outre, se croyant prêt. *L'Âge d'or* désignait ironiquement celui que nous vivions, mais l'idée séduisante d'en traiter comme d'« une chronique de ce temps-là » à travers le regard de nos arrière-neveux, mena la troupe dans une impasse. Ce ne fut pas un spectacle manqué : des scènes caustiques, un jeu très vif et efficace, des idées surprenantes de mise en scène, mais on n'alla pas au bout de l'entreprise. De guerre lasse, arrivée presque au point de rupture, la troupe proposa « une première ébauche » et s'en tint là. Le Théâtre du Soleil se consacra à nouveau à l'exploration des formes, mit en scène quelques Shakespeare et... c'était au début des années 80, Ariane Mnouchkine rencontra l'auteur qui jusqu'ici lui avait manqué. Le but redevenait accessible.

CELLE QU'ON ATTENDAIT

Cet auteur est une autre femme remarquable, Hélène Cixous, universitaire de haut niveau, à l'origine d'un Centre de Recherche et d'études féminines, en relation avec le Collège international de philosophie. Elle est l'auteur d'une douzaine de « fictions », (elle récuse le mot roman), pour la plupart publiées aux éditions Des Femmes. L'une de ces fictions, aux éditions Gallimard celle-ci, *Le Livre de Promethea*, est à la gloire d'Ariane. Par ailleurs, des essais et quelques pièces de théâtre déjà, dont la première, *Portrait de Dora* – Théâtre du Rond-Point en 1976 –, attirait la suspicion sur le père de la psychanalyse pour cause de misogynie.

Les deux pièces écrites entre 1985 et 1988 par Hélène Cixous pour le Théâtre du Soleil, *L'Histoire terrible mais inachevée de Norodom Sihanouk, roi du Cambodge* et *L'Indiade ou l'Inde de leur rêve* sont bien des histoires de maintenant, rien ne le dit mieux que le mot « inachevée ». C'est daté 1985. « Maintenant » donc, mais pas encore « ici ». Pour répondre aux deux exigences, il fallait trouver la forme. Elle le fut en passant par les Anciens : une tragédie d'Euripide, *Iphigénie à Aulis* pour introduire à la trilogie d'Eschyle, *Agamemnon*, *Les Choéphores*, *Les Euménides* (cette dernière tragédie étant traduite par Hélène Cixous). *La Ville parjure* se donne – un sous-titre explicite : *ou le réveil des Érinyes* – pour la cinquième tragédie du cycle des Atrides.

HÉLÈNE SANS ARIANE

L'Histoire (qu'on ne connaîtra jamais)[2], mis en scène en juin au Théâtre de la Ville de façon brillantissime par Daniel Mesguich, s'inspire de la geste nordique des Niebelungen, mais se démarque de la version wagnérienne. La Walkyrie, fille de Wotan, rendue par le dieu à la condition humaine, ne pourra appartenir qu'à l'homme osant franchir le cercle de feu qui, en haut de la tour où il a endormi la vierge, protège son sommeil. Ce héros est Siegfried ; il part mais Brünhild ne perd pas le souvenir de leur amour et l'attend. Elle est éveillée une seconde fois par Siegfried, mais il la conquiert pour le compte de Günther dont il a épousé la sœur Kriemhild. Siegfried a perdu la mémoire du passé car Hagen lui a fait boire un philtre le rendant amoureux de Kriemhild. Pour servir la vengeance de Brünhild, Hagen tuera Siegfried, invulnérable sauf à l'endroit où une feuille d'arbre s'est collée à sa peau alors qu'il se trempait dans le sang du dragon. Hélène Cixous reprend toutes ces données mais il n'y aura pas de « Vengeance de Kriemhild », titre de la deuxième partie de la chronique. Malgré la volonté des dieux, « les Très Hauts », et des morts qui tous exigent crimes et vengeances, et malgré l'acharnement d'Edda, « la plus vieille femme du monde », sorte d'Érinye, Siegfried, dans l'au-delà, décide de mettre fin au cycle infernal : « il faut un homme qui ne soit pas vengé ». Et Brünhild elle-même, sur terre, contribue à ce qu'il en soit ainsi. « Une histoire qu'on ne connaîtra jamais » car Snorri Sturlusson, le poète des Eddas scandinaves, dont Hélène Cixous a fait un personnage essentiel de sa pièce, est poignardé par Hagen sans avoir pu raconter ce qu'il a vu et que, dans une certaine mesure, il a contribué à faire advenir.

Cette pièce a été créée au même moment que *La Ville parjure*. Ne va-t-on pas prendre en pleine contradiction un auteur dont on sait qu'elle s'engage toujours dans ce qu'elle écrit : d'une part, elle tire une légende de bruit et de fureur vers l'apaisement et le pardon et, d'autre part, consacre sa plume à un appel au réveil des Érinyes, pourchasseuses des criminels. C'est qu'il y a crimes et crimes, les uns privés que leurs victimes peuvent absoudre, absoudre elles seules, les autres, calamités publiques dont la société ne peut, sans se rendre complice, laisser se diluer la responsabilité dans la bonne conscience peu scrupuleuse des gestionnaires et les sophismes des politiques.

LA VILLE PARJURE

La Ville parjure condamne la collusion des intérêts et des ambitions dont les hémophiles ont été les victimes, transfusés avec un sang que des médecins savaient être contaminé. Et des responsables politiques alertés ont choisi de ne pas entendre, ne pas savoir et laisser faire.

La grande, la vaste plate-forme qui sert de scène depuis quelques spectacles au Théâtre du Soleil, et que Guy-Claude François singula-

rise pour chacun, le centre restant toujours très dégagé, est cette fois
un cimetière où morts et vivants en sursis cohabitent ; alvéoles qui
sont des niches, degrés servant d'amorce à quelque chapelle funéraire, béances d'entrées de catacombes. Le fond de scène est une
grille monumentale, derrière laquelle une rue longe un bâtiment gris
aux fenêtres murées. S'y perche souvent un personnage fabuleux,
vêtu tout de noir et comme ailé, qui symbolise la nuit. Les hôtes
enguenillés du cimetière, visages marqués par la misère et la souffrance, font office de chœur. On est loin des chœurs d'Euripide et
d'Eschyle dont cette tragédie contemporaine prend la suite. Chacun
des choreutes raconte son histoire, on ne chante plus, ne danse plus,
sauf en solo, à de rares et brefs moments qui nous semblent accordés
pour un temps de respiration. La gravité et une déploration exempte
de tout apitoiement démobilisateur sont à la mesure de la colère
d'innocents sacrifiés à une rentabilité érigée en dogme. « Science sans
conscience n'est que ruine de l'âme », disait Rabelais. Qu'ils éprou-
vent au moins quelques remords, reconnaissent leur crime et deman-
dent pardon, c'est ce que vient exiger (sans l'obtenir) la mère des
deux enfants qui ont été contaminés par le sida à la suite de perfusions
sanguines et en sont morts. Elle quitte la ville maudite, « la société des
féroces », partout atteinte de pourriture, « mère désenfantée » qui
vient au cimetière vivre auprès de ses fantômes d'enfants. Le gardien
en est Eschyle, et elle, elle a nom Ézéchiel. Le procès qui a eu lieu
était mauvais, l'autre, le vrai, se déroulera ici.

    Au cimetière comparaîtront donc les coupables escortés de leurs
avocats cherchant à acheter la conciliation et, puisqu'ils y échouent,
à faire taire par tous les moyens la revendication de justice. Les
Érinyes réveillées, car le crime est sans exemple, viennent conforter
la cause de la mère. Cela procure de grands moments de lyrisme
douloureux ou imprécatoire, et des scènes émouvantes où les enfants
traversent le rêve de leur mère, manipulant, suivis par des servants,
deux pantins de satin jaune. D'autres scènes sont sarcastiques et d'un
humour dont les coupables non repentants font les frais, comme le
débat des sommités médicales réunies pour prendre position et qui,
à une exception près, cyniques plus ou moins consciemment, absol-
vent « Machin » : « Faire corps, faire face. » Le musicien, Jean-Jacques Lemêtre, comme à l'accoutumée haut perché en retrait de la
scène, homme-orchestre, procure la trame sonore. Les comédiens
aux beaux et justes grimages (Tamani Berkani) que leurs costumes
typent fortement, ont un jeu ample et stylisé qui évacue toute idée de
pièce à thèse ou de pièce document.

    C'est un spectacle de très haute tenue, de très fort impact théâtral
que ce cri qui réveille les Érinyes – mais que ce ne soit pas elles
seules ! –, ce cri qui « perce les lourdes couches de silence », comme

le dit Hélène Cixous dans sa préface. Le Théâtre du Soleil le lance avec le courage de ceux qui pensent (sinon militeraient-ils ?) que « la Justice non juste n'est pas une fatalité », d'où cette fin qui peut sembler optimiste, plongeant la scène dans le tourbillonnement des milliers d'étoiles d'une nuit claire.

Raymonde TEMKINE

1. Hélène Cixous, *La Ville parjure ou le réveil des Érinyes*, éditions du Théâtre du Soleil.
2. Hélène Cixous *L'Histoire (qu'on ne connaîtra jamais)*, éditions Des Femmes.

LE CINÉMA

CANNES 1994

La compétition officielle du Festival de Cannes accueille de plus en plus des auteurs novateurs découverts par d'autres sections (Un certain regard, la Quinzaine des réalisateurs, la Semaine de la critique) ou absorbe des cinéastes (commerciaux ou provocateurs ?) censés œuvrer hors de son territoire : le cinéma d'art et essai. Ce qui lui permet, comme cette année, de présenter une série d'œuvres fortes faisant davantage le point sur l'état mondial de la recherche cinématographique que sur une certaine géopolitique planétaire comme ce fut le cas en 1993. Néanmoins, le souci de notre devenir préoccupa plus d'un cinéaste.

Les démarches rosselliniennes et/ou minimalistes de Nanni Moretti (*Journal intime*), Abbas Kiarostami (*Au travers des oliviers*) côtoyaient le maniérisme des frères Coen (*Le Grand Saut*) et celui d'Atom Egoyan (*Exotica*), lui-même déjà court-circuité par un néo-naturalisme travaillant le cinéma de genre (*Pulp fiction*, de Quentin Tarantino) qui trouvait de conséquentes ramifications dans les sélections parallèles avec, entre autres, *Suture*, de David Siegel et Scott McGehee[1] ou *71 fragments d'une chronologie du hasard*, de Michael Haneke[2].

En décernant la Palme d'or à *Pulp fiction*, le jury de cette 47e édition réitéra les verdicts récents et controversés de *Sailor et Lula* (David Lynch) et *Barton Fink* (Joel et Ethan Coen). Ce qui gêne journalistes et spectateurs, dans ces cas de figure, ce n'est pas tant l'aspect commercial, très relatif avec de tels films qui tordent souvent le cou à la narrativité classique, que leur flirt irrévérencieux avec le cinéma de genre – *Pulp fiction* a le profil d'un polar –, peu sollicité sur la Croisette, alors qu'il fut, à l'âge d'or de la cinéphilie, l'enfant chéri des revues spécialisées.

Il est évident que plusieurs films de cette compétition de haut niveau pouvaient prétendre à la Palme d'or : *Journal intime*, de Nanni Moretti (Prix de la mise en scène), *Exotica*, de Atom Egoyan (un des cinéastes turbulents évoqués plus haut qui rentre enfin dans la vitrine officielle, mais sans récompense officielle, seulement muni du Prix de la presse internationale FIPRESCI), *Soleil trompeur*, de Nikita Mikhalkov (Grand Prix du jury ex-aequo avec *Vivre !* de Zhang Yimou, deux fresques enracinées respectivement dans l'histoire de la Russie et de la Chine), *Barnabò des montagnes*, de Mario Brenta...

Sans être un film exemplaire, *Pulp fiction* développe des constantes thématiques ou formelles présentes dans de nombreux films montrés à Cannes : les destins croisés comme révélateurs d'une époque, la mixité des cultures et des races, le réalisme décalé qui prend ses distances avec le maniérisme des proches aînés (les frères Coen, David Lynch, Brian De Palma...) pour revendiquer une certaine sobriété, pas si éloignée de celle d'un Kiarostami, même si elle s'abreuve à des sources culturelles fort différentes.

Le croisement de destinées constitua le mode majeur de mise en fiction adopté par nombre de cinéastes cette année. Ce fut déjà le cas des *Roseaux sauvages* d'André Téchiné et de *J'ai pas sommeil* de Claire Denis (voir le précédent numéro d'*Europe*) qui cernaient deux époques : les années 60 dans leur rapport à la fin de la guerre d'Algérie, et les années 80-90 liées à la diversification ethnique issue des mutations politiques récentes ; le tout appréhendé à travers quelques trajets personnels tissant une trame où la narrativité relève davantage d'un cinéma de poésie que d'un cinéma de prose, selon la terminologie pasolinienne.

Éloigné de tout souci de réalisme, Atom Egoyan construit, avec *Exotica* (nom d'une boîte de nuit où les clients regardent les filles se déshabiller), une véritable machine désirante où les relations entre les personnes se dévoilent par une série de regards croisés. Maître du mélange cinéma/vidéo, Atom Egoyan utilise peu ce dernier support ici, mais il a intégré sa souplesse d'expression à sa manière de filmer. Dans *Exotica*, c'est à nouveau la famille qui est cruellement disséquée à travers le regard d'un inspecteur des impôts qui recherche dans les paradis artificiels de l'Exotica des souvenirs de sa fille morte. Le cinéaste autrichien Michael Haneke qui marchait un peu, avec *Benny's vidéo*, son précédent film, sur les traces d'Egoyan, s'en éloigne, dans *71 fragments d'une chronologie du hasard*, en décrivant la vie de quelques personnages durant l'automne 1993 : l'un d'eux endossera le rôle de meurtrier. Les diverses anecdotes sont entrecoupées d'intempestives apparitions d'informations télévisées (sur l'IRA, la question bosniaque, les problèmes de Michael Jackson...). Chez Haneke, c'est la vidéo institutionnelle qui domine, et non plus, comme chez Egoyan, la vidéo domestique dont se servent les protagonistes. La télévision digère tout événement. La question de la déshumanisation posée par ce film est particulièrement pertinente.

Les croisements existentiels que propose Tarantino sont plus ludiques. Inspiré des *pulp magazines* des années 30 et 40 – supports culturels populaires traitant de crimes et de faits divers policiers –, *Pulp fiction* enchevêtre les destins funestes de quelques gangsters en travaillant davantage sur les archétypes produits par le genre (les diverses manières de donner ou de déjouer la mort) que sur la finalité qui en découle (réussir ou non un hold-up, se défendre devant une cour de justice). Curieusement, *Pulp fiction* rejoint *Au travers des oliviers* d'Abbas Kiarostami, film dans lequel le cinéaste iranien mêle, devant sa caméra, la vie de deux jeunes gens épris l'un de l'autre, qui rejouent hors champ leur fiction.

La volonté de travailler sur le décadrement, le hors champ et le regard distanciateur dominait de nombreux films de cette 47e édition du Festival de Cannes. Le souci de briser la « naïveté » des fictions d'antan s'affirme dans bien des cas : c'est évident chez Egoyan et Haneke qui pensent que l'histoire racontée sur un mode romanesque oblige à trop arrondir les angles en proposant des solutions psychologiques à des conflits socio-culturels beaucoup plus complexes. C'est évident aussi chez Tarantino qui ne réalise ni un film classique (il n'y a pas de suspense à proprement parler car l'auteur travaille les données de son drame en épaisseur plutôt qu'en longueur), ni un film maniériste dans la lignée de Brian De Palma ou des frères Coen : les références à la culture cinématographique sont traitées de manière « plate », sans surenchère lyrique ni respect pour les maîtres « pillés » : tout est ici envisagé comme matière première filmique.

Nanni Moretti a pour le cinéma autobiographique la même passion que les auteurs précités pour les données fictionnelles. *Journal intime*, divisé en trois parties, attaque violemment, dans ses prolégomènes, le film fantastique et ses dérivés (Cronenberg, MacNaughton...), ce qui relance le débat sur la fameuse ligne philosophique ou rédactionnelle que cinéastes ou journalistes doivent adopter. Même si les temps ont changé depuis qu'André Bazin exprimait sa pensée, le point de vue de Moretti ne peut manquer de nous interroger. À savoir : peut-on aimer à la fois *Journal intime* et *Pulp fiction*, par exemple ? Oui, si chaque spectateur intègre en lui un fort sens éthique doublé de connaissances solides dans le domaine de l'esthétique et de sa représentation. Cette question fut très importante cette année sur la Croisette, car, à la suite de *Pulp fiction*, on eut l'occasion de voir des œuvres comme *Suture*, premier long métrage de deux jeunes cinéastes, où deux frères, l'un blanc, l'autre noir, échangent leurs personnalités sans que cela perturbe le sens du film : personne ne semble remarquer la différence de couleur, ce qui nous prouve que nous sommes dans un type nouveau de fiction, proche comparativement de ce que la géométrie non-euclidienne est aux mathématiques traditionnelles : un élargissement de la pensée. *Suture* évite tout baroquisme et adopte un ton neutre, froid, quasi documentaire, qui le place, perversement, dans une optique bazinienne. Le sujet de ce film insolite aurait pu être le mélange des races et des cultures s'il ne se plaçait dans un domaine aussi fantasmatique : il évoque curieusement une certaine « fin de l'Histoire » qui verrait l'absorption des antagonismes, notamment raciaux.

De nombreux films traitaient « au premier degré » cette problématique de l'inter-ethnicité. *I like it, like that*, de la réalisatrice afro-américaine Darnell Martin[1], adopte le ton de la comédie pour nous montrer un mari macho contrecarré par une femme pleine de vie et bien décidée à se prendre en charge. Boaz Yakin réalise, avec *Fresh*, un film à consonances policières : un jeune Noir de douze ans, élevé dans la violence, met en échec une bande de truands en utilisant leur propre langage et leurs propres pièges. Bâti en demi-teintes, *Trop de bonheur*, de Cédric Kahn[3], filme d'une manière fluide une surprise-party entre adolescents du Midi. Certains sont des beurs, le groupe semble très soudé, sans la moindre arrière-pensée raciste. Toutefois – et l'on pense alors à *Shadows*, le premier film de Cassavetes réalisé il y a trente-cinq ans –, l'héroïne choisit un Français de souche comme premier partenaire sexuel. Film faussement spontané, d'une très subtile complexité, *Trop de bonheur* traite, en pointillé, un grand sujet.

Le cinéaste Lucian Pintilié évoque, dans un film très sensible, *Un été inoubliable*, le cas d'un officier roumain des années 20 contraint de fusiller, sans ordre écrit, des paysans bulgares accusés de semer le trouble dans la région. Il s'y refusera au détriment de sa carrière. Pintilié fait la critique acerbe de cette tradition d'autoritarisme politique qui domina les pays de l'Est, bien avant le régime communiste, et dont on voit les conséquences aujourd'hui dans un conflit comme celui qui déchire l'ex-Yougoslavie.

Conflit qui fut illustré par deux films : *Bosna !*, de Bernard-Henri Levy[1] et *Man, God, the Monster*, de Mirza Idrizovic, Pjer Zalica, Ademir Kenovic et Ismet Arnautalic[3]. Le premier, analytique, soutenu par un montage d'archives, est très virulent envers la démission des pays occidentaux face à cette guerre. Le second, réalisé dans l'urgence, est un film fait de divers segments illustrant, de l'intérieur, la situation : on retiendra le témoignage hallucinant d'un des bourreaux arrêtés et qui accepte de témoigner.

Si, comme nous le signalions en début d'article, le cru 1994 du Festival fut, dans l'ensemble, moins tourné vers les problèmes sociaux que celui de l'année passée, on peut dire que, malgré tout, un certain cinéma civique y renaissait. Il est militant quand il est réalisé dans l'urgence comme *Bab el-Oued City* de l'Algérien Merzak Allouache, comédie amère sur la résurgence de l'intégrisme. Contemplatif, quand les anciennes données s'effritent : *Couvre-feu*, du Palestinien Rashid Masharawi[4], montre la vie quotidienne d'une famille installée dans la bande de Gaza, et qui en a pris son parti ; l'ennemi est quasi invisible, comme une ombre évanescente. Et puis, il y a déjà les films sur la désillusion du « nouvel ordre mondial » : dans *Riaba, ma poule*, Andreï Kontchalovsky montre une Russie en pleine désagrégation, alors que l'Allemand Jan Schütte nous raconte, dans *Auf Wiedersehen, Amerika*, d'une manière truculente et désabusée, l'histoire de Juifs polonais qui, après avoir vécu plusieurs décennies aux USA, reviennent dans leur pays et découvrent une Europe en pleine mutation.

Même le spectateur le plus exigeant a pu trouver dans cette 47e édition du Festival de Cannes la nourriture intellectuelle qui lui convenait : de l'esthète au militant, de l'amateur de cinéastes confirmés au prospecteur de nouveaux talents, personne n'est rentré bredouille. Chose qui était devenue rare ces dernières années à Cannes !

Raphaël BASSAN

1. Un certain regard.
2. Quinzaine des réalisateurs.
3. Cinéma en France.
4. Semaine de la critique.
N.B. Tous les films ne relevant pas de l'une des quatre sections mentionnées ci-dessus faisaient partie de la Compétition officielle.

LA MUSIQUE

UN AUTRE GOUNOD

Redécouvrir, dépoussiérer... Notre fin du XXe siècle ne cesse de s'employer à redonner leur vrai visage à des artistes dont la tradition avait figé l'image dans le conventionnel, le « pompier » parfois. Tel est bien le cas de Gounod si peu prisé il y a trente ans, parce que le début de notre siècle avait chanté trop exclusivement ses romances et son *Ave Maria*. On aperçoit derrière cette image lénifiante, un autre Gounod, plus inquiétant et plus inquiet, plus intéressant donc. Artiste officiel du Second Empire ? Oui, certes, il eut honneurs et décorations sous Napoléon III. Mais sa vie n'est pas si simple ; elle est scandée d'alternances entre passions profanes et aspirations au sacré. En 1857, en 1870 des crises profondes menacent sa raison (il a eu besoin en 1857, comme Nerval, des soins du Dr Blanche).

Dans les composantes qui entrent dans sa personnalité musicale, deux éléments devaient l'écarter de cette fadeur à laquelle le réduisaient les couvertures 1900 de partitions de l'*Ave Maria*. Né d'un père peintre et d'une mère pianiste, après avoir suivi des études au Conservatoire où il bénéficie des mêmes maîtres que Berlioz – Reicha, Lesueur –, il découvre son aîné avec émerveillement ; il reprend les chemins qu'il avait suivis et qui l'entraînent vers les grands mythes, vers *Roméo et Juliette*, vers Faust. Avec cette générosité qui le caractérise, Berlioz salue le talent de son jeune confrère. Si Berlioz nous semble plus grand, il ne faut pas cependant négliger certains de ses traits qui existent aussi dans Gounod : violence et passion, audaces musicales.

Sa musique religieuse aurait pu, d'autre part, tomber dans une piété douceâtre si elle ne s'était nourrie, dès les débuts, c'est-à-dire dès le séjour à l'École de Rome, d'une connaissance assez peu habituelle alors de la musique ancienne, de Palestrina, de Jean-Sébastien Bach. Sa production de musique religieuse devrait être explorée mais dans *Roméo et Juliette* même se retrouve cette tradition vivifiante. Ainsi se marque la différence des générations, de façon fort habile. Le vieux Capulet parle un langage musical plus archaïque que les autres, où très à propos, l'ancienne musique italienne a laissé sa marque. Les chœurs si puissants, si structurés dans cet opéra contiennent des rappels de Bach.

Car c'est bien à *Roméo et Juliette* que nous voulons en venir et à la très belle représentation qui vient d'être donnée à l'Opéra-Comique. On s'est d'ailleurs demandé s'il fallait considérer cette œuvre comme un opéra ou un opéra comique : Gounod semble avoir hésité ; au total la parole y tient peu de place à côté de la musique, et dans des moments où elle est subtilement utilisée pour marquer un retour à la réalité. Par ailleurs, depuis quelques années l'Opéra-Comique de Paris a étendu son champ. En tout cas, *Roméo et Juliette* prouve bien la difficulté et la vanité de ces délimitations génériques.

Ce qui frappe dans cette mise en scène, de Nicolas Joël, c'est la grandeur. Grandeur des décors d'abord, qu'il s'agisse d'évoquer la rue ou le palais, l'église ou le tombeau. Grandeur sobre sur laquelle se détachent de beaux costumes, aux riches tissus et aux profondes couleurs, nés de la lumière de Vérone et de ses peintres. On sait que Nicolas Joël a commencé sa carrière avec la *Tétralogie* ; plus récemment il a travaillé à des Verdi. Directeur artistique du Capitole de Toulouse depuis 1990, il était précisément l'homme qu'il fallait pour faire sentir la puissance du *Roméo et Juliette* de Gounod. Michel Plasson est habitué lui aussi à des œuvres de poids : on se souvient d'*Aïda* à Paris-Bercy, puis de *Turandot*, de *Nabucco*. À la tête de l'Orchestre national du Capitole de Toulouse, il a donné une grande force, dès l'ouverture, et tout au long de l'œuvre à cette partition d'orchestre.

Nuccia Focile est une Juliette touchante et forte, comme elle doit l'être dans la tradition shakespearienne. Roméo, en la personne de Roberto Alagna, a été excellent : c'est avec finesse qu'il a marqué l'approfondissement du caractère entre le début et la fin de l'action, la naissance de la passion, le tragique croissant. Les duos des deux protagonistes gagnent d'intensité et entraînent de plus en plus le public à adhérer à l'action. Le duo de la séparation est très bien rendu et toute la dernière scène est admirable. Doris Lamprecht a été un Stefano très remarquable. Son allure juvénile et la rapidité de ses mouvements s'allient à une grande virtuosité vocale dans un rôle difficile. Notons encore, faute de pouvoir féliciter tous les chanteurs, le frère Laurent interprété par Umberto Chiummo : Gounod a su utiliser pour sa partition les ressources de la musique religieuse et ce rôle est très intéressant au point de vue musical ; il est donc heureux qu'il ait été servi par un interprète de grande valeur. Le duc de Vérone (Jérôme Vernier) a une belle prestance. Le comte Capulet (Michel Trempont) est excellent. Une des raisons de la réussite de cette représentation, c'est que les rôles de la génération mûre, de la génération des parents, n'ont pas été sacrifiés aux dépens des deux jeunes premiers. Et ainsi apparaît mieux la vigueur de l'œuvre. Notons aussi l'importance des chœurs, et comment ils ont été puissamment interprétés par le Chœur du Capitole. Lors de la composition de son œuvre pour laquelle il s'était retiré à Saint-Raphaël, lieu alors solitaire et sauvage, Gounod écrivait à sa femme, à un moment d'intense travail : « Enfin *j'y crois.* » Le public aussi y croit ; il est pris par ce drame dont il connaît, comme le spectateur du théâtre grec, le tragique dénouement, et dont Gounod a su exprimer la violence. Il est pris par cette interprétation de très grande qualité et se met aussi à croire à Gounod.

Béatrice DIDIER

LES ARTS

SAINT JOSEPH BEUYS, OU LE SYNDROME DE LA LESSIVEUSE

Le nom de Joseph Beuys est entouré d'une aura de légende. Un procès de canonisation est en cours, au terme duquel on assimilera peut-être le célèbre chapeau de feutre de l'artiste allemand à une version moderniste de l'auréole des saints. C'est Harald Szeemann, commissaire de l'exposition au Centre Pompidou qui nous l'assure avec une gravité pontificale : Beuys n'est pas un homme de l'espèce commune, « Beuys est un anthropos unique, venu vers nous pour délivrer un message, nous invitant au courage des mythes, de la créativité et de la volonté spirituelle pour façonner la société. C'est l'un des rares qui ait réussi, non sans crises et guérisons difficiles, à harmoniser en lui l'artiste et le thérapeute dans la réincarnation heureuse du corps et du corps astral pour une vie humaine, à devenir émetteur. Il évolue en parallèle à l'histoire de l'humanité ». Cet échantillon a valeur d'emblème. Nous nous régalerons tout à l'heure d'autres morceaux de choix. S'il est un pouvoir que l'on peut d'emblée reconnaître à Beuys, c'est de plonger l'esprit de ses critiques et hagiographes dans un état de transe délicate, de douce ébriété.

La vie et l'œuvre de Joseph Beuys se confondent en un flux puissant où se mêlent non seulement dessins par milliers, installations et actions, mais aussi une parole intarissable. « Aucun artiste n'a parlé autant que Beuys », note Alain Borer. Là où ses actions font figure de paraboles, son discours devient évangile et prolonge l'œuvre par une exubérante prothèse sonore.

Beuys s'est voulu le messie d'une vision nouvelle et il a posé les jalons d'une « plastique sociale ». Avec une formidable énergie, il n'a eu de cesse d'élargir la notion d'art jusqu'au principe même d'une créativité qui ne concerne pas exclusivement les œuvres, mais qui embrasse tout l'horizon du travail et des mœurs des hommes. C'est pourquoi l'engagement politique de Beuys n'avait rien d'une excursion hors du territoire de l'artiste, mais en constituait une extension nécessaire. Ainsi quand il fonda l'Organisation pour la démocratie directe, parce que « la démocratie apparente ne sert qu'à masquer le pouvoir de l'argent ». Ou encore quand il institua, avec Heinrich Böll, l'Université internationale libre. S'il y a quelque fatras, voire un délire de mystagogue dans la pensée de Beuys, on s'aperçoit bientôt qu'elle est marquée par un esprit hérité de Schelling et de la *Naturphilosophie* des romantiques allemands. On y découvre aussi une salubre et candide utopie, zébrée de cet humour intermittent qui le conduisit à vouloir désamorcer la négativité du Mur de Berlin par « un éclat de rire intérieur » : il se proposa de le surélever de cinq centimètres « car, en soi, un mur est très beau, si les proportions sont justes ».

Pour en revenir au mythe de Joseph Beuys, on observera qu'il commence de façon très classique par une mort et une renaissance. En 1942, à l'âge de vingt ans, Beuys se trouvait sur le front soviétique. Pilote de Stuka, son avion fut abattu en Crimée par des tirs de DCA. Tempête de neige, double fracture crânienne, perte de connaissance pendant huit jours. C'est alors, poursuit la légende, que des Tatars découvrirent le corps inanimé de Joseph Beuys et le rendirent à la vie : on le couvrit avec de la graisse et on l'enveloppa dans des couvertures de feutre. Les deux instruments de son salut deviendraient plus tard les blasons de Beuys, sans fin ressassés dans son œuvre, comme le pain et le vin de l'eucharistie commémorant la dernière Cène. Depuis la chaise en bois ornée d'un triste emplâtre de margarine (1963), jusqu'à la vaste caverne de *Plight* aux parois constituées de colonnes de feutre, ces matériaux ont suscité chez l'artiste des gloses innombrables, presque des vaticinations. Une brève citation servira ici d'exemple : « La graisse représente une sorte d'anatomie humaine, la zone des processus de digestion et d'excrétion, des organes sexuels et de transformation chimique intéressante, une zone de chaleur, psychologiquement associée à la volonté », etc.

De manière générale, la pensée de Beuys procède en frénétiques spirales d'analogies, en éboulis de symboles qui se percutent confusément ou s'agrègent en d'improbables nébuleuses. Le plus singulier, c'est que l'artiste subjugue ses commentateurs qui en viennent à mimer le maître pour nous offrir ces proses cocasses dont on se délecte, atterré et hilare, en lisant le catalogue publié par le Centre Georges Pompidou. Pour illustrer notre propos, nous choisirons ici la célèbre série de vitrines dans lesquelles Beuys a réuni, comme en un cercle de solitude partagée, des objets désormais orphelins de leur usage : cannes et billots, bobine de fil, fioles, boomerang, boussole, rebuts divers. Il y a aussi, dans ces vitrines, à peine repérables, des rognures d'ongles, des flocons de poussière. Parce que Beuys a voulu élargir le concept d'art au champ très vaste de la créativité, le commentateur en tire sans sourciller cette émoustillante conclusion : « Les ongles sont les témoins de la créativité naturelle du corps... Un mouton de poussière est le symbole de la création souterraine, une accumulation oubliée qui peut s'avérer précieuse. » On hésitera désormais à jeter le contenu de son aspirateur. On y réfléchira à deux fois.

Il se passe à propos de Beuys un phénomène étrange de sacralisation : le moindre geste, le plus léger borborygme ou tout objet placé en évidence deviennent mémorables et semblent tenir en réserve un sens inouï. On en prend toute la mesure en confrontant *Jason* (1961) à son exégèse : au mur, Beuys a fixé une planche étroite ; un fil de fer court de la base au sommet de cet axe vertical qui retient une lessiveuse en zinc suspendue à un loquet. En cette simple lessiveuse prolifèrent les signes et le commentateur y voit tour à tour « la masse trapue d'un ovin et la dépouille vide de son corps », le navire des Argonautes, le chaudron dans lequel Pélias fut jeté et, *last but not least*, « la présence évidente de Zeus dont la cavité de la bassine est l'oreille attentive » ! Georges Gusdorf, qui a réhabilité en France la *Naturphilosophie* allemande, concluait son apologie du *Savoir romantique de la nature* avec un enthousiasme lucide, capable de reconnaître la grandeur et la fécondité des œuvres, mais aussi leur faiblesse, leur part d'indigence, et sa critique peut servir ici à pointer ce que nous appellerons, à propos de Beuys, *le syndrome de la lessiveuse* : « N'importe quoi, en vertu d'assonances symboliques, peut communiquer avec n'importe quoi, en dehors de tout contrôle rationnel [1]. »

Si l'on s'en tient aux propos de Beuys lui-même, on est tenté de les percevoir comme ses dessins et ses installations. Pour les dessins, le plus souvent, il s'agit de griffonnages, d'esquisses mentales, d'un passage d'énergie plutôt que de l'accomplissement d'une forme. Il y a là quelque chose d'estompé, de ténu, parfois aux marges du lisible. Sur un autre versant de l'œuvre et de la pensée, on trouve le monumental, incarné dans *Plight* avec son antre tapissé de rouleaux de feutre qui absorbent tous les bruits, ou dans *La fin du XXe siècle*, avec ses longues pierres de basalte couchées sur le sol ou posées sur des tasseaux, toutes marquées d'une profonde incision circulaire qui éveille dans la masse un regard cyclopéen. Dans *Infiltration homogène pour piano à queue* (1966), l'instrument a été enveloppé dans une housse de feutre qui épouse comme une peau les contours de son corps. Apparaît alors un pachyderme pataud, une sorte de monstre qui enferme la beauté et le chant du monde dans ses flancs. Sur le feutre, Beuys a cousu deux croix d'étoffe rouge censées représenter

« le danger qui nous menace si nous restons silencieux et manquons de faire le prochain pas évolutionnaire ». Dans *Schneefall* (1965), trois jeunes troncs d'épicéas ébranchés sont déposés sur le sol. Des carrés de feutre recouvrent le pied des arbres morts et leur offrent un souple catafalque. Déréliction, recueillement et silence autour de trois plantes qui ne se dressent plus vers le ciel. Le sentiment, aussi, d'une tendresse humaine dans le rite de sépulture. C'est l'une des œuvres les plus sobres et les plus émouvantes de Beuys. Une autre quiétude, pérenne, massive, émane d'*Olivestone* (1984). L'artiste a trouvé en Italie ces lourdes vasques de grès qui datent du XVIIIe siècle et ont servi à la décantation de l'huile après le pressage des olives. Pareilles à d'antiques tombeaux, ces cuves rectangulaires ont été comblées par Beuys à l'aide de blocs taillés dans le même type de roche. Sous cet emboîtage parfait, de l'huile repose et suinte lentement à travers la pierre poreuse. « La nature de mes sculptures n'est pas immuable et définitive –, observait Beuys. Des opérations se poursuivent dans la plupart d'entre elles : réactions chimiques, fermentation, modification de couleur, dégradation, dessèchement. Tout est en état de changement. »

Cet artiste s'est emparé à la fois de l'éphémère, de l'évanescent, et de ce qui est appelé à croître. C'est ce dont témoignent par excellence ses actions. Il invente des rituels pseudo-chamaniques, comme dans la *Symphonie sibérienne* (1963) où il extrait le cœur d'un lièvre mort. En novembre 1965, dans la galerie Schmela, à Düsseldorf, chaussé de cuivre et de feutre, le visage enduit de miel et de paillettes d'or, c'est à nouveau un lièvre qu'il tient dans ses bras. Pendant trois heures, avec des murmures et des gargouillements, il promène la bête et la berce devant les cimaises. L'action s'intitule *Comment expliquer les tableaux à un lièvre mort*. En 1974, c'est avec un coyote vivant qu'il s'enferme trois jours dans la galerie René Block, à New York. Une enceinte grillagée a été installée à cet effet. Beuys y jette une litière de paille, un tas de feutre et demande qu'on lui apporte chaque jour cinquante exemplaires de l'édition du *Wall Street Journal* – une publication sur laquelle le coyote choisira de satisfaire ses besoins. Beuys s'était promis de ne pas poser le pied sur le sol des États-Unis avant la fin de la guerre du Vietnam. La légende rapporte qu'à son arrivée à Kennedy Airport il se fit transporter en ambulance jusqu'à la galerie, emmitouflé dans des feutres, et que c'est par le même moyen qu'il quitta le pays une fois achevée son action (*I like America and America likes me*). Des commentateurs nous assurent que le coyote est un animal sacré des Indiens d'Amérique. Il convient de préciser qu'il personnifie dans bien des cas la ruse néfaste, et que dans plusieurs mythes il contrecarre les hauts faits du héros créateur. Beuys voyait en lui « le point névralgique psychologique du système entier des énergies américaines : le trauma du conflit de l'Américain avec l'Indien ». On perçoit une fois encore sa volonté de mettre à jour le passé ou l'immémorial impliqués dans le présent.

L'œuvre de Beuys oscille entre le chaos et le cristal, comme sa personne entre l'histrion et le génie. Pour une large part, ce qu'il a semé poursuivra sa croissance après lui, même si pour l'heure le regard suffoque sous les volutes d'encens déversées par ses hagiographes. Elle poursuivra sa croissance comme les sept mille arbres qu'il commença de planter à Kassel en 1982, tous flanqués d'une pierre basaltique en forme de prisme. L'origine de cette initiative et de son financement se trouve dans une copie de la couronne en or du tsar Ivan le Terrible dont un mécène avait fait don à l'artiste. Beuys rassembla les perles et les pierreries de la couronne dans un bocal, puis fondit le métal pour changer en lièvre l'emblème du pouvoir absolu. La vente du lièvre finança le début de la plantation. Aujourd'hui, huit ans après la mort de Beuys, l'animal continue de courir, de se métamorphoser. On a pu le voir cet été au Musée Rath de Genève, dans le cadre d'une exposition consacrée à Markus Raetz[2]. Cet artiste suisse, maître des illusions et anamorphoses sculpturales, a en effet créé une silhouette de Beuys qui, placée devant un miroir ovale, fait surgir le reflet d'un lièvre aux aguets. Avec un humour affectueusement iconoclaste, Raetz résume son illustre devancier en cet apologue du lapin sorti d'un chapeau.

Jean-Baptiste PARA

Joseph Beuys, Centre Georges Pompidou, 28 juin-3 octobre 1994.

1. Georges Gusdorf, « Apologie pour la Naturphilosophie », in *Le Savoir romantique de la nature*, Payot, Paris, 1985, p. 327.
2. Markus Raetz, Musée Rath, Genève, 17 juin-11 septembre 1994. Cet artiste né en 1942 est également un maître de l'estampe (Cf. notre article « Markus Raetz, le Protée de l'estampe », *Europe* n° 779, mars 1994).

NOTES DE LECTURE

John DONNE : *Poésie.* Présentation et traduction de Robert Ellrodt (Imprimerie Nationale). *Paradoxes et problèmes.* Présentation et traduction de Pierre Alféri (Allia).

Si T.S. Eliot ne fut pas, comme on le croit souvent, le découvreur de John Donne, dont la notoriété ne connut pas d'éclipses, il fut du moins le premier à mettre en lumière son étonnante modernité : celle qui ne pouvait que choquer ses contemporains. Or l'année 1994 nous offre simultanément les deux aspects de cet auteur *bifrons*. L'Imprimerie Nationale avec un gros recueil bilingue de poèmes rangés par thèmes et fort heureusement libérés du carcan de la rime, les éditions Allia avec les *Paradoxes et problèmes* – jusqu'à ce jour interdits ou au minimum « caviardés » –, très bien traduits et commentés par Pierre Alferi. Le lecteur dispose donc de la totalité du parcours qui conduit le jeune noceur londonien, issu de famille catholique aisée, au doyenné de Saint Paul, où il devient prédicateur – protestant – de renom. On a souvent attribué cette conversion et ce tardif assagissement à un certain arrivisme, mais, outre que le mariage scandaleux du jeune Donne avec la nièce de son protecteur nuisait sans aucun doute à d'éventuelles ambitions, rien ne permet de nier que l'ascèse spirituelle progressive, très sensible dans les poèmes, soit sincère. Pourquoi ne pas l'expliquer aussi par le culte du changement, du renouvellement (allant jusqu'à prôner l'infidélité réciproque en amour), dont Donne se fait le champion ? Tout en étant pessimiste et obsédé par l'idée du suicide (*Biathanatos*, 1608), il aime la vie, païennement, égoïstement, et refuse, de s'en tenir à une ligne de conduite réductrice. Toutes les expériences étant bonnes pour lui, il paraît aussi sincère dans les contestations et le libertinage de sa jeunesse que dans le mysticisme et l'ascétisme de ses dernières années. Il n'empêche que parmi les poèmes récemment publiés, ce ne sont évidemment pas les poèmes sacrés, mais les sonnets qui se rangent sous la rubrique alléchante de

Inconstance – Séduction – Frustration (« je lève une maîtresse, jure, écris, soupire, pleure, et le gibier perdu ou tué, vais dormir ») qui nous séduisent le plus. Ils sont en quelque sorte l'illustration des idées provocatrices développées dans les *Paradoxes et problèmes*, où Donne attaque vigoureusement, avec une ironie swiftienne avant la lettre, les idées reçues, osant affirmer, en son temps et son pays, que le bien et le mal ne sont pas antinomiques, que le corps fait l'esprit, que la désunion fait la force, que nous savons être mauvais sans le diable, que la beauté physique compte autant que la moralité, que plus on est sage plus on rit, que les Jésuites sont le onzième fléau du monde, plus terrible que les dix premiers, etc. Autant d'affirmations ou d'interrogations frondeuses qui appelaient naturellement la censure. On pense à *l'Éloge de la folie*, car Donne et Érasme peuvent se définir, entre autres, comme des religieux aussi sincères qu'anticléricaux. Mais ces coups de boutoir ne sont pas de simples boutades, chaque paradoxe est logiquement analysé, démontré, et ne tombe jamais dans le système. Comment mieux définir cette forte et riche personnalité que par ces vers du « Testament » qui, comme toujours chez cet auteur, enchâssent une pensée moderne, poético-sarcastique, dans une forme classique : « Je donne ma constance aux planètes errantes,/Ma loyauté à ceux qui vivent à la Cour,/Mon ingénuité et ma sincérité/Aux Jésuites, aux bouffons ma mélancolie... »

T.S. Éliot n'avait peut-être pas tort de rapprocher Donne de Laforgue.

Monique BACCELLI

ROMANS, NOUVELLES, RÉCITS

SADE, FLORIAN, BACULARD D'ARNAUD : *Histoires anglaises.* Présenté par Michel Delon (Zulma).

Les trois nouvelles réunies dans ce recueil appartiennent toutes trois à ce genre florissant au XVIIIᵉ siècle qui consistait à réunir dans un même volume des récits caractérisés par pays ou région. L'Angleterre imaginaire que nous invite à visiter Michel Delon sur les pas de trois guides différents apparaît cependant à la première lecture bien peu consistante. Les romanciers des Lumières se souciaient en effet bien moins de réalisme que de psychologie : les héros de ces nouvelles (les vertueuses Fanny et Henriette, les lords libertins Thaley et Granwel) sont tous censés représenter à divers titres le caractère anglais. Mais là encore, la caractérisation « vertueuse » ou « libertin » indique que ces personnages d'Outre-Manche sont de proches cousins de nos héros nationaux. La caractérisation de « nouvelle anglaise » était-elle donc mensongère et destinée seulement à profiter de l'engouement qu'avaient suscité les traductions ou adaptations récentes des romans de Richardson et Fielding ?

À y regarder de plus près, ce voyage inédit dans la fiction des Lumières révèle trois stratégies d'écriture, différentes et complémentaires. Chaque auteur accorde au sème anglais la place qui correspond à l'esthétique qu'il recherche. Dans la nouvelle *Selmours* de Florian (1792), le développement sur la nation anglaise sert surtout à lancer la narration et reprend sur un ton moralisant les stéréotypes de l'époque (y sont loués la modération et le respect des lois, critique implicite des débordements révolutionnaires français dont Florian sera victime deux ans plus tard). Dans *Miss Henriette Stralson ou les effets du désespoir*, extrait des *Crimes de l'amour*, Sade fait montre de son érudition et multiplie à loisir noms de lieux et références à la vie culturelle de Londres (clin d'œil au lecteur, le magistrat de la nouvelle est le « célèbre Fielding »). Mais au-delà de ce souci du détail, est transposée en Angleterre une géographie proprement sadienne qui comprend comme de coutume des frontières et des lieux isolés dans lesquels peuvent se réfugier le libertin et sa conquête. Plus original est le fait que le climat anglais – couplé au lectorat visé – modifie quelque peu les données habituelles de la nouvelle sadienne : Granwel, comme plusieurs héros de Richardson, appartient au type du libertin sensible perdant ses moyens devant le spectacle de la vertu éplorée ; de manière symétrique, le personnage d'Henriette est moins proche de Justine que des héroïnes fortes de Baculard d'Arnaud, dont la seule vertu peut opérer la sublime résurrection qui triomphera du vice.

C'est certainement chez l'auteur des *Épreuves du sentiment*, dont le sentimentalisme larmoyant est pourtant si éloigné de « notre » sensibilité moderne, que l'investissement imaginaire de l'Angleterre modèle le plus la fiction. Si *Fanny* reprend un scénario cent fois réécrit (le libertin repenti) que dynamisent des oppositions topiques (le manichéisme campagne pure/ville corrompue), l'ensemble est soutenu par l'énergie moralisatrice de Baculard célébrant l'exemplarité du caractère anglais, véritable parangon de l'humanité sensible. James, père de l'infortunée Fanny, est ce nouveau prophète : « Je suis père et Anglais, s'écriait-il ; ma cause est celle de la nature et de la nation ; elle intéresse tous les hommes. » L'Angleterre, terre d'asile des philosophes et terre promise des vertueux, devient toute utopie.

Ne cherchons donc pas au long de ces trois histoires à trouver ce qui pourrait réunir trois écrivains des Lumières finissantes ; observons plutôt comment à partir d'un même sol mental – l'Angleterre, mouillée moins ici de pluie que de larmes – s'expriment trois sensibilités différentes.

Jean-Christophe ABRAMOVICI

Emmanuel BOVE : *L'impossible amour* et *La dernière nuit* (Le Castor astral). Jean-Luc BITTON et Raymond COUSSE : *Emmanuel Bove, la vie comme une ombre* (Le Castor astral).

Pas moins de vingt rééditions depuis 1983 : Emmanuel Bove est assurément le plus gâté des rescapés de l'oubli littéraire. Et c'est une excellente chose. Il y a un ton Bove, une écriture Bove et sinon une pensée, une compréhension sociale des relations humaines et des destinées particulières qui n'appartient qu'à lui. Le mystère est qu'on s'en soit passé pendant quarante ans jusqu'à ce qu'une poignée de petits éditeurs relayant Flammarion prennent fait et cause pour ce romancier qui a fait de l'économie des moyens (tout est banal et « petit » chez lui : le style, le personnage, l'intrigue, le décor, le thème) une vertu littéraire. Au Castor Astral, Jean-Yves Reuzeau dont le flair n'est plus à vanter, a beaucoup fait pour qu'on rende à l'auteur de *Mes amis* l'honneur qui lui était dû. Il propose aujourd'hui un quasi inédit (paru en feuilleton en 1935 dans *Ce soir*) : *L'impossible amour*. Œuvre à vrai dire curieuse si on la rapporte à ce qu'on a pu lire jusqu'ici de Bove. Elle n'a ni la gravité ni la profondeur des récits antérieurs et l'écriture, quittant l'exacte et émouvante pauvreté qui la caractérisait, semble se plaire à une rhétorique brillante et académique. Alors déception ? Non pas. J'y vois pour ma part une très mordante et ironique parodie de cette littérature à mélodrame qu'on a coutume de dire « populaire ». Considérez le titre : certes il met en avant l'argument bovien par excellence de l'impuissance, de l'impasse, mais l'autre Bove aurait dit : *L'amour impossible*. Parce qu'il y a dans l'antéposition de l'adjectif une emphase romantique qui n'est pas dans ses manières. (Ainsi a-t-il à l'inverse intitulé *La dernière nuit* et non *La nuit dernière* qui eût été un effet, un de ses meilleurs romans réédité également par le Castor Astral). Donc, *L'impossible amour* montre une jeune fille de la pire bourgeoisie parisienne, l'enrichie et prétentieuse bourgeoisie qui a inventé les bonnes manières, aux prises avec ses parents qui lui défendent d'aimer un pauvre bougre d'artiste, miséreux et exalté. C'est souvent drôle, le portrait des bourgeois est tracé avec verve et férocité, il y a les surprises et rebondissements propres au genre feuilletonnesque, mais c'est somme toute assez convenu. Postérieur à la plupart des grands livres de Bove, ce mélodrame au romanesque chargé est écrit avec l'élégance désabusée d'un virtuose qui se dédouane par l'ironie. Cependant les admirateurs de Bove, heureusement de plus en plus nombreux, auront un plaisir curieux à lire cet inédit, de même qu'ils ne manqueront pas la première biographie de l'écrivain, minutieuse, passionnante et passionnée, toute de connivence, due à Raymond Cousse et Jean-Luc Bitton.

Jean-Pierre SIMÉON

Michel COURNOT : *Histoire de vivre*. Nouvelles (Maeght).

Michel Cournot pratique avec élégance l'art de la litote. Des images, instantanés plus ou moins éclairés. Des mots précis, insérés dans les phrases d'un récit ou d'un dialogue. Mais l'objectif n'est pas objectif et les mots ne sont pas innocents. Depuis la création du monde, nous croyons connaître le sens du bien et du mal. Du moins en disputons-nous. Écrire, c'est affirmer et aussi effacer. Lire, c'est constituer ou reconstituer un sens. Il semble difficile de faire plus saisissant et plus concis. Cournot est d'abord journaliste, les faits qu'il rapporte sont vrais. Disons plutôt qu'il est d'abord écrivain, autrement cette *Histoire de vivre* ne nous procurerait pas le même plaisir.

Nelly STÉPHANE

Witold GOMBROWICZ : *Pérégrinations argentines*. Traduit du polonais par Allan Kosko (Christian Bourgois).

On ne reprochera pas à ce recueil d'essais diffusés d'abord sous forme de causeries pour Radio-Free-Europe en 1960 sa tiédeur. Qu'il parle à ses compatriotes des Argentins, ou le contraire, Gombrowicz est toujours mordant. Il distribue le blâme et l'éloge de bonne foi, dénonçant les travers ou reconnaissant les qualités. « Neruda magicien de génie », « L'Amérique continent de la médiocrité », je pourrais aligner bien d'autres citations. Ni le pittoresque, ni les impressions personnelles ne sont évidemment absents, en particulier lorsque l'écrivain décrit un voyage à Mendoza ou aux cataractes de l'Iguaçu. Mais il réserve ses flèches les plus acérées à une civilisation qu'il juge « nivelée comme une table, autrement dit plate ». Au manque d'originalité d'une littérature qui s'efforce d'imiter la nôtre. Sur ce point, au moins, je crois que les dernières années lui ont donné tort et que nous avons vu éclore dans toute l'Amérique latine une floraison d'ouvrages romanesques qui ont élargi notre horizon et dont *Europe* s'est souvent fait l'écho. Tel quel, pourtant, ce témoignage d'un homme passionné stimule et réconforte.

Nelly STÉPHANE

Richard BRAUTIGAN : *Cahier d'un retour de Troie.* Traduit de l'américain et préfacé par Marc Chénetier (Christian Bourgois).

Le livre s'ouvre sur une lettre à une morte. Richard Brautigan vient de recevoir un coup de téléphone lui annonçant que le cœur de son amie N.A., atteinte d'un cancer, a soudain lâché. Elle avait 38 ans. Alors il lui écrit, le 13 juillet 1982, pour lui dire combien elle va lui manquer.

L'auteur fait un retour en arrière et, du 30 janvier au 28 juin 1982, il consigne dans un cahier ses propres faits et gestes, ses états d'âme et ses incessantes pérégrinations à travers les États-Unis au cours de ces quelques mois. Il ira jusqu'au Canada et à Hawaï où un cimetière retiendra particulièrement son attention ; il a en effet toujours été fasciné par ces chantiers où s'érode l'oubli. S'il voyage, ce n'est pas par goût mais parce qu'il ne voit aucune raison d'être ici ou là plutôt qu'ailleurs. Il va, traînant derrière lui « des canyons de nostalgie » et il séjourne parfois dans son ranch de Berkeley où rôde le fantôme d'une femme qui s'est pendue. Il ressent un malaise, un mal-être que nulle beuverie ne saurait dissiper.

Il essaie de rassembler sa mémoire en lambeaux, il n'a plus de prise sur le temps qui s'étire absurdement. Il est détaché de lui-même, il erre en marge de sa vie. Passé et présent s'entremêlent dans un récit désordonné ; l'auteur nous conte des scènes anodines auxquelles il prête un caractère insolite, bizarre. Il est frappé par l'étrangeté de tout ce qui se passe autour de lui, un peu à la manière du Solitaire de Ionesco. C'est un constat empreint de sécheresse, sans fioritures. Il n'y a pas de cris dans cette histoire de deuil et de ténèbres, mais une sourde douleur rampante. Et, curieusement, elle est dénuée de pesanteur car allégée par l'ironie dont l'auteur fait preuve envers lui-même et par une drôlerie qui tente, bien en vain, de conjurer le désarroi d'un homme convaincu qu'il lui est désormais impossible « de parvenir à une période de grâce », à une espèce de paix intérieure, de prendre de la distance par rapport à ses problèmes : « J'ai l'impression que ce livre est un labyrinthe de questions à demi posées attachées à des réponses fragmentaires. »

Le compte à rebours est terminé ; Richard Brautigan décide de se taire le 28 juin 1982. Un ultime télégramme adressé à son amie mourante était ainsi rédigé : « Les mots sont des fleurs de néant. Je t'aime. » Si écrire contre la mort est une entreprise vouée à l'échec, s'il n'y a pas d'issue, autant en finir. Seul reste le suicide qui met un terme à sa tragique odyssée.

Luce-Claude MAITRE

Adrien PASQUALI : *La Matta* (Éditions Zoé, 11 rue des Moraines, 1227 Carrouge, Suisse).

D'origine italienne, ayant passé sa jeunesse en Suisse et vivant actuellement à Paris, Adrien Pasquali a tiré parti d'une identité souple et d'une conscience suraiguë de l'étrangeté de la langue. Depuis plus de dix ans il a publié de nombreux récits dont *Éloge du Migrant, Les portes d'Italie, L'Histoire dérobée,* jusqu'au *Veilleur de Paris* (Zoé, 1990). À cela s'ajoute une œuvre de critique : une thèse consacrée à *Adam et Ève* de Ramuz (Paris, Minard, 1993), un essai sur la conscience de l'inachèvement chez l'écrivain, des articles pour *Critique,* et un récent travail sur les récits de voyage, *Le Tour des horizons,* (Klincksieck, 1994). Un nouveau récit vient de paraître, *La Matta,* aux éditions Zoé.

Nouveau ton, nouveaux rythmes, récit fragmenté, dilaté dans un présent de longue durée, ce roman tranche sur les précédents. On y retrouve pourtant des thèmes familiers à l'auteur, ne serait-ce que la massive présence du décor italien.

Le narrateur revient dans le village où, enfant, il a vécu l'été d'une étrange rencontre : celle de la Matta, la folle, adolescente « retirée hors d'elle-même » à la suite d'un deuil amoureux inaccompli. Tandis que son père restaure la fresque du village (dont l'iconographie renvoie justement au Père et au Fils du texte sacré), l'enfant, accompagné d'une camarade, passe ses journées à flâner et suivre la Matta dans ses étranges parcours.

Pourquoi le narrateur revient-il dans ce village de pêcheurs, de nombreuses années plus tard ? Que cherche-t-il ? À revenir sur un nœud de sa trajectoire, semble-t-il, à « résoudre une énigme ancienne, discrète mais impérieuse, qui dicte depuis si longtemps certains choix de son existence ».

Le voilà qui récapitule et prend des notes : son calepin où sans cesse il « rature la phrase » donne ainsi le modèle de la reconstitution fragmentée qu'est le récit.

Ce voyageur indolent, sensible aux décors changeants, cet enquêteur empressé de renouer avec un lieu prenait déjà corps dans les précédents livres de Pasquali. Je pense surtout au *Veilleur de Paris* où les thèmes de la *migration* (Italie/France) et de l'*énigme ancienne* régissaient déjà l'ensemble d'une intrigue où la relation père/fils apparaissait comme centrale.

Dans *La Matta*, la quête d'un moment d'enfance et l'enquête sur la mort mystérieuse de la folle adolescente font surgir plusieurs figures comme émanées d'une même obsession. Le « navigant débarqué » d'abord, jeune villageois engagé dans le service sur de luxueux navires, affublé alors de costumes ainsi que de la supériorité que s'accordent parfois les êtres indispensables, puis débarqué en fin de carrière dans son village. Du passage d'un milieu à l'autre, du choc des souvenirs et des identités, le « navigant », privé de son ancienne « splendeur maritime », se trouve déphasé. Et il rejoue sans cesse devant ses proches les scènes du navire, invariablement, avec une raideur maniaque. Définitivement, il demeure hors des mondes communs aux autres. La Matta ensuite, personnage à l'identité également décalée, qu'on devine recroquevillée sur un lieu détruit de sa vie. Enfin, ultime figure du même genre : un homme parcourant le village en répétant sans cesse le rituel d'attente d'un autobus dont la ligne n'existe plus.

Avec ces ombres perdues dans le fantôme d'une *relation* défaite, le narrateur-détective, enquêteur public au service d'une obsession privée, partage de nombreux points communs. Cependant, contrairement au garçon de service relégué, à l'amoureuse éconduite ou à l'homme de l'autobus, l'indétermination de l'origine et du but, la perte des repères anciens, le déracinement ne sont pas vécus comme une perte à réparer rituellement ou un égarement à contenir, mais comme un donné immaîtrisable et d'avance accepté. La clef de cette attitude d'abandon à l'énigme semble se livrer dans un bref passage du récit, le seul narré par le « je » actuel du narrateur : ce « je » renonce à rendre compte de l'« éblouissement » originaire qui oriente son itinéraire, que ce soit par le biais silencieux de la « commémoration » ou par une bavarde « élucidation ». C'est de ce renoncement au rituel commémoratif (qui risquerait l'emphase) et au discours explicatif (qui assignerait un sens définitif à ce passé) que le récit tire sa forme : narration monocorde, fragmentée, enfouie dans des épisodes quotidiens, patiente à faire émerger des scènes que le lecteur devra recomposer de lui-même.

Ici encore, comme souvent chez Pasquali, l'intrigue elle-même est le lieu d'une réflexion *en acte* sur le langage. Dans *La Matta* elle est mieux intégrée que jamais à l'économie du récit, pouvant passer parfaitement inaperçue (je pense à la discrétion du travail ironique sur les formules toutes faites, aux entrelacs de voix dans le discours indirect libre, au jeu sur les temps verbaux, à la variabilité des points de vue narratifs).

De par sa prédilection pour l'inachevé, le fragmenté, pour les itinéraires ignorant le « sens interdit », *La Matta* atteint à un subtil équilibre entre la tension du roman policier et le parcours du récit poétique.

Jérôme MEIZOZ

Hélène CLERC : *L'If* (Cheyne Éditeur).

Plus qu'un roman ou un récit, *L'If* constitue ce qu'on pourrait appeler un monologue des derniers mots, ceux d'avant les roulements de tambour de la mort et la fuite finalement réussie de celle qui, contre les vents et les marées de la méchanceté des hommes qui s'acharnent à vouloir lui « faire peur de la mort », maintient tant bien que mal cette croyance, que seul l'if du jardin public vient conforter, qu'« il n'y a pas de mort ».

Hélène Clerc nous livre le cahier d'agonie d'une femme qui a choisi pour sa retraite « une petite ville au bord de la mer ». Entourée de quelques ombres d'humanité qui jouent, dans une perfection inquiétante, leur rôle d'enfant, de mère, d'épicier, de prêtre. Elle, qui sait combien « le sens des mots est dangereux », s'enferme dans un quasi-mutisme, se contentant d'écouter, malheureuse, « ricaner les mouettes et les cadavres des noyés », ou, rassérénée, les douces paroles de la seule chose qui continue à faire centre pour elle, celles de l'if dont elle note qu'il est « bleu comme la mort » ; mieux, qu'il est la mort.

Au sens où agoniser c'est se défaire, celle qui monologue voit tout se défaire autour d'elle et en elle. Quand se rompt le sentiment d'appartenance, quand plus personne n'entend la question « qui suis-je ? », quand se perdent les différences, c'est le monde même qui s'absente, la notion de durée qui s'altère, le présent qui se fige. Les autres s'éloignent dans la mauvaise distance d'où naît ce sentiment d'hypocrisie qui jette un voile d'ombre sur toutes leurs actions. L'espace n'est plus qu'un champ miné par l'hostilité ambiante, tout déplacement devient dangereux. Alors en même temps que l'expansion vitale se réduit, l'identité devient réversible à l'infini et les mouvements d'identification se multiplient. De là les identités composites de Dorothée, alias Dolorès, alias Rose, vies multiples que la plume alerte d'Hélène Clerc brosse en tableaux où le drolatique se mêle au tragique ; de là, ce double monstrueux qui d'une voix toute intérieure, saturée des plus effroyables accusations, finit par s'objectiver spéculairement, avant de s'étendre jusqu'à un « ils » impersonnel qui, du dehors, va l'assiéger jusqu'à vouloir lui « faire peur de la mort » et faire vaciller ce savoir, tapi au plus intime d'elle-même, qui l'assure que la mort est impossible.

Contre un chaos intérieur qui évoque les monstruosités de la folie, contre l'éventualité d'une perte de contrôle de la réalité, l'if finit par libérer la seule parole secourable : « Patiente encore un peu, Dorothée, [...] les temps sont proches. » Ainsi, la mort appelle-t-elle celle qui monologue par son nom, la faisant enfin exister pour quelqu'un ; ainsi se montre-t-elle seule capable de déconnecter l'insupportable et d'ouvrir par là même la voie à une reconquête de soi.

Accepter d'entrer dans la mort, laisser le corps se défaire comme autant de chaînes, de poulies, d'engrenages, « de rouages rouillés qui grincent, qui grattent, qui grippent », c'est comme restaurer un principe de différenciation perdu, échapper à l'indistinction, au pire, c'est retrouver le père et sa lettre, soit une articulation à la transcendance de la loi, c'est échapper à la folie.

Prendre le risque de mourir, c'est laisser une chance à l'intervention du père, ce *deus ex machina* dont l'action magique – c'est son tricycle qui les arrachera au sol du malheur ! – est espérée envers et contre tous ceux qui, en bas, diaboliquement, ricanent de haine, frappant furieusement leurs tambours qui ne parlent que « de prison, d'exécution capitale, de deuil ». C'est abandonner l'if à ses pleurs, et la mort à la mort. Loin d'être la fin de tout, la mort, librement consentie, est comme l'équivalent d'un acte sacrificiel qui permet de retrouver sa place et son identité dans les bras d'un père, enfin revenu.

Pour terminer, je voudrais insister sur l'originalité de ce premier livre d'Hélène Clerc. Originalité qui tient moins à son côté foisonnant, où le souci de continuité sait ménager les ruptures pour laisser émerger quelques bouées qui pourraient être de sauvetage, que dans les contrepoints d'un humour un peu triste dans la distance duquel rayonne la pureté d'un cœur qui s'oppose à toute la bassesse du monde.

Alain FREIXE

ESSAIS

ARAGON : *Projet d'histoire littéraire contemporaine.* Édition établie et présentée par Marc Dachy (Mercure de France).

L'insolence à la lèvre, du lyrisme dans le regard, une plume aux facultés de synthèse étourdissantes : l'Aragon du *Projet d'histoire littéraire contemporaine* a vingt-cinq ans et la cruauté lui va comme un gant. Par l'intermédiaire de Breton (vers février 1922) et dans la perspective d'entrer au service du mécène Jacques Doucet il conçoit ce texte dont la rédaction s'étend de l'automne 1922 à l'automne 1923 : il se situe donc entre *Les Aventures de Télémaque* et *La Défense de l'infini*. Bien que laissé inachevé, et ce qu'on en possède n'est qu'une partie infime de ce qui avait été envisagé, ce *Projet* est un très grand texte avec lequel il faudra désormais compter sitôt qu'il s'agira de comprendre la genèse du surréalisme. Au fil d'une vingtaine de chapitres on se promène avec un Aragon marchant dans ses souvenirs, de l'avant-guerre à l'avant-garde satellisée autour d'Apollinaire (le portrait de Pierre Albert-Birot est un délice d'ironie et de mauvaise foi) ; l'intrigue proprement dite se noue avec l'arrivée à Paris de Tzara et le premier vendredi de *Littérature*, marquant le début de la période parisienne de Dada jusqu'à son explosion lors de la soirée du *Cœur à barbe* (6 juillet 1923). Chaque anecdote est une aventure : aussi la tentation romanesque est-elle très forte (ces pages peuvent se lire comme le roman de la prise de distance avec Tzara). Gide, Valéry, Cocteau ne portent pas la notice bien pliée à la poche du veston, car ce sont avant tout, et au même titre que le narrateur, des personnages. Sous le masque du professeur/ histoire littéraire, Aragon joue à l'élève/roman.

S'il est indéniable que ce texte éclaire chez l'Aragon de 1923 le besoin d'en passer par çe langage appelé roman, qu'il ouvre premièrement la voie à une formulation théorique du surréalisme (*Une vague de rêves* paraît l'année suivante, précédant le premier *Manifeste* de Breton), et développe une rhétorique pamphlétaire qui atteindra en 1927 son expression la plus virtuose dans le *Traité du style*, il n'est pas moins vrai que l'apport principal du *Projet* comme texte existant, réside en la nécessité imposée par la publication de reconsidérer l'œuvre complète d'Aragon dans l'organisation romanesque que l'auteur a voulu en élaborer. La version officielle, répandue par les soins d'Aragon, voulait en effet que le texte du *Projet* n'ait jamais été écrit (et plusieurs éléments prouvent qu'il ne pouvait s'agir là d'une défaillance de mémoire) ; dans le même temps il en distillait quelques extraits anonymes dans des volumes de sa dernière période (*Les Collages*, l'*Œuvre Poétique*), à l'image du voleur laissant délibérément, ultime signature, des indices derrière lui. Conservé au fonds Doucet le manuscrit a été classé de la main d'Aragon : ce n'est donc pas un texte négligé mais très volontairement mis de côté.

Étant donné l'instruction de ne laisser après sa mort aucun texte caché, il n'est pas improbable qu'Aragon ait imaginé d'utiliser le *Projet* comme un texte fantôme à partir duquel certains textes témoignages (comme les préfaces de l'*Œuvre Poétique*) devraient être tout différemment relus, dans une ultime apparition-parution, grand coup de théâtre d'outre-tombe.

Aragon est un mouvement perpétuel, on n'entre pas dans son œuvre comme dans un moulin : l'homme est un roman dont les chapitres ne cessent d'être battus.

Nicolas MOUTON

Jules LAFORGUE : *Voix magiques* (Baudelaire, Corbière, Cros, Hugo, Rimbaud, Mallarmé). Textes présentés par Daniel Grojnowski (Fata Morgana).

La chose est entendue : à la fin du siècle dernier, la poésie est en crise. Repliée sur elle-même, elle rêve d'insurrection. Contre la surproduction à laquelle ont cédé le roman et le théâtre, elle revendique une pratique raréfiée et aristocratique du texte. « La poésie sera chose d'initiés ». Laforgue retient la leçon de Baudelaire. Sus au bavardage romantique, à l'éloquence et aux grosses voix ! Non à Hugo dont l'orgue continue à souffler d'encombrantes gammes « tant qu'il y a du vent dans les tuyaux » !

Être moderne, c'est paradoxalement refuser le siècle, ses modes, ses tics et ses trucs. Laforgue fait sien l'esprit frondeur d'un Corbière : « À tout ce qui est oui – il dit non – et le contraire. » S'il n'a pas développé de son vivant – et pour ccause – une réflexion sur la littérature, il a préféré intégrer ses positions rebelles dans la matière même de son écriture. Oscillant entre le cri et le silence, sa poétique – notamment dans *Les Complaintes* – réfléchit constamment l'imposture et la vanité dont elle procède. On se souvient, entre autres, du portrait dépité et amusé que le poète dresse de lui-même dans la *Complainte d'un autre Dimanche* : « Ah ! qu'est-ce que je fais ici, dans cette chambre !/Des vers. Et puis, après ? ô sordide limace ! »

Parce qu'il rejette toute forme d'« art sans poitrine », Laforgue est en quête des voix magiques qui parlent au plus profond. Il cherche également à faire chorus avec d'autres poètes qui sont en quelque sorte ses *frères ennemis* : Baudelaire et Rimbaud, surtout, mais aussi Cros, Corbière et Mallarmé. Ensemble, ils forment une lignée, « sans avant ni après », d'iconoclastes et de fondateurs. Tous, tour à tour, ont cassé le code lyrique.

Implicitement, sous le fatras des notes laforguiennes, les unes publiées, les autres griffonnées dans des carnets, se dégage une généalogie de la modernité poétique. « Charles le Grand » en est, bien sûr, l'instigateur : « le premier », il a osé des « comparaisons énormes », « rompu avec le public » et fait « de l'importation anglo-américaine. » Pour Laforgue, Baudelaire est « chat, hindou, yankee, épiscopal alchimiste ». Vient ensuite Corbière – le grand rival – qui, comme Laforgue, se sent « à l'étroit dans le vers » et écrit « sans esthétique [...] pas de la poésie et pas du vers, à peine de la littérature. » Mallarmé – « toujours concret, jamais impalpable » – et Cros recueillent un enthousiasme plus réservé : sans commune mesure avec Rimbaud, « le *seul isomère* de Baudelaire », en qui Laforgue salue l'audace d'avoir avoué « le petit bonheur de la rime ».

Peu ou prou, Laforgue se sent de mèche avec ces poètes. Il trouve en eux un écho de sa propre « haine de l'éloquence et des confidences poétiques », ainsi qu'un cousinage d'écriture. Mais l'auteur des *Complaintes* aime aussi à se distinguer et à ne pas trop vite faire acte d'allégeance. Le compte rendu qu'il a publié anonymement, dès la parution de son premier recueil, en 1885, dans *La République fran-çaise*, et que l'éditeur des *Voix magiques* reproduit à juste titre, dit à suffisance le besoin qu'eut Laforgue de « faire de l'original à tout prix ». Dans ce texte, le poète parle de ses *Complaintes* avec une étonnante lucidité critique. Conscient des rap-ports de force qui tiraillent le champ poétique dans les années 1880, il situe son recueil entre la « pleine ferveur du cénacle parnassien » et le « nouveau cénacle tout court, sans étiquette », qu'anime la jeunesse littéraire de la rive gauche, tout im-prégnée de « mysticisme », de « schopenhauerisme » et d'« impressionnisme ». Il sait ce que ses *Complaintes* doivent à l'air du temps, mais il cherche surtout à les démarquer des modes parisiennes. Aussi espère-t-il que les *thèmes* qu'il chante (« un peu de tout, depuis l'éternel féminin jusqu'à la mort, en passant par les nostalgies et les spleens obligés »), la *langue* qu'il utilise (« de la poudre aux yeux et de la plus saugrenue ») et le *vers* qu'il travaille (« un pêle-mêle de rythmes et de rimes inédits ») seront « d'une tenue moins décadente et d'un idéal plus sérieuse-ment moderne. » Des *Fleurs du Mal* aux *Complaintes*, Laforgue pose des jalons qui l'inscrivent au registre de la modernité littéraire : on n'est jamais si bien servi que par soi-même.

Pour la plupart, les « fiches de lecture » de Laforgue, comme les appelle Daniel Grojnowski, qui composent *Voix magiques*, ont paru dans un volume de *Mélanges posthumes* (Mercure de France, 1903) dont l'authenticité est plus que douteuse, l'ensemble ayant été réécrit par des éditeurs peu scrupuleux. C'est pourquoi il a fallu revenir au texte des *Entretiens politiques et littéraires* qu'a établi Félix Fénéon. Il est heureux de les voir rassemblées en un livre qui, quoique incomplet (le beau texte de 1882 sur Bourget n'a pas été retenu) est cohérent par son unité de thèmes (notamment, une interrogation constante sur la langue) et par son écriture. Procé-dant par touches évocatoires, empruntant à des lexiques métaphoriques variés, Laforgue a écrit là de véritables poèmes en prose qui mêlent, avec une sensibilité suraiguë, les collages de citations aux paraphrases explicatives. Ces notes, presque toujours jetées à vif, dans l'intimité du geste de leur écriture, inaugurent une nouvelle manière d'interpréter les textes en abolissant les frontières entre les genres. Elles participent de l'impossible définition qu'un Corbière donnait du « ça » poétique, à savoir ni roman, ni essai, ni poème, etc., mais, tout à la fois « rien ou quelque chose... » En finir avec la Littérature et ne laisser la parole qu'à l'écri-ture, dans son jaillissement, voilà comment Laforgue et les siens ont porté atteinte aux « ronrons lyriques ». Voilà comment, aussi, ils ont sauvegardé le mythe de l'originalité et du génie poétique.

Jean-Pierre BERTRAND

Rémy STRICKER : *Frantz Liszt, les ténèbres et la gloire* (Gallimard).

Longtemps le brio de Liszt, ses jeux éblouissants, sa richesse, m'ont un peu écartée de lui. Le personnage religieux, théâtral, virtuose, adulé des femmes, l'ambiguïté même de son apparence, m'avaient caché les secrets de sa souffrance, de sa musique. Cheveux, mains, vêtements, beauté séductrice trop chargée jusque dans l'humilité ou le doute, m'avaient masqué l'affamé, le découvreur, le généreux, le visionnaire moderne qui voyait l'orage longtemps avant qu'il ne déchire l'air. Vertige de l'*ego*, effervescence romantique déjà inscrite dans l'incertitude du baro-que, emprunts, citations, trompe-l'oreille, trouble de l'amour, de l'errance, je devinais sans comprendre. Parfois j'étais prise, parfois exclue.

« Ce livre – écrit Rémy Stricker – est une interrogation envers le pouvoir d'émotion lisztien. » Comme dans le tableau de Caspar David Friedrich *Un voya-*

geur contemplant la montagne, l'auteur cherche à atteindre un sommet d'où il pourrait voir tout le paysage lisztien, entendre tout ce qui monte des profondeurs, sous les nuages gris, déchirés par les rochers, les cris, les prières. Revenir au silence, comme à la « pauvreté », « l'abstinence » finale du musicien. Mais on ne déchiffre pas le paysage, on ne déchiffre par Liszt, ce « créateur si manifestement inquiet de ce qu'est son occupation la plus étrange ». Voici une approche tournante qui s'achève « dans un rêve » – à travers la psychanalyse. Liszt parle de son ennemi : « Le démon des excitations et des émotions extrêmes [...]. La maladie sacrée de l'orgueil m'apparaissait parfois comme une sorte d'idéal. » Ce démon ne serait-il pas son inspiration ?

Voyageur, *wanderer*, Rémy Stricker part avec toutes ses connaissances, découvre des inédits, éclaire les ombres, les œuvres les moins connues. Le jeune Liszt « allant sans gêne à la dérive des passions », puis le vieux Liszt douloureusement attaché à Caroline de Wittgenstein, douloureusement incompris de Pie IX qui pourtant est ému. Liszt et son dernier pouvoir. *La Notte*, selon Michel-Ange, *Via Crucis*, nous touchent d'une autre façon que le *Psaume XIII* qui nous a, plus tôt, frappé au cœur.

Voici la vision du « prédateur ». Improvisation ? Emprunt ? Citation ? Liszt emprunte à Beethoven, puis laisse *son* empreinte. D'où vient cette musique qui dévore ce qu'elle admire ailleurs et le fait sien ? D'où vient ce langage qui annonce tant de langages futurs ? Liszt parlait « impétueusement, d'une manière abrupte », il se confiait peu en paroles. Pourtant, à travers lettres et portraits, Rémy Stricker nous le fait entendre, doucement. Ainsi, à propos de l'*Ave Maria* : « Je n'arrive jamais à un certain passage que je vous jouerai, sans être comme *saisi* de vous » (À Marie d'Agoult). Et c'est nous qui sommes saisis, avec l'envie de ne pas lâcher le livre, et celle tout aussi forte de le lâcher pour retrouver dans *Christus*, ou dans *Nuages gris*, les passages qui glissent sous les portées, au long des thèmes cités, des pages. Les mots que Liszt – qui a beaucoup écrit – n'a pas prononcés, se resserrent comme une trame retrouvée, une tapisserie recousue. Écrivain, musicien, homme de réflexion et de passion tout ensemble, Rémy Stricker est un rhapsode. Dans la nuit à demi éclairée de l'inconscient, Franz Liszt est devenu proche.

Martine CADIEU

Michel CAMUS : *L'Enjeu du Grand Jeu* (Mont Analogue éditeur, 1 rue Corvisart - 08090 Aiglemont).

Complément bienvenu au numéro « Grand Jeu » que vient de publier *Europe* : cette mince plaquette (une trentaine de pages) où Michel Camus a regroupé – à l'initiative d'un éditeur perspicace – trois textes publiés auparavant en revues ou en catalogue d'exposition. L'auteur exprime, en préambule, le vœu que « ces modestes approches incitent de nouveaux lecteurs à découvrir l'œuvre encore largement méconnue de René Daumal et le *sens du sens* du Grand Jeu qui, pour chacun de nous, est une question de vie ou de mort ».

Profitons-en pour signaler que le même éditeur organise, dans le cadre du festival « Les Aubades en Ardennes », une très stimulante quinzaine à Charleville-Mézières, du 25 novembre au 9 décembre 1994. Faite de rencontres, expositions, projections etc., elle s'articule autour de deux grands thèmes : *Autour de René Daumal* et *Le grand jeu du Grand Jeu*. Il n'est pas trop tard pour s'informer (renseignements auprès de l'éditeur précité). Projets à venir : Prévert (1995), Gracq (1996).

Alain et Odette VIRMAUX

europe

BULLETIN D'ABONNEMENT

Nom .... Prénom ....

Adresse : ....

....

Code Postal : ....

s'abonne pour un an *(ou* six mois*) à* EUROPE *à partir du numéro du mois de* .... *inclus et vous adresse le montant par chèque bancaire, mandat-carte, chèque postal.*

A .... le ....
Signature :

1 an : 450 F   **Étranger : 550 F**   **6 mois : 270 F**

ANCIENS NUMÉROS

Nos lecteurs désireux d'acquérir d'anciens numéros d'*EUROPE* peuvent s'adresser à leur libraire habituel ou à la rédaction de la revue. Signalons également qu'un certain nombre de numéros antérieurs à ceux figurant au catalogue ont été réimprimés ou demeurent disponibles : BRECHT (n° 133-134), AGRIPPA D'AUBIGNÉ (n° 563), TOUT SUR MOLIÈRE (n° hors série), PAUL ÉLUARD (n° hors série), PORTO RICO (n° 592-593), JULES VERNE (n° 595-596), PASCAL (n° 597-598), LE MODERNISME BRÉSILIEN (n° 599), LUKACS (n° 600), THÉOPHILE GAUTIER (n° 601), ARSÈNE LUPIN (n° 604-605), LITTÉRATURE DE BOSNIE-HERZÉGOVINE (n° 606), LE LIVRE ET L'ENFANT DANS LE MONDE (n° 607-608).

NOS PROCHAINS NUMÉROS

- **LE VAUDEVILLE**
- **LES FRÈRES GRIMM**
- **GEORGES BERNANOS**

NUMÉROS PARUS DEPUIS 1980

N^{os}	Titres	Dates		Prix
609-610	Saint-Simon	Janv.-Fév.	1980	**90,00**
612	Martinique, Guadeloupe	Avril	1980	**90,00**
613	Nguyên Trai	Mai	1980	**90,00**
614-615	Charles Nodier	Juin-Juil.	1980	**90,00**
619-620	Hetzel	Nov.-Déc.	1980	**90,00**
621-622	Littérature catalane	Janv.-Fév.	1981	**90,00**
623-624	Alfred Jarry	Mars-Avril	1981	**90,00**
625	Littérature de Bretagne	Mai	1981	**90,00**
626-627	Gaston Leroux	Juin-Juil.	1981	**90,00**
636	Pierre Véry	Avril	1982	**90,00**
637	J.-L. Borges	Mai	1982	**90,00**
642	Chrétien de Troyes	Octobre	1982	**90,00**
643-644	Eugène Sue	Nov.-Déc.	1982	**90,00**
645-646	Poésie française aujourd'hui	Janv.-Fév.	1983	**90,00**
647	Littérature d'Islande	Mars	1983	**90,00**
649	De l'Italie : vingt ans de poésie	Mai	1983	**90,00**
654	Le Moyen Âge maintenant	Octobre	1983	**90,00**
655-656	Littérature de Turquie	Nov.-Déc.	1983	**90,00**
659	Le Roman gothique	Mars	1984	**90,00**
660	Littérature du Portugal	Avril	1984	**90,00**
662-663	Mémoires imaginaires	Juin-Juil.	1984	**90,00**
664-665	Le roman noir américain	Août-Sept.	1984	**90,00**
666	Littérature de Cuba	Octobre	1984	**90,00**
669-670	Littérature occitane	Janv.-Fév.	1985	**90,00**
671	Victor Hugo	Mars	1985	**90,00**
672	Chine : une nouvelle littérature	Avril	1985	**90,00**
673	Jules Laforgue	Mai	1985	**90,00**
674-675	Littérature de Finlande	Juin-Juil.	1985	**90,00**
676-677	Virginia Woolf/Gertrude Stein	Août-Sept.	1985	**90,00**
678	Zola/Poésie coréenne	Octobre	1985	**90,00**
679-680	René Crevel	Nov.-Déc.	1985	**90,00**
681-682	H.G. Wells/Rosny aîné	Janv.-Fév.	1986	**90,00**
683	1936, arts et littérature	Mars	1986	**90,00**
684	Jacques Audiberti	Avril	1986	**90,00**
685	Machado/Guillen/Alberti	Mai	1986	**90,00**
686-687	Heinrich von Kleist	Juin-Juil.	1986	**90,00**
688-689	Jean Tardieu	Août-Sept.	1986	**90,00**
690	Littérature d'Argentine	Octobre	1986	**90,00**
691-692	Ronsard/Scève	Nov.-Déc.	1986	**90,00**
693-694	Mme de Staël/Japon	Janv.-Fév.	1987	**90,00**
695	Littérature de Norvège	Mars	1987	**90,00**
696	Victor Segalen	Avril	1987	**90,00**
697	Casanova	Mai	1987	**90,00**
698-699	Henri Michaux	Juin-Juil.	1987	**90,00**
700-701	Lautréamont	Août-Sept.	1987	**90,00**
702	Littérature de Tunisie	Octobre	1987	**90,00**
703-704	Le Mélodrame	Nov.-Déc.	1987	**90,00**
705-706	René Char	Janv.-Fév.	1988	**90,00**
707	Le Fantastique américain	Mars	1988	**90,00**

708	Littératures d'Afrique du Sud	Avril	1988	**90,00**
709	Saint-Pol-Roux/André Suarès	Mai	1988	**90,00**
710-711	Fernando Pessoa	Juin-Juil.	1988	**90,00**
712-713	Roger Vailland	Août-Sept.	1988	**90,00**
714	Raymond Roussel	Octobre	1988	**90,00**
715-716	La révolution française	Nov.-Déc.	1988	**90,00**
717-718	Aragon romancier	Janv.-Fév.	1989	**90,00**
719	Rainer Maria Rilke	Mars	1989	**épuisé**
720	La bande dessinée	Avril	1989	**90,00**
721	Écrivains de RFA	Mai	1989	**90,00**
722-723	URSS : Littérature et Pérestroïka	Juin-Juil.	1989	**90,00**
724-725	Jorge Amado	Août-Sept.	1989	**90,00**
726	Le théâtre ailleurs, autrement	Octobre	1989	**90,00**
727-728	André Malraux	Nov.-Déc.	1989	**90,00**
729-730	Montaigne/Jean Tortel	Janv.-Fév.	1990	**90,00**
731	Littérature nouvelle du Québec	Mars	1990	**90,00**
732	Rétif de la Bretonne	Avril	1990	**90,00**
733	Écrivains des États-Unis	Mai	1990	**90,00**
734-735	André Frénaud/Guillevic	Juin-Juil.	1990	**90,00**
736-737	Lewis Carroll	Août-Sept.	1990	**90,00**
738	Vivre le français	Octobre	1990	**90,00**
739-740	Charles Perrault	Nov.-Déc.	1990	**90,00**
741-742	Robert Musil/Hermann Broch	Janv.-Fév.	1991	**90,00**
743	André Breton	Mars	1991	**90,00**
744	Hermann Melville	Avril	1991	**90,00**
745	Aragon poète	Mai	1991	**90,00**
746-747	Arthur Rimbaud	Juin-Juil.	1991	**90,00**
748-749	Jacques Prévert	Août-Sept.	1991	**90,00**
750	Henry Miller/Tchicaya U Tam'si	Octobre	1991	**90,00**
751-752	Littérature d'une fin de siècle	Nov.-Déc.	1991	**90,00**
753-754	William Faulkner	Janv.-Fév.	1992	**90,00**
755	Francis Ponge	Mars	1992	**90,00**
756	L'invention de l'Amérique	Avril	1992	**90,00**
757	Rabelais	Mai	1992	**90,00**
758-759	Joseph Conrad	Juin-Juil.	1992	**90,00**
760-761	Baudelaire	Août-Sept.	1992	**90,00**
762	Roger Martin du Gard	Octobre	1992	**90,00**
763-764	Littératures des Pays baltes	Nov.-Déc.	1992	**90,00**
765-766	Virgile	Janv.-Fév.	1993	**90,00**
767	Boris Pasternak	Mars	1993	**90,00**
768	Littérature de Grande-Bretagne	Avril	1993	**90,00**
769	Philippe Soupault	Mai	1993	**90,00**
770-771	Samuel Beckett	Juin-Juil.	1993	**90,00**
772-773	Guy de Maupassant	Août-Sept.	1993	**90,00**
774	Yannis Ritsos	Octobre	1993	**90,00**
775-776	Chateaubriand	Nov.-Déc.	1993	**90,00**
777-778	Pierre Reverdy	Janv.-Fév.	1994	**90,00**
779	R. L. Stevenson	Mars	1994	**90,00**
780	Littérature suédoise	Avril	1994	**90,00**
781	Voltaire	Mai	1994	**90,00**
782-783	Le Grand Jeu	Juin-Juillet	1994	**90,00**

À l'étranger, ajouter 5,00 F par numéro

Dépôt légal : septembre 1994
Commission paritaire : n° 64837

Imprimé par Mame Imprimeurs à Tours
Numéro d'imprimeur :32895